COUP DE GRÂCE

ŒUVRES DE DANIELLE STEEL
AUX PRESSES DE LA CITÉ

(Suite en fin d'ouvrage)

Danielle Steel

COUP DE GRÂCE

Roman

Traduit de l'anglais (États-Unis)
par Laura Bourgeois

PRESSES
DE LA CITÉ

Titre original : *Fall from Grace*
L'édition originale de cet ouvrage a paru en 2018 chez Delacorte Press, Random House, Penguin Random House LLC, New York.

Presses de la Cité, un département de Place des Éditeurs
92, avenue de France 75013 Paris

© Danielle Steel, 2018, tous droits réservés.
© Presses de la Cité, 2020, pour la traduction française.

ISBN : 978-2-258-19180-8
Dépôt légal : août 2020

Presses
de un département **place des éditeurs**
la Cité

place
des
éditeurs

Chers lecteurs,

Ce fut un roman passionnant à écrire, car il a trait aux choses de la vie. Les « belles-mères maléfiques » ont mauvaise presse depuis toujours. On se souvient de Blanche-Neige, et il y en a eu bien d'autres avant. Mais qu'en est-il des belles-filles maléfiques ? Plusieurs fois, cette année, on m'a raconté des histoires terrifiantes au sujet de merveilleuses épouses s'étant toujours montrées bienveillantes à l'égard des enfants de leur mari, qui ont été privées de tout par ces mêmes enfants, devenus adultes, à la mort de leur père. Du jour au lendemain, une femme qui vivait protégée, comme dans un cocon, peut se retrouver sans rien, alors qu'elle n'a plus travaillé depuis des années, sans revenus propres, avec à peine de quoi survivre. C'est un véritable coup de grâce, et un éveil brutal, qui demandent beaucoup de bravoure, de force, d'énergie et de ressources pour reconstruire une vie et se réinventer. Perdre à la mort de l'être aimé son rôle et son statut d'épouse, avec toute la stabilité qui va de pair, est un coup du sort inimaginable.

Un autre thème qui m'intriguait est celui des innocents qui se retrouvent du mauvais côté de la loi à cause des actions de leur associé, de leur patron, ou en raison de leur naïveté et de prises de risque inconsidérées. Que se passe-t-il lorsqu'on est privé de tout, et que notre réputation jusque-là immaculée est soudain entachée ? Qu'advient-il de l'innocente injustement accusée d'un crime qui atterrit en prison ? Ces histoires arrivent parfois.

Dans de telles circonstances, reconstruire sa vie n'est pas une mince affaire lorsque tous les repères disparaissent, que l'être aimé n'est plus là, que des personnes malveillantes en profitent, que les circonstances jouent en notre défaveur ; quand la vie se referme sur nous, et qu'on se retrouve dans un monde inconnu, privé de bouclier. Pas à pas, jour après jour, il faut alors tout reconstruire à partir de rien, créer une nouvelle vie et un nouveau monde, et avancer, avec courage et intégrité. Quand tout s'effondre, quand le coup de grâce s'abat après une vie dorée et des années de confort disparues en un claquement de doigts... que reste-t-il ? C'est à ce moment que l'on découvre qui l'on est, ce qui compte vraiment, et cette force intérieure dont on ne soupçonnait pas l'existence. J'espère que vous aimerez lire cette histoire autant que j'ai aimé l'écrire !

Amitiés,

Danielle Steel

À mes merveilleux enfants,
Beatie, Trevor, Todd, Nick,
Samantha, Victoria, Vanessa,
Maxx, and Zara,
Puissent vos chutes être aussi douces que possible,
et puissiez-vous vous en relever très vite,
en ayant appris une nouvelle leçon.
Peu importent les apparences,
rien n'est jamais fini.
Je vous souhaite de toujours connaître
le bonheur des nouveaux départs.
Je vous aime de tout mon cœur,
À jamais,
Maman/DS

Le temps viendra
où vous croirez que tout est fini.
C'est alors que tout commencera.

— Louis L'Amour

1

Le regard perdu sur la pluie qui s'abattait en cette journée d'été, Sydney Wells avait l'impression de couler en eaux profondes. Elle venait de passer huit jours en état de choc. Depuis que son mari était sorti faire quelques courses à moto. Passionné de voitures de sport et autres bolides, il conduisait ce jour-là sa précieuse Ducati, le joyau de sa collection vintage. Ce devait être un tour rapide sur une petite route peu fréquentée du Connecticut mais, quatre heures plus tard, il n'était toujours pas rentré. Sur le moment, elle avait supposé qu'il avait finalement décidé de retrouver un ami, ou qu'il avait pensé à d'autres courses – quitte à être sorti, et puisqu'il faisait si beau. Quand elle l'avait appelé sur son portable, il n'avait pas décroché. La patrouille routière avait parlé d'une portion de route glissante et de graviers. Andrew portait un casque, mais il n'avait pas attaché la lanière : pas pour un trajet aussi court. La moto avait dérapé, le casque avait volé. Il était mort sur le coup. Il avait 56 ans. Sydney se retrouvait donc veuve, à 49 ans. Toute cette histoire était surréaliste, plus rien ne lui semblait familier, ni même possible. À la tête d'un fonds d'investissement hérité de son père, Andrew était un époux fiable, père de jumelles à présent trentenaires issues d'une première union, et beau-père des filles de Sydney. Tous deux formaient le couple parfait, qu'elle croyait destiné à vieillir heureux. Et pourtant... Seize ans de mariage étaient passés si vite, à l'échelle d'une vie.

Elle avait surmonté les obsèques entourée de ses filles, Sabrina et Sophie. De l'autre côté de l'allée centrale, le banc était occupé par les jumelles et leur mère. Geoff, le mari de Kellie, menait le clan. Le couple vivait dans la région et ils avaient laissé leurs fils de 3 et 5 ans chez eux. Kyra, quant à elle, habitait à New York avec son petit ami du moment, dans une belle maison de ville au cœur du West Village, que son père lui avait offerte pour ses 25 ans. Par souci d'équité, il avait au même moment acheté à Kellie la demeure de ses rêves dans le Connecticut. À l'époque, cette dernière venait de se marier, voulait fonder une famille, et préférait la vie à la campagne. Mais depuis la naissance de son deuxième enfant, elle commençait à s'y trouver à l'étroit et parlait de déménager pour plus grand – avec le soutien financier de son père, bien entendu.

Marjorie, la mère des jumelles, s'était installée à Los Angeles dix-huit ans plus tôt, après son divorce. Andrew avait rencontré Sydney au bout d'un an de célibat ; cette dernière n'avait joué aucun rôle dans la séparation. Ce premier mariage était simplement arrivé à son terme. Perpétuellement insatisfaite, Marjorie exprimait sa frustration en la faisant subir à son entourage, jusqu'au jour où Andrew avait fini par en avoir assez. À l'issue du divorce, Marjorie avait reçu un dédommagement financier colossal. Andrew était de nature généreuse, et ce même envers une ex-femme amère et hargneuse.

La colère et la jalousie de Marjorie avaient trouvé une cible toute naturelle en Sydney, et elle avait réussi à liguer les jumelles contre elle. Empoisonnées par le venin de leur mère, même sans raison valable, les adolescentes de 17 ans avaient détesté Sydney au premier regard. La jolie blonde divorcée s'était pliée en quatre pour conquérir ses belles-filles, mais la malveillance et la cruauté dirigées à la fois vers elle et vers ses enfants de 9 et 11 ans avaient fini par la décourager. Tant que la fureur de Marjorie alimentait leur haine, il n'y avait rien que Sydney puisse faire, aussi avait-elle baissé les bras. Durant la semaine qui avait suivi l'accident, les jumelles l'avaient sciemment ignorée, comme pour la blâmer de la mort de leur père. Pourtant, Sydney, Sophie et Sabrina étaient elles aussi anéanties par le deuil.

Au lendemain des funérailles, l'avocat d'Andrew, Jesse Barclay, était passé voir Sydney. Il fallait qu'elle sache. Seize ans avaient filé en un clin d'œil, et Andrew n'avait jamais retouché le testament rédigé avant leur rencontre. Jesse Barclay avait l'air embarrassé en confiant qu'il lui avait pourtant rappelé de modifier le document après son remariage. Andrew avait toujours eu l'intention de le faire, mais faute de temps il n'avait cessé de reporter la corvée, pensant avoir l'éternité devant lui. À un si jeune âge, pourquoi penser à une maladie ? Et comment prévoir un accident ? Le couple avait signé un contrat prénuptial établissant un régime de séparation des biens, avec l'idée de l'assouplir au bout de quelques années. Andrew n'avait que 40 ans à l'époque, et Sydney à peine la trentaine.

Dans la fleur de l'âge, Andrew était un homme plein de vie doublé d'un mari aimant. Jamais il n'avait cherché à placer Sydney dans cette situation. La savoir ainsi démunie lui aurait brisé le cœur. Son seul tort avait été un simple oubli, celui de mettre à jour ses papiers – car Andrew pensait avant tout à la vie, pas à la mort. Le dernier testament en vigueur léguait donc toute sa fortune à ses deux filles.

À l'instant où Andrew était mort, les jumelles étaient devenues propriétaires de la maison dans laquelle le couple avait vécu. Dès qu'elles furent informées de la situation, en même temps que Sydney, elles firent savoir par le biais de leur avoué qu'elles exigeaient son départ des lieux dans les trente jours, le minimum légal. Il lui en restait vingt-deux. Selon la même logique, Andrew léguait sa collection d'art, ses biens, ses investissements, le contenu de la maison ainsi que toute sa fortune à ses filles. Et comme le contrat prénuptial le stipulait, tout ce qu'il avait acquis lors de son second mariage revenait maintenant à Kyra et Kellie. La seule exception étant les cadeaux pour lesquels Sydney pouvait fournir la trace écrite qu'ils lui avaient bel et bien été donnés.

Triomphantes, les jumelles avaient débarqué à la maison le jour même de la lecture du testament pour faire l'inventaire de l'argenterie, des œuvres d'art, des antiquités et autres objets de valeur. Kellie avait d'emblée mis la main sur deux toiles et une sculpture – avec l'aval de sa sœur, bien sûr, mais sans prévenir Sydney, qui avait trouvé les lieux dévalisés en revenant d'une course et s'était effondrée sur le canapé en comprenant ce que cet acte mesquin laissait présager. Les sœurs s'étaient déjà mises d'accord : Kellie, qui avait une famille, était tout indiquée pour emménager dans l'immense domaine. D'autant plus que Kyra n'avait aucune envie de quitter New York et la maison de ville qu'elle y possédait déjà.

Sydney avait passé les quatre jours suivants dans un état de confusion et de panique qu'elle n'avait pas encore eu le cœur de dévoiler à ses filles. Elle ne voulait pas les inquiéter, et espérait trouver un plan d'action avant de leur exposer la situation dramatique. Selon la logique du testament consolidée par le contrat prénuptial, elle ne possédait à présent plus rien de ce qu'Andrew et elle partageaient depuis seize ans. Il lui avait fait cadeau de bijoux, qu'elle avait le droit de conserver, ainsi que d'un petit tableau d'une valeur anecdotique acheté à Paris lors de leur lune de miel. Pour leurs dix ans de mariage, il avait fait l'acquisition d'un appartement parisien sur la rive gauche, et l'avait mis au nom de Sydney. C'était un deux-pièces dans un immeuble plein de charme mais le bien, sans prétention, ne lui rapporterait clairement pas une somme mirobolante, si elle choisissait de le vendre.

En liant sa vie à celle d'Andrew, Sydney avait tiré un trait sur sa carrière de créatrice de mode au sein d'une prestigieuse maison dont elle dessinait les robes. Une décision qui n'avait pas été facile. Mais Andrew voulait qu'elle soit plus disponible pour lui et, arguant de la pression induite par ce poste à responsabilités qui la faisait vivre, ainsi que ses filles, depuis son divorce sept ans plus tôt, il l'avait convaincue d'abandonner. L'idée d'arrêter de travailler était tentante, car elle pourrait passer plus de temps non seulement avec son nouveau mari, mais aussi avec ses enfants. Cédant finalement à sa demande, elle avait démissionné un mois avant leur mariage. Sydney n'avait jamais retravaillé depuis et, au bout d'un temps, sa vie professionnelle avait cessé de lui manquer. Son quotidien avec Andrew était suffisamment riche.

Ensemble, ils parcouraient le monde, profitaient de leurs enfants respectifs et s'échappaient pour leur ville préférée, Paris, afin de s'y retrouver en amoureux une à deux fois par an. Leur appartement là-bas était leur cocon adoré, leur refuge.

Andrew avait toujours abordé le sujet de leur disparité financière avec beaucoup de discrétion, de bienveillance et d'élégance. Il approvisionnait ponctuellement un compte joint pour que Sydney puisse gérer les dépenses du quotidien et s'offrir ce qu'elle désirait sans avoir à lui demander de rallonge. Jamais il ne remettait en question ses achats, et elle ne faisait pas de folies. Elle connaissait la valeur du travail et lui était reconnaissante de la vie facile qu'il lui permettait de mener, ainsi que pour tout ce qu'il faisait pour ses filles. Sans revenus propres pendant toutes ces années, elle avait vécu dans le luxe grâce à sa générosité. Et voilà que soudain, du jour au lendemain, elle se retrouvait sans rien. Le seul argent auquel elle avait accès était celui du compte joint, et après avoir réglé les factures exorbitantes, il ne lui resterait pas grand-chose. Andrew réapprovisionnait généralement le compte sur une base mensuelle, si bien qu'il n'y avait pas d'économies disponibles, tout juste de quoi vivre sur une courte période en surveillant ses dépenses, mais pas pour longtemps – et certainement pas pour toujours. Une fraction de l'héritage aurait pourtant suffi à la préserver des soucis financiers pour le restant de ses jours – une pensée qui ne l'avait même pas effleurée tant elle était sincèrement désintéressée.

Depuis quatre jours, elle ne dormait plus et passait ses nuits à ressasser sa situation, et à essayer de trouver une solution pour l'avenir. Andrew lui manquait, et elle pleurait la perte d'un mari qui l'avait profondément aimée. À ce chagrin s'ajoutait la nécessité de retrouver une autonomie financière, et vite. Il lui fallait un nouveau toit, et les moyens de vivre une fois le compte joint épuisé. Les jumelles l'avaient autorisée à conserver sa voiture et ses vêtements, mais guère plus. Elles avaient enfin gagné la guerre déclarée bien des années plus tôt et, sans le vouloir, Andrew avait joué en faveur de leur victoire. S'il avait envisagé une seule seconde l'éventualité d'un tel drame, jamais il ne l'aurait laissée à leur merci. Il ne mesurait que trop bien l'étendue de leur mesquinerie, et le leur avait reproché plus d'une fois.

Les filles de Sydney avaient toutes deux un bon poste qui leur garantissait un revenu fixe – tout en appréciant un coup de pouce occasionnel de la part de leur beau-père. Sydney, en revanche, dépendait entièrement de lui depuis qu'elle avait cessé de travailler. Son premier mari l'avait laissée sans rien d'autre qu'une maigre pension alimentaire pour les enfants. Il avait rencontré une femme fortunée de Dallas chez qui il avait emménagé peu après le divorce sans que lui pèse l'éloignement avec ses filles. Deux ans plus tard, le couple mourait dans le crash de leur jet privé lors d'un safari au Zimbabwe. Devenu le père de substitution des filles, Andrew les avait soutenues financièrement jusqu'à ce que leurs carrières soient lancées, endossant notamment leurs frais de scolarité à l'université. Il avait toujours été un beau-père merveilleux et attentionné. À présent, elles aussi étaient en deuil.

À la douleur d'avoir perdu son mari se mêlait la terreur d'un avenir incertain et des options auxquelles elle allait devoir se résoudre à mesure que son compte courant se viderait – les chiffres dégringolaient déjà dangereusement. La stabilité, la sécurité et le luxe laissaient brutalement place à la précarité. Elle était restée trop longtemps à l'écart du monde professionnel et de l'univers de la mode pour espérer retrouver un poste facilement. Elle n'était même pas à jour sur les logiciels qu'utilisaient à présent les stylistes. Ses croquis étaient toujours réalisés à la main, comme au bon vieux temps. Avec un décalage pareil sur son époque conjugué à seize ans d'absence dans le milieu, personne ne voudrait l'embaucher. Son pire cauchemar s'était réalisé. Elle avait perdu Andrew et, après des années à dépendre de lui, elle était incapable de subvenir à ses propres besoins – à part en débarrassant des tables ou en vendant des chaussures. Sans un minimum de maîtrise des outils informatiques actuels, elle ne pouvait même pas prétendre à une mission d'assistante ou de secrétaire. Elle ne savait rien faire. Son seul talent était le design de mode, mais ses compétences et son carnet d'adresses étaient obsolètes.

Depuis l'enterrement, Sydney passait ses nuits assise dans sa chambre, toutes lumières allumées, bloc-notes à portée de main, pour dresser la liste de ce qu'elle pouvait vendre et estimer la somme à en tirer. Ses bijoux étaient magnifiques et elle les adorait. Mais Andrew ne lui avait jamais offert de haute joaillerie – elle n'en avait pas voulu. Il dépensait bien plus pour leur collection d'art soigneusement composée à deux, à la valeur inestimable, et dont chaque œuvre appartenait à présent aux jumelles, puisqu'il avait toujours tout payé sans penser à faire figurer le nom de Sydney sur les papiers. Elle possédait tout de même l'appartement parisien, qu'elle avait l'intention de vendre rapidement. Elle avait besoin d'argent. Son attachement à l'endroit importait peu à présent, il fallait mettre le bien sur le marché. Les vêtements ne lui rapporteraient pas grand-chose, si elle les revendait. Et elle ne pouvait guère penser à quoi que ce soit d'autre qui lui appartienne. Tout ce qui lui venait en tête entrait dans la catégorie « contenu de la maison », dont jouissaient à présent Kellie et Kyra.

L'avocat d'Andrew était le seul au fait de sa situation catastrophique, et elle lui avait fait jurer de garder le silence. Elle ne voulait pas inquiéter Sophie et Sabrina, déjà très abattues. Leur faire part de son angoisse ne changerait rien aux circonstances et ne l'aiderait pas davantage.

Une semaine après l'accident, sans rien dire à personne, Sydney se rendit à New York. Elle avait rendez-vous avec un agent immobilier dégoté en ligne, qui proposait des locations meublées de courte durée. La maison du Connecticut devait être libérée dans les trois semaines. Sydney s'évertuait à garder la tête froide pour élaborer un plan d'action, car elle savait que les jumelles ne lui accorderaient pas un jour de plus. Après cinq visites d'appartements plus sinistres les uns que les autres dans des immeubles mal entretenus au fin fond de l'Upper East Side, elle trouva un petit deux-pièces auquel s'ajoutait en bonus un minuscule espace aveugle susceptible d'être transformé en dressing, en bureau ou en chambre d'enfant. Parfait pour entreposer tous ses cartons. Le loyer était raisonnable, l'immeuble affreux, il n'y avait pas de climatisation, et le coin cuisine faisait partie du salon. Le mobilier IKEA était majoritairement neuf, avec quelques exceptions dépareillées issues de boutiques de seconde main. D'après l'agent immobilier, le propriétaire était parti étudier à l'étranger, et souhaitait louer pour une courte durée. Ses filles seraient horrifiées en voyant les lieux, mais Sydney n'avait pas l'intention de leur faire part de sa situation dans l'immédiat. Avec un peu de chance, une fois l'appartement parisien vendu, elle aurait de quoi tenir le temps de trouver un travail. À 49 ans, elle se répétait qu'elle était assez jeune pour recommencer une nouvelle vie, mais son cœur sombra comme un poids dans sa poitrine au moment de signer le bail. Il restait à vérifier son indice de solvabilité, mais l'agent affirma que tout serait en ordre au moment d'emménager. Cette déclaration déclencha chez elle un surcroît de stress. Un vertige la saisit à l'idée d'abandonner la maison qui était sienne depuis tant d'années.

Le soir même, elle commença à préparer ses valises pour son voyage à Paris. Elle avait envoyé un e-mail à une agence immobilière dans l'après-midi, et rendez-vous avait été pris deux jours plus tard. L'agente n'avait pas été très encourageante sur les perspectives de vente. En plein dilemme sur les tenues à emporter, Sydney sursauta en entendant la sonnette. Elle fut surprise de trouver sur le seuil, un carton à gâteau entre les mains, une femme qu'elle connaissait depuis des années mais dont elle n'avait jamais été proche. Légèrement plus âgée que Sydney, Veronica avait divorcé quelques années plus tôt. C'était une belle femme, qui conservait un physique avantageux grâce à une pratique assidue du tennis. Sa présence aux funérailles l'avait étonnée. Les deux femmes s'étaient rencontrées quand leurs enfants fréquentaient la même école, et elles se croisaient encore occasionnellement.

— J'étais sur le chemin du retour, et je me suis dit que j'allais passer prendre de tes nouvelles. Tu as mangé ?

Une sollicitude sincère perçait dans sa voix, comme si elles étaient les meilleures amies du monde. Mais Veronica était bavarde, et Sydney n'avait ni l'énergie ni l'envie de papoter après sa journée de visites. Choisir un nouveau chez-elle de la taille d'un placard avait été suffisamment déprimant.

— Je vais bien.

Dans l'embrasure de la porte, Sydney avait l'air fatiguée. Elle ne voulait pas paraître impolie, mais elle n'avait aucune envie de l'inviter à entrer.

— J'ai passé la journée à New York, expliqua-t-elle. J'avais des affaires à y régler. Et je suis en train de faire mes valises. Je viens de rentrer.

Derrière elle, les lumières étaient éteintes, mais Veronica refusait de comprendre le sous-entendu. Au contraire. Elle semblait décidée à lui imposer son soutien.

— Tu pars en vacances ? Ou tu vas passer un peu de temps chez les filles à New York ? Je peux venir dormir chez toi quand tu veux, si tu te sens seule.

Sydney n'imaginait pas pire scénario. La proposition partait certes d'une bonne intention mais n'en demeurait pas moins extrêmement intrusive.

— Non, merci. Ça va aller. Je vais à Paris pour m'occuper de notre appartement là-bas.

— Tu comptes t'y installer ?

La curiosité de Veronica était piquée. Elle se demanda si Sydney allait vendre la maison. C'était une résidence spectaculaire avec des jardins immenses, et du terrain à perte de vue. Il fallait du temps, des employés et beaucoup d'argent pour entretenir une telle propriété. Un challenge d'autant plus difficile sans Andrew pour orchestrer le tout.

— Non, je ne déménage pas à Paris, dit Sydney avec un soupir.

Baissant la garde à contrecœur, elle recula pour laisser Veronica entrer. Cette dernière ne se fit pas prier et la suivit à la cuisine. Sydney lui servit un thé glacé et elles s'installèrent au comptoir en granite noir. Veronica commença par l'interroger sur l'appartement à Paris. Tout en mettant au frais la quiche qu'elle lui avait apportée, Sydney expliqua :

— Je ne me vois pas profiter de l'appartement sans Andrew. C'était notre petit nid. J'ai l'intention de le vendre.

Aussi dévastatrice que soit l'idée.

— Vas-y doucement, dit Veronica avec gravité. Tu sais ce qu'on dit : il ne faut jamais prendre de décisions importantes dans l'année qui suit le décès d'un proche. Tu risques de le regretter plus tard. Tu ferais peut-être mieux de commencer par passer un peu de temps là-bas, ou à New York avec Sophie et Sabrina. Je ne prendrais pas de décision hâtive si j'étais toi.

Sydney hésita un long moment avant de répondre. Elle ne voulait pas révéler les détails sordides de sa situation mais Veronica finirait bien par le savoir, de toute façon.

— C'est plus compliqué que ça. Les filles d'Andrew ont hérité de la maison. Kellie et sa famille s'installent à ma place. Je déménage à la fin du mois, et il faut encore que je planifie la suite.

Sydney tentait de banaliser la situation afin de ne pas trahir son désespoir, mais son ton détaché laissa Veronica stupéfaite. Elle sauta sur la nouvelle avec une curiosité pétrie d'indiscrétion.

— Tu déménages ? Dans trois semaines ? Tu ne peux pas rester là pour six mois ou un an ?

Apprendre que la propriété revenait aux filles d'Andrew et pas à sa veuve avait de quoi choquer. Sydney ne le savait que trop bien. Aussi pesa-t-elle ses mots avant de répondre. Dévoiler son impuissance et sa détresse aurait été bien trop embarrassant. Par respect pour Andrew, elle devait faire bonne figure. Veronica ne semblait pas disposée à partir : elle avait investi sa cuisine, échangeant une quiche contre des informations de première main. Sydney, qui connaissait son amour des potins, dit avec flegme :

— Quitte à déménager, autant le faire maintenant. Et puis il faut que je m'occupe de Paris.

— Elles ont hérité de ça aussi ? demanda Veronica avec un air aussi horrifié qu'avide.

— Non, l'appartement était un cadeau d'Andrew. Mais la maison est à elles, avec tout son contenu.

Elle resta silencieuse quelques secondes, et alors qu'un silence gêné s'installait, Sydney pria pour que Veronica s'en aille. Cette dernière tenta une approche optimiste :

— Au moins, tu vas pouvoir t'amuser à acheter une nouvelle maison et à la décorer entièrement !

Sydney ne fit pas de commentaire. Si elle voulait pouvoir se nourrir, le shopping déco était à proscrire.

— Tu pars quand ?

— J'ai un vol demain soir. Je serai de retour dans quelques jours.

Elle se leva, dans l'espoir que sa visiteuse l'imite. La conversation l'avait abattue, et Veronica sembla enfin comprendre qu'elle n'était pas la bienvenue.

— Appelle-moi, dit-elle en la suivant vers l'entrée. On pourra déjeuner ensemble, et je viendrai t'aider à faire les cartons.

Sydney n'avait pas besoin de témoin pour le moment où elle devrait tirer un trait sur tout ce qui avait fait sa vie. Supporter les jumelles pendant l'inventaire de l'argenterie, du cristal et de la collection d'œuvres d'art avait été bien assez pénible. Elle voulait passer ses derniers jours dans sa maison en paix, à faire le deuil de ce qui avait été. Du jour au lendemain, elle avait non seulement perdu l'homme qu'elle aimait, mais aussi son train de vie, son foyer, son statut de femme mariée, et même son identité. Qui était-elle sans Andrew ? Une femme pauvre, anciennement mariée à un homme riche. C'était comme tomber d'une falaise pour sombrer dans un précipice.

Après le départ de Veronica, sur une dernière étreinte, Sydney retourna à l'étage finir sa valise, plus déprimée encore. Elle envoya un e-mail à ses filles pour les prévenir de son voyage à Paris, puis resta éveillée dans son lit toute la nuit, en proie à l'anxiété.

Le lendemain matin, Veronica l'appela pour lui répéter combien elle était désolée pour la perte de la maison.

— Je n'ai pas fermé l'œil de la nuit tant j'étais inquiète pour toi.

Sydney ne mentionna pas sa propre insomnie. À quoi bon ? Elle ne voulait pas que Veronica sache à quel point elle était bouleversée. Ça ne la regardait pas.

Sophie l'appela un peu plus tard.

— Pourquoi tu pars à Paris maintenant, maman ? Où est l'urgence ?

— Je veux juste m'assurer que tout est en ordre, et c'est bien trop triste de rester seule ici. Quelques jours à Paris me feront du bien.

D'un ton qu'elle espérait enjoué, elle promit de lui donner des nouvelles à son retour.

Entre deux réunions, Sabrina, son aînée, lui recommanda par SMS de prendre soin d'elle et de rester vigilante. Les deux filles étaient inquiètes – une situation inédite. Sydney n'aimait pas l'idée d'être l'objet de leur pitié. Et si le deuil suffisait à la susciter, qu'en serait-il quand elles apprendraient pour la maison ? Elles savaient déjà qu'Andrew ne leur avait rien légué, mais elles seraient horrifiées de découvrir qu'il n'avait rien laissé à sa femme non plus. Sans équité ni justice, les jumelles héritaient de tout. Et Sabrina et Sophie, comme Sydney, savaient qu'elles n'avaient rien fait pour le mériter.

Sydney prit la navette pour l'aéroport. Elle avait un vol Air France à 22 heures. Andrew avait toujours insisté pour voyager en première, mais ce temps était révolu. S'accordant un dernier moment de luxe et de confort, elle avait dépensé tous ses miles pour un billet en classe affaires. Au moins, elle pourrait dormir à bord.

La compagnie aérienne proposait un repas complet, mais elle le refusa. Même l'estomac vide, elle n'avait pas d'appétit et ne pouvait pas concevoir d'avaler un menu de cinq plats à une heure si tardive. Elle inclina son siège et ferma les yeux pour se remémorer son dernier séjour dans la capitale française avec Andrew six mois plus tôt, à l'occasion du nouvel an. Les larmes perlèrent à travers ses cils et coulèrent sur ses joues alors qu'elle cherchait le sommeil. Bercée par le ronronnement apaisant de l'avion, elle finit par s'assoupir, et se réveilla quand un steward lui demanda de relever son dossier en prévision de l'arrivée à l'aéroport Charles-de-Gaulle. Le soleil brillait sur Paris, l'atterrissage fut doux et, peu de temps après, elle se retrouva devant le carrousel à bagages pour attendre sa valise – une étape qui lui était d'ordinaire épargnée. Mais elle ne voyageait plus en VIP, comme avec Andrew. Désormais, Sydney était seule, une femme ordinaire en voyage à Paris pour vendre l'appartement qu'elle chérissait.

Tâchant de ne pas penser à ce déchirement ni à ses derniers souvenirs heureux de la Ville lumière, elle monta à bord d'un taxi et donna l'adresse au chauffeur, peut-être pour la dernière fois.

2

En une journée, la question qui amenait Sydney à Paris fut réglée. L'agente immobilière n'y alla pas par quatre chemins : la conjoncture n'était pas favorable. Avec le climat politique qui régnait actuellement et la hausse des impôts – en particulier sur le patrimoine –, les fortunes françaises fuyaient le pays depuis quelques années, au profit de la Belgique et de la Suisse. Il ne restait plus que les investisseurs venant de Russie, de Chine et des Émirats arabes, mais ceux-ci se tournaient vers les appartements bling-bling de l'avenue Montaigne ou du 16e arrondissement, et depuis peu, de Londres – par peur d'être taxés à leur tour, car le gouvernement s'acharnait à récupérer l'argent dû là où il le pouvait. Dans tous les cas, les riches acheteurs étrangers ne s'intéressaient pas à de petites surfaces comme la sienne – et ce malgré leur charme. L'agente estimait qu'il valait mieux louer à un prix raisonnable en attendant une reprise du marché. Ses arguments tenaient la route, et Sydney approuva. Si un loyer modeste ne l'aiderait pas à résoudre ses problèmes financiers, il aurait le mérite de lui apporter un petit revenu stable, ce qui ne pouvait pas faire de mal. Elle demanda cependant à ce que le bail n'excède pas un an, et que le bien continue d'apparaître dans les offres d'achat.

Toute la soirée et la journée du lendemain, Sydney déambula dans Paris en tâchant d'éviter les endroits qui lui rappelaient Andrew – un parcours impossible tant ils avaient aimé la ville dans ses moindres recoins. Musées, jardins, galeries d'art, bars historiques comme le Hemingway du Ritz, le Café de Flore et Ladurée : leurs lieux de prédilection étaient partout. Elle se tint également à distance des boutiques du faubourg Saint-Honoré et de l'avenue Montaigne, puisqu'elle n'avait plus d'argent à y dépenser. Son seul achat fut celui d'une valise supplémentaire pour y ranger soigneusement les modestes tableaux qu'elle avait prévu de rapporter à New York. Au moment de quitter l'appartement, elle prit avec elle les petits objets à valeur sentimentale : des cadeaux d'Andrew, des babioles chinées ensemble, des photos d'eux à Paris. Elle ne savait pas quand elle reviendrait – si elle revenait un jour – et ne voulait pas les laisser à un inconnu.

Elle envoya un message à ses filles pour leur dire que tout allait bien. Dans le tourbillon intense de ce voyage, elle avait accompli l'objectif qu'elle s'était fixé. Quand elle fit le tour de l'appartement une dernière fois, les larmes roulèrent sur ses joues. Vidé de ses souvenirs, son cocon avait perdu de son charme. Il était temps de prendre un taxi pour l'aéroport et c'est en silence qu'elle regarda la ville s'éloigner. Après avoir passé les contrôles de sécurité, Sydney s'installa dans le terminal, écrasée par les émotions de ce bref périple.

Ses longs cheveux blonds étaient ramenés en une queue-de-cheval lisse. Elle portait un chemisier blanc et un jean noir, avec des ballerines et un sac en cuir noir Hermès – le modèle Kelly qu'Andrew lui avait offert plusieurs années auparavant. Le sac, que toutes les *aficionadas* s'arrachaient, était une légende dans le monde de la mode et elle se fit soudain la réflexion qu'en le revendant dans un dépôt de luxe elle pouvait en espérer une coquette somme, si la situation devenait vraiment désespérée.

Sydney avait choisi le dernier vol de la journée afin de pouvoir dormir. À bord, elle s'installa à sa place, côté hublot. Côté couloir, son voisin dénoua sa cravate et la rangea dans la poche de sa veste de costume grise que le steward proposa de suspendre, puis il retroussa les manches de sa chemise, dévoilant sa Rolex en or et son alliance. À en juger par ses cheveux poivre et sel, il devait avoir approximativement le même âge qu'elle. Ils se saluèrent d'un signe de tête, mais l'homme ne semblait pas enclin à faire la conversation, ce qui fut un soulagement pour Sydney. Elle n'était pas d'humeur. Aussitôt après le décollage, il ouvrit son ordinateur et se mit au travail tandis qu'elle inclinait son siège et fermait les yeux. Afin de ne pas être dérangée dans son sommeil, elle avait déjà informé le steward qu'elle ne prendrait pas de repas. Elle avait profité de ses dernières heures à Paris pour s'attabler devant un sandwich au bistrot préféré d'Andrew, à deux pas de l'appartement. Ils y étaient des habitués, et les serveurs avaient été peinés d'apprendre la terrible nouvelle et lui avaient présenté leurs condoléances.

Épuisée par la tristesse de ce voyage sans son mari, le déchirement de quitter son appartement adoré, et l'incertitude face à l'avenir, elle plongea dans un sommeil profond. Quelques heures plus tard, une annonce du pilote, d'abord en français puis en anglais, la réveilla. La voix calme leur déclara qu'ils rencontraient une difficulté d'ordre mécanique les obligeant à effectuer un atterrissage dans l'heure. Entre-temps, l'avion allait larguer du kérosène dans l'Atlantique. Cette information n'était destinée qu'à rassurer les passagers qui verraient par les hublots le carburant se déverser. Le commandant de bord précisa que l'appareil se trouvait à proximité de la Nouvelle-Écosse au Canada, où ils atterriraient. Pour Sydney, ces mots n'évoquaient rien de bon. Le cœur battant, elle jeta un coup d'œil à son voisin, et il lui répondit d'un regard interrogateur, se demandant probablement si elle était française ou américaine.

— Vous êtes déjà allée en Nouvelle-Écosse ? demanda-t-il avec un sourire taquin.

— Non, et je n'en ai aucune envie. À votre avis, quel est le problème avec l'avion ?

Percevant son anxiété, il tenta de détendre l'atmosphère :

— Probablement une pénurie de foie gras en première classe, et on s'arrête pour le réapprovisionnement. Vous savez, en Chine l'an dernier, j'ai eu droit à un atterrissage catastrophe avec un moteur en flammes, et on s'en est très bien sortis. Ils sont plutôt bons pour ramener ces gros coucous au sol, même dans l'urgence. Je suis sûr que tout va bien se passer.

Sydney sortit un mouchoir de son sac. Ses mains tremblaient quand elle le porta à son nez.

— Je viens tout juste de perdre mon mari, confia-t-elle à voix basse. Je n'avais pas l'intention de le rejoindre si vite, et j'ai deux filles qui m'attendent à New York.

Elle n'avait pas pour habitude de raconter sa vie à des inconnus, mais l'annonce du pilote l'avait chamboulée.

— Je suis désolé pour votre mari. J'ai moi-même une épouse et deux ex-femmes qui risquent de m'en vouloir sérieusement si je m'écrase avec cet avion. J'ai aussi un fils à Saint-Louis que ça pourrait contrarier.

Voyant qu'il venait de lui arracher un sourire, il poursuivit la conversation :

— Votre mari... C'était le cancer ?

— Non, un accident de moto. Il n'avait que 56 ans.

Le visage de l'homme affichait une compassion sincère, mais aussi un brin de curiosité. Il se demandait ce qu'était venue faire cette femme seule à Paris, mais ne l'interrogea pas davantage.

— Je suis sûr que tout va bien se passer, répéta-t-il.

Quelques minutes plus tard, on leur demanda d'enfiler leurs gilets de sauvetage et l'avion s'engagea dans une descente et une rotation. Instinctivement, l'homme tendit le bras et s'empara de la main de Sydney. Les siennes étaient grandes, douces, et étrangement réconfortantes pour celles d'un inconnu. Elle était contente de l'avoir pour voisin.

— Ce n'est pas de la drague, promis. Juste de la solidarité. On pourra discuter des implications plus tard, à condition que vous n'en parliez pas à ma femme.

Sydney ne put s'empêcher de rire, alors même que le sol approchait et que la descente se faisait de plus en plus raide. L'avion perdit rapidement de l'altitude, sembla foncer droit vers l'océan. Sydney poussa un petit cri, et l'homme resserra son étreinte. Enfin, l'appareil se stabilisa juste au-dessus du niveau de l'eau, et se dirigea doucement vers une piste d'atterrissage. Un grondement terrifiant s'échappait des moteurs, et Sydney crut entendre une petite détonation à l'arrière, comme la pétarade d'un pot d'échappement. Ils regagnèrent de la vitesse pour atteindre ce qui ressemblait à présent à un aéroport peuplé d'une flotte de véhicules d'urgence aux gyrophares clignotants.

— On est presque arrivés, dit son voisin d'une voix

apaisante et assurée. Et ils sont tous là à nous attendre. On va s'en sortir.

Elle hocha la tête sans quitter des yeux les camions de pompiers et les ambulances au sol, priant pour qu'il ait raison.

Ils atterrirent brutalement, avec plusieurs rebonds. Le train d'atterrissage ne s'était pas déployé d'un côté, et l'avion penchait sérieusement. Mais à part ce déséquilibre, rien de dramatique n'advint et l'engin finit par s'arrêter complètement. Sydney entendit des sirènes retentir alors que l'équipage ouvrait rapidement les portes et activait les toboggans gonflables. On leur demanda de laisser chaussures et bagages à main à bord, et de se diriger vers la sortie la plus proche. Les membres de l'équipage portant un badge rouge les orientèrent vers les toboggans. Un par un, les passagers quittèrent l'avion, et les équipes de sauvetage au sol les guidèrent vers des bus spécialement affrétés. L'évacuation se fit de manière fluide et ordonnée. Quelques femmes pleuraient, de soulagement plus qu'autre chose, mais personne ne céda à la panique, et si tout le monde semblait encore sous le choc, la détresse était infiniment moindre quand les bus dépassèrent un petit terminal pour rejoindre un lycée dont l'amphithéâtre était suffisamment grand pour les accueillir. Un stand de ravitaillement et une infirmerie d'appoint les y attendaient. Les ambulanciers naviguèrent à travers la foule pour proposer leur aide mais, fort heureusement, il n'y avait pas de blessés. Le brouhaha des conversations s'amplifia à mesure que les passagers débattaient de l'événement ou téléphonaient à leurs proches.

Le voisin de siège de Sydney appela sa femme, et elle-même tenta de joindre ses filles. Aucune ne décrocha, comme d'habitude, et elle leur laissa un message pour les informer de l'atterrissage d'urgence en Nouvelle-Écosse, et leur dire qu'elle allait bien et serait de retour bientôt.

Une fois les appels passés, son compagnon sembla plus détendu.

— Au fait, moi, c'est Paul Zeller.

— Merci de m'avoir tenu la main, j'étais terrifiée. Sydney Wells.

Son aveu n'avait rien d'un scoop, tant sa peur avait été perceptible.

— Ne vous en faites pas, j'ai l'habitude. Sauf absolue nécessité, ma femme ne prend jamais l'avion, et dans ce cas il lui faut trois Xanax, une bouteille de champagne, et une assistance psychologique.

Sydney éclata de rire. Autour d'elle, des bénévoles dressaient des lits de camp dans le gymnase qu'on leur avait assigné et distribuaient des chaussons en papier. On les avait informés qu'un avion viendrait les récupérer le lendemain. Une longue nuit les attendait, voire une longue journée.

— Qu'est-ce qui vous a amenée à Paris ? demanda-t-il.

Pour un voyage en solitaire, c'était une destination qui sortait de l'ordinaire.

— J'ai un appartement là-bas. J'avais l'intention de le vendre, mais j'ai finalement décidé de le louer. Je ne pense pas y retourner un jour. C'est au-dessus de mes forces.

— Je comprends. Pour ma part, il s'agissait d'un voyage d'affaires. Je travaille dans la mode, se rengorgea-t-il.

— J'ai longtemps travaillé dans la mode, moi aussi. J'étais styliste avant de me marier. Mais c'était il y a des lustres.

— Vous dessiniez pour qui ?

Il sembla impressionné quand elle lui dévoila la marque.

— C'était une grande maison. Dommage qu'ils aient dû fermer à la mort du fondateur et qu'il n'y ait eu personne pour continuer à la faire tourner.

— Au début, ça me manquait terriblement. Et puis, j'ai fini par m'habituer. Je suis restée à la maison pour mes filles et mon mari.

— Vous avez déjà envisagé de reprendre ?

— Jusqu'à présent, non. Je ne vois pas trop comment je pourrais. Ça fait une éternité, et je ne suis pas au fait de toutes les nouvelles technologies high-tech de design numérique.

— On ne remplacera jamais le vrai talent ni l'expérience. Vous êtes probablement bien plus compétente que vous le croyez. Les techniques numériques, il suffit de les apprendre. Mais le talent et le style, ça ne s'enseigne pas. Les choses ont beaucoup évolué depuis que vous avez quitté le milieu. Les gens veulent des produits accessibles. Le meilleur du style au coût le plus bas. Les femmes qui n'ont pas les moyens de dépenser une fortune pour des vêtements veulent quand même être tendance. Et c'est ce que j'essaie de faire pour elles. D'autant que tout le monde a des usines en Chine à présent, même les marques de luxe. Impossible de faire du bénéfice sans ça, à moins de sous-traiter à des fabricants, en Chine, eux aussi. C'est la même chose pour tout le monde.

— Nous, on achetait nos tissus en France, et on faisait appel à des usines italiennes, dit-elle, nostalgique. Ils faisaient des merveilles.

— Et vos prix étaient cent à deux cents pour cent plus élevés que les miens, rétorqua-t-il avec un sourire.

Ce n'était pas le même marché ni la même clientèle. Ce modèle économique existe encore, mais les marges sont bien plus grandes dans ma branche.

Il n'avait pas mentionné le nom de sa marque mais Sydney devinait à son discours qu'il vendait des vêtements à bas prix. C'était certainement une très grosse entreprise, s'il comptait sur le volume des ventes.

— Oui, le monde a changé, confirma-t-elle. Il y a vingt ans, on ne pouvait pas acheter des vêtements tendance à des prix abordables. Maintenant, c'est possible. Je pense que c'est important. La mode devrait être accessible à toutes, pas juste aux femmes qui ont dix mille dollars à dépenser pour une robe de soirée.

— Vous prêchez un convaincu ! À mon avis, vous devriez songer à reprendre le stylisme.

Malgré son enthousiasme, Sydney demeurait sceptique. Elle se sentait trop rouillée et dépassée. Pourtant, elle avait adoré les dix ans qu'elle avait passés dans le milieu après son diplôme de la Parsons School of Design à New York.

— On dirait que vous avez encore la mode dans le sang.

Il n'avait pu s'empêcher de remarquer que chaque vêtement et chaque accessoire qu'elle portait étaient de très grande qualité. Son sens du style était indéniable, même en jean et chemisier blanc, avec de minuscules créoles en or aux oreilles.

— Je ne suis que consommatrice à présent, dit-elle humblement. Mais c'est génétique. Mes deux filles sont stylistes.

À la mention de ses enfants, son ton s'était empli de fierté.

— Ah oui ? Chez qui ?

36

Le hasard faisait si drôlement les choses, pour que deux passionnés de l'industrie de la mode se soient retrouvés côte à côte dans un avion bondé. Quand elle lui dit le nom de la maison pour laquelle travaillait Sabrina, la stupéfaction se peignit sur son visage.

— Ça, c'est impressionnant. Elle doit vraiment être douée.

— Oui. C'est aussi une puriste. Elle estime que la mode n'existe que dans le microcosme dans lequel elle évolue. Mon autre fille dessine des vêtements de prêt-à-porter haut de gamme pour les ados.

Il hocha la tête quand elle révéla le nom de la marque. Les deux entreprises étaient mondialement connues et visaient une clientèle fortunée, particulièrement dans le cas de Sabrina. Les trois femmes évoluaient dans une autre sphère que la sienne. Pour autant, Sydney avait un grand respect pour les enseignes plus accessibles comme, supposait-elle, celle de Paul. Il lui arrivait aussi d'acheter des vêtements plus abordables, sans moins les apprécier, et dont elle reconnaissait la qualité du design. Les marques plus modestes avaient une forme d'honnêteté rafraîchissante, sans prétention – contrairement aux modèles dessinés par Sabrina, qui se prenaient parfois trop au sérieux. À titre personnel, elle trouvait une satisfaction dans les bonnes affaires. Elle exposa son point de vue à Paul, qui le partageait entièrement.

Ils discutèrent ainsi pendant un bon moment avant de se décider à faire un tour à la cafétéria. Après cette expérience éprouvante, ils étaient étonnamment affamés. La vie leur semblait bien plus douce à présent, comme si le fait que l'avion ne se soit pas écrasé leur donnait une seconde chance. Autour d'eux, tout le monde bavardait avec animation et semblait partager leur état d'esprit. Le vin coulait à flots. L'esprit de solidarité et d'entraide faisait régner une ambiance festive.

Paul et Sydney s'installèrent sur des lits de camp voisins et poursuivirent leur conversation après le dîner. Il lui parla de son fils, pédiatre à Saint-Louis et dont il était manifestement aussi fier que Sydney de ses filles. Une annonce générale les informa qu'un avion viendrait les chercher à midi le lendemain, et pendant que Paul lui racontait ses aventures en Chine, Sydney s'assoupit. Pour la première fois depuis la mort d'Andrew, elle n'avait pas peur, et son sommeil fut paisible.

Lorsqu'ils se réveillèrent le lendemain après une nuit reposante, les rayons du soleil inondaient le gymnase. Ensemble, ils allèrent chercher un café dans l'amphithéâtre, où une boulangerie du coin avait apporté une cargaison de viennoiseries. Après ce petit déjeuner, on les autorisa à récupérer bagages et chaussures. Ils firent la queue pendant une heure pour prendre une douche, puis, une fois changés, Paul et Sydney se retrouvèrent à l'extérieur pour se dégourdir les jambes. Les alentours étaient charmants, et le monde ne leur avait jamais semblé si lumineux et enjoué qu'après avoir frôlé la mort.

La conversation leur venait tout naturellement, et ils partagèrent avec entrain leurs passions et loisirs. Paul raconta qu'il avait fait beaucoup de randonnée, et qu'il pratiquait le sport en compétition dans sa jeunesse. Sydney lui parla de son voyage dans le Wyoming avec Andrew et les enfants, et de la beauté du parc national de Grand Teton. Quand il reconnut qu'il était accro au travail, elle lui confia sa terreur à l'idée de devoir chercher un poste à nouveau. Elle ne savait même pas par où commencer. Cette révélation le prit par surprise, car Sydney n'avait pas l'allure d'une femme qui avait besoin de gagner sa vie. Son regard se posa sur le sac Hermès. Il ne dit rien, par souci de discrétion, mais elle lut la question dans ses yeux.

— C'est compliqué, dit-elle simplement.

— Comme souvent, après un décès. Un divorce est déjà suffisamment chaotique, d'autant plus quand il y a du patrimoine. Votre mari avait des enfants de son côté ?

— Oui.

Elle n'eut pas besoin de s'étendre davantage. Paul avait compris.

— Ça va s'arranger, dit-il. Tout finit toujours par s'arranger. Ça peut simplement prendre du temps.

Elle hocha la tête et s'assit, le visage tourné vers le soleil pour en absorber chaque rayon, les yeux fermés. Paul était de très bonne compagnie, ce dont elle lui était reconnaissante. Elle sentait qu'il avait un bon fond et s'estimait chanceuse d'avoir été placée à côté de lui dans l'avion. Les choses auraient été bien pires pour elle sans ça.

L'avion arriva enfin à quatorze heures, et avec lui une équipe pour prendre en charge leur appareil initial. Sydney et Paul s'assirent côte à côte, et le vol s'écoula dans une alternance de conversation agréable et de silence serein. Au moment d'atterrir à JFK, ils étaient comme deux vieux amis qui auraient fait la guerre ensemble.

Après toutes ces épreuves, le passage par l'immigration et la douane leur fut gracieusement épargné. Le personnel de la compagnie aérienne les attendait au carrousel à bagages pour leur offrir leur aide et leurs excuses. Le pilote et son équipage s'en allèrent sous une salve d'applaudissements. L'atterrissage en urgence avait été effectué avec brio.

— Je peux vous déposer à Manhattan ? proposa Paul alors qu'ils sortaient du terminal.

— Non, merci, je vais prendre une navette. J'habite dans le Connecticut.

Plus pour longtemps, songea-t-elle avant de corriger :

— Je viens de louer un appartement à New York. Je compte y emménager bientôt.

Paul sortit son portefeuille et en tira une carte de visite.

— Si je peux faire quoi que ce soit pour vous, ou si vous cherchez un poste de styliste, appelez-moi. Et même sans ça, faites-moi signe quand vous serez à New York. Ça me ferait plaisir de vous inviter à déjeuner.

— Merci, répondit-elle chaleureusement en glissant la carte dans son sac à main. Je ne sais pas comment vous exprimer l'étendue de ma gratitude. Cette expérience aurait été bien plus traumatisante sans vous.

Avec un sourire, il la raccompagna jusqu'à sa navette, et elle le prit dans ses bras au moment de se dire au revoir.

— Ne vous inquiétez pas, lui dit-il de son ton si rassurant. Tout va bien se passer. Il suffit d'un peu de patience. Prenez soin de vous, Sydney.

— Vous aussi.

Derrière la vitre, elle lui adressa un dernier signe de la main. Le bus démarra et la tristesse s'empara d'elle progressivement, à mesure qu'elle approchait du Connecticut. Elle redoutait le retour dans sa maison vide et sombre. Ce soir-là, elle sortit à nouveau ses listes pour tenter d'estimer l'argent qui lui restait et combien de temps elle pouvait le faire durer. Puis elle pensa à Paul et sourit. Il lui avait redonné espoir. Peut-être que tout allait bien se passer, en fin de compte. Mais d'ici là, elle allait devoir prendre de nombreuses décisions.

Sydney avait envoyé un message à ses filles pour les prévenir de son retour, et elles l'appelèrent tôt le lendemain matin. Comme toujours, Sabrina se montra calme et Sophie, complètement paniquée. Sydney leur raconta à chacune toute son aventure, y compris sa rencontre avec Paul. Quand sa fille aînée lui demanda le nom de son entreprise, elle se rendit compte qu'il ne le lui avait jamais révélé. C'était probablement mentionné sur sa carte de visite, mais impossible de mettre la main dessus tant son sac était en désordre – comme après chaque voyage. Elle dit à sa fille qu'elle la chercherait plus tard.

Les filles promirent de rentrer à la maison pour le week-end. Sydney avait l'intention de leur annoncer à ce moment-là son expulsion. La nouvelle serait un choc, mais elle ne pouvait pas retarder son annonce plus encore, car elle déménageait dans deux semaines. Au moins, à New York, elles seraient plus proches. Et puis, Sydney avait l'intention de se lancer dans la recherche d'un emploi dès que possible, ce qui ne manquerait pas de les surprendre. Elles devaient à peine se souvenir d'avoir vu leur mère travailler, puisqu'elles avaient 11 et 9 ans quand elle avait fait le choix de s'arrêter. Cette époque semblait à des années-lumière.

Le samedi, une fois les filles arrivées, elle profita du déjeuner pour leur exposer la situation. Elles en restèrent d'abord coites. Sabrina fut la première à parler.

— Impossible, maman. Jamais il ne t'aurait fait une chose pareille. Ce n'était pas un homme irresponsable, et il t'aimait.

— Il nous aimait toutes les trois, et s'il avait rédigé un nouveau testament, je suis certaine qu'il vous aurait légué quelque chose à vous aussi. Malheureusement, il ne s'y est jamais attelé. Il était beaucoup trop jeune pour penser à la mort. À 56 ans, on ne s'imagine pas que la fin est proche. Surtout avec une santé de fer, comme c'était son cas.

— Alors ces garces vont hériter de tout ? demanda Sabrina, furieuse.

— Quasiment, oui. À part pour l'appartement à Paris, qu'il avait fait mettre à mon nom.

— Et la maison ?

Les yeux de Sabrina brillaient d'inquiétude. Si elle aussi faisait encore le deuil d'Andrew et avait le cœur brisé pour sa mère, un nouvel élément s'ajoutait maintenant à la catastrophe : la pression financière. À moins qu'Andrew n'ait prévu un autre moyen d'assurer l'avenir de Sydney, les conséquences de sa négligence n'étaient pas difficiles à entrevoir.

— Dorénavant, elle leur appartient, ainsi que tout ce qu'elle contient.

Sydney parlait d'une voix douce, tout en haïssant chaque mot qu'elle prononçait.

— Je dois déménager dans deux semaines. À vrai dire, un peu moins que ça. J'ai loué un appartement à New York. Il n'est pas reluisant, mais il est meublé, et au moins j'ai un toit sur ma tête. C'est temporaire.

La pensée que sa mère n'ait nulle part où aller fit monter les larmes aux yeux de Sophie. Sabrina, quant à elle, était bien trop énervée pour pleurer. Elle n'avait qu'une envie : étrangler quelqu'un, de préférence une de ses abominables demi-sœurs, qui devaient savourer l'aubaine induite par l'insouciance de leur père. Sydney, pour sa part, refusait de se laisser envahir par le ressentiment. Elle avait profondément aimé Andrew de son vivant, et avait l'intention de continuer à l'aimer après sa mort. Mais Sabrina n'était ni si loyale ni si noble. Elle avait toujours eu un tempérament impétueux, horreur de l'injustice sous toutes ses formes, et elle était prête à se battre pour ses convictions.

— Tu dois déménager ? répéta Sabrina, scandalisée.

— Les jumelles m'ont donné trente jours, précisa Sydney, presque dans un chuchotement.

— Et qu'est-ce que tu vas faire de toutes les affaires ? Les meubles, les œuvres d'art, tout ce que vous avez acheté ensemble ? Andrew n'aurait jamais voulu que ça leur revienne aussi, c'est impossible.

— Leur père a tout payé. Ça leur appartient.

Sabrina était hors d'elle.

— Et elles ont refusé de t'accorder un délai décent ? Le temps de pouvoir t'organiser et trouver un endroit correct où vivre ?

Sydney se contenta de hocher la tête. Elle ne voulait pas leur dire qu'elle ne pouvait plus se permettre un endroit correct, et que même pour un minuscule appartement dans un immeuble sinistre elle allait devoir se serrer la ceinture.

— Tu as vu un avocat ?

— Évidemment. Il n'y a aucun recours. Le testament fait loi. Et notre contrat de mariage sous le régime de la séparation des biens n'arrange pas les choses. Puisqu'il a payé pour tout, tout lui appartenait légalement, et donc revient maintenant à ses filles. Sauf pour les cadeaux dont j'ai gardé une trace écrite, comme mes bijoux et l'appartement à Paris. De mon côté, je n'ai contribué financièrement au mariage qu'avec mes économies du temps où je travaillais, et elles ont été dilapidées depuis bien longtemps.

Malgré la difficulté de cet aveu, elle voulait se montrer honnête avec ses filles.

— Est-ce qu'il avait un matelas, maman ? De l'argent de côté pour toi ? Je suis désolée d'être aussi indiscrète, mais je partais du principe que tu serais à l'abri du besoin s'il lui arrivait un jour quelque chose. Jamais je n'aurais imaginé que tu perdrais la maison.

Les deux filles semblaient profondément chamboulées. Cette révélation était difficile à croire. La propriété dans laquelle leur famille avait vécu était l'une des plus grandes et des plus belles de la côte Est.

— On avait un compte joint dans lequel je puisais pour le quotidien et pour mes dépenses personnelles. J'ai l'appartement à Paris, que j'ai l'intention de vendre. En attendant une conjoncture plus favorable, je vais le louer, ce qui m'assurera un petit revenu. J'ai des bijoux, que je peux vendre aussi. Et je vais chercher un travail.

— Dites-moi que je rêve…

Sabrina se laissa aller contre le dossier de sa chaise et regarda sa mère par-dessus la table de la cuisine. Elles étaient les deux versions d'un même visage empreint de finesse, mais si Sydney était blonde, Sabrina avait une chevelure d'un noir de jais. Le yin et le yang. Sophie avait les traits plus doux, plus ronds. Elle n'était pas aussi grande et, par un mystère de la génétique, elle était rousse.

— Quand l'as-tu appris ? demanda l'aînée.

— Au lendemain des obsèques. Jesse est venu me l'annoncer.

— Pourquoi tu ne nous as rien dit ? demanda doucement Sophie, le cœur serré.

— C'était il y a à peine deux semaines, et j'avais moi-même besoin de temps pour digérer. C'est pour ça que je suis allée à Paris, pour mettre l'appartement sur le marché. Je vais appeler des cabinets de recrutement cette semaine. Mais je ne vois pas ce qu'ils vont pouvoir me dire… Je n'ai pas travaillé depuis seize ans.

L'idéal serait de trouver quelque chose en rapport avec la mode ou le design, mais je vais probablement devoir me contenter de ce qu'on me proposera.

Elle semblait inquiète et Sophie lui prit la main.

— Dessiner des vêtements, ça ne s'oublie pas, dit-elle gentiment.

— Mes compétences sont archaïques, et la mode a changé. J'ai peur d'être complètement dépassée.

Elle était terrifiée, mais aussi gênée de se montrer si vulnérable devant ses filles. Pourtant, il fallait voir la vérité en face.

— Tu vas t'en sortir, financièrement ? demanda Sabrina.

— Une fois que j'aurai vendu l'appartement à Paris et que j'aurai trouvé un travail, oui. D'ici là, je peux tenir un temps, à condition de me serrer la ceinture. Il y a encore assez sur le compte joint pour l'essentiel, mais ça ne durera pas éternellement.

Devoir admettre devant ses filles qu'elle était quasiment à sec était une vraie leçon d'humilité. En revanche, il était hors de question qu'elle devienne un fardeau pour elles, ou leur emprunte de l'argent. Sabrina avait un salaire mirobolant, largement mérité par les quatre collections qu'elle dessinait par an. Sophie se débrouillait très bien, même si elle gagnait moins que sa sœur – Andrew l'avait aidée de temps en temps quand elle en avait eu besoin. Sydney ne pourrait plus non plus lui apporter ce soutien ponctuel, et elle lui lança un regard désolé. C'était le revers de fortune par excellence. Un instant sa vie était faite de luxe et de sécurité, le suivant elle se retrouvait à vivre dans un tout petit appartement et à chercher désespérément un poste auquel elle n'était pas sûre de pouvoir prétendre.

— S'il le faut, j'irai vendre des vêtements dans une boutique.

Après tout, elle n'aurait peut-être pas d'autre choix.

— C'est ridicule, décréta Sabrina en serrant les mâchoires. Regarde cette maison et tout ce qu'elle contient, bordel ! Après tout ça, tu vas devenir vendeuse ? Mais enfin, maman ! Les jumelles ne peuvent pas te faire ça. Elles n'ont même pas besoin de ce fric. Andrew a dû leur laisser une fortune. Et ça fait des années qu'il leur donne de l'argent. Elles ont déjà hérité du fonds fiduciaire de leur grand-père, et leur mère est riche à crever.

Marjorie était une architecte d'intérieur en vogue. Chouchoute de la jet-set de Bel Air, elle avait aménagé les maisons des plus grandes stars, ce qui lui valait des honoraires faramineux. À cette prospérité s'ajoutait la fortune qu'elle avait récupérée de son divorce avec Andrew.

— Je suis bien d'accord avec tout ça, mais tout ce qui compte, c'est le testament. Et il ne l'a jamais fait modifier. C'est la vie. Je ne suis évidemment pas enchantée par la situation, mais je n'ai pas d'autre choix que d'en tirer le meilleur parti. Que voulez-vous que je fasse ?

Des larmes de rage picotaient les yeux de Sabrina. Sydney se leva sans un mot, quitta la table, et revint quelques minutes plus tard avec la carte de visite de Paul Zeller. Elle l'avait repêchée dans son sac la veille et tenait à la montrer aux filles.

— Je vous ai parlé de mon voisin dans l'avion. C'est un homme très aimable, et apparemment il est à la tête d'une immense enseigne de mode. J'ai l'impression qu'il est plutôt dans la *fast fashion*, avec des usines en Chine. Il s'est montré incroyable avec moi quand j'étais terrifiée, et m'a proposé de lui passer un coup de fil si je voulais reprendre le stylisme. Je me disais ce matin que je pourrais peut-être l'appeler. Le nom de son entreprise m'échappait quand vous me l'avez demandé l'autre jour. Le voilà.

Elle tendit la carte de visite à Sabrina.

— Ça s'appelle Lady Louise.

À ce nom, Sabrina ferma les yeux et poussa un grognement.

— Oh, non. Pas lui. Ce type est un vrai fléau pour toute l'industrie de la mode. Tu aurais dû le pousser dans l'Atlantique quand tu en avais l'occasion. Tu ne vois vraiment pas qui c'est ?

Sydney secoua la tête. Sophie aussi avait l'air déçue. Ce nom ne lui était pas inconnu. La mode était un petit monde.

— C'est le roi de la contrefaçon, expliqua Sabrina. Il pompe le travail de tous les créateurs qui valent le coup. Et il n'en fait même pas mystère ! Il embauche des stylistes qui sortent de l'école, les paie dix fois ce qu'ils méritent, et s'assure comme ça tout un régiment d'employés prêts à courir partout pour prendre en photo ce qui a été conçu par d'autres. Il n'a honte de rien. C'est à peine s'il fait faire quelques modifs pour rendre ça légal, puisque de toute façon on ne peut pas apposer un copyright sur tous les modèles. Il fait produire ses fringues en Chine pour une bouchée de pain avec des tissus de merde, et le tout débarque en rayon avant les originaux ! Crois-moi, cet homme est loin d'être respectable. Il n'a jamais vendu un seul vêtement qui ne soit pas une copie. On ne fait pas pire camelote.

— Il dit qu'il y a un marché pour ses produits, et qu'il rend la mode accessible à ceux qui autrement n'auraient pas le budget pour, argua Sydney. Si c'est vrai, je trouve que c'est un bon concept. Tout le monde ne peut pas se permettre d'acheter tes créations, Sabrina. D'ailleurs, très peu de monde peut se les offrir. Je ne vois pas où est le mal à vouloir que tout un chacun puisse s'habiller à la mode. Ne sois pas si puriste.

Sabrina était scandalisée par les propos de sa mère.

— Bien sûr qu'il n'y a pas de mal à produire des vêtements à bas coût, à condition que ses stylistes créent leurs propres modèles de temps en temps, ou se cantonnent à des modèles « inspirés de ». Mais non ! À nous de faire le boulot pour pressentir les tendances et inventer ; eux, ils se contentent de pomper. Ce type n'est qu'une photocopieuse géante, maman. Je n'ai jamais rien vu d'original chez lui. Il copie même les modèles pour ados de Sophie. Tu ne peux pas travailler pour lui. Tu as un nom, une réputation. Les gens se souviennent de toi. Il m'arrive encore de tomber sur tes robes dans des boutiques vintage quand je fais mes recherches préliminaires. Tu dessinais des vêtements incroyables. Tu avais ton propre style. Vingt ans plus tard, on respecte encore le nom de Sydney Smith. Si tu bosses pour lui, tu vas devenir la risée de tous, et nous aussi.

— Ce que tu peux être snob, parfois, Sabrina. Tôt ou tard, il va bien falloir que je paie mes factures. Et je ne peux pas me permettre de faire la fine bouche.

— Fais ce que tu veux, n'importe quoi, mais ne travaille pas pour lui. Ce mec est une ordure, un voyou, la supplia Sabrina.

Avec sa douceur coutumière, Sophie se fit l'écho de sa sœur :

— Maman, personne ne le respecte dans le milieu.

Sabrina a raison. Il contrefait même nos modèles, alors qu'on est une ligne jeune et accessible, pas du tout avec des prix stratosphériques comme ceux de Sabrina. Il plagie tout le monde, sans scrupule, sans respect pour le travail des autres. Tout est copié sur les modèles des autres, en plus moche et en plus cheap. Crois-moi, ce type est un parasite.

Sydney se demandait s'il ne valait pas mieux se faire son propre avis. Le concept de Lady Louise était bon. Le produit final ne pouvait pas être si désastreux. Elle savait à quel point Sabrina pouvait être sur la défensive quand il s'agissait de ses créations. Sa fille travaillait pour une maison qui pouvait se permettre de vendre à n'importe quel prix, tant le nom et la qualité des vêtements la distinguaient. Pourtant, Sydney était convaincue qu'il y avait une place sur le marché de la mode pour des produits à petits prix. Ç'avait été une évidence quand elle en avait discuté avec Paul, en Nouvelle-Écosse. Elle décida de ne pas insister. Les deux filles semblaient sérieusement contrariées.

— Dans tous les cas, il a fait preuve d'une gentillesse incroyable quand l'avion a dû atterrir en urgence. J'étais morte de peur et, pendant un temps, j'ai vraiment cru qu'on allait se crasher en pleine mer. J'aurais complètement paniqué sans lui.

— Heureusement que tout s'est bien passé, approuva Sophie avec ferveur. Je ne sais pas ce qu'on ferait sans toi, maman. Mais Sabrina et moi, on va t'aider à retrouver du travail. Pas vrai ?

Elle se tourna vers sa sœur, qui hocha brièvement la tête, toujours aussi énervée.

Sa mère se faisait expulser de sa propre maison par ses belles-filles. Son mari n'avait rien prévu pour la mettre à l'abri du besoin, l'avait laissée sans le sou. Et, pour couronner le tout, elle envisageait de travailler pour la pire des entreprises de contrefaçon. Sa mère avait beau se montrer calme, il était clair qu'elle se trouvait dans une situation critique. Sauf que maintenant, Sabrina comprenait que le désespoir qu'on pouvait lire dans ses yeux ne s'expliquait pas seulement par la douleur d'avoir perdu un mari aimé, mais aussi par la situation précaire dans laquelle elle se trouvait, et le choc d'avoir tout perdu au profit des jumelles.

— On t'aidera à déménager, dit calmement Sabrina. Et dis bien à ces deux garces qu'elles n'ont pas intérêt à mettre un pied dans la maison tant que tu y es.

— Je ne peux pas faire ça. Elles en sont propriétaires, à présent. Et j'ai cru comprendre que Kellie allait emménager ici. Sa famille était à l'étroit et elle cherchait une nouvelle maison. La voilà toute trouvée.

Il n'y avait pas d'amertume dans le ton de Sydney. Simplement un triste constat.

— Ouais, et son abruti de mari n'aimerait rien de plus que de se la péter dans une résidence pareille, renchérit Sabrina avec véhémence.

Elles détestaient le mari de Kelly, et Sydney ne le portait pas davantage dans son cœur. Prétentieux et arrogant, Geoff n'avait jamais rien accompli par lui-même et tirait sa fierté de la fortune de sa femme, dont il faisait étalage. Andrew ne l'avait pas en très haute estime, mais Kellie l'aimait, et maintenant ils avaient deux enfants. Quand elle l'avait rencontré, Geoff était analyste financier à Wall Street, mais il avait démissionné à la minute où ils s'étaient mariés, et n'avait pas retravaillé depuis. Ils étaient ensemble depuis neuf ans, et maintenant que le couple venait de toucher le jackpot, ils allaient pouvoir se pavaner à loisir. Rien que cette pensée donnait la nausée à Sabrina, plus encore qu'à sa mère. Sydney était encore étourdie par le choc dévastateur qui s'était abattu sur elle, et trop terrifiée et secouée pour être en colère contre qui que ce soit. Elle était dépassée par la peur de l'avenir.

Une atmosphère sombre pesa sur le reste du week-end, et ce n'est que pendant le trajet du retour à New York, le dimanche soir, que les deux filles partagèrent leurs inquiétudes. Elles craignaient que leur mère ne trouve pas d'emploi et se retrouve vite à court d'argent.

— Elle pourrait venir vivre avec moi, si elle veut.

Comme toujours, Sophie se montrait généreuse, mais Sabrina était plus pragmatique.

— Ce n'est pas une solution viable sur le long terme, ni pour elle ni pour toi. Elle est trop jeune pour emménager avec sa fille comme une vieille douairière. Il lui faut une vie, et un boulot, apparemment. Ça va être tellement dur pour elle. Enfin, au moins, on a réussi à la dissuader de postuler chez Paul Zeller. Ça m'aurait tuée.

Sophie sourit en y repensant. Même à ses oreilles plus tolérantes, l'idée semblait ridicule.

— Je suis contente qu'il se soit montré aimable avec elle dans l'avion. Peut-être qu'il a un fond d'humanité, finalement.

Elle voulait bien lui accorder le bénéfice du doute, même s'il était la bête noire de tous les stylistes de talent.

— Je ne comprends pas comment Andrew a pu lui faire une chose pareille, fulmina Sabrina. Après toutes ces années, c'est un scandale qu'il n'ait pas pris la peine de la coucher sur son testament. Je n'arrive pas à croire que les jumelles vont hériter de tout et la virer de la maison. Je ne les ai jamais autant détestées.

Elle en voulait également à Andrew, à présent. Il l'avait déçue et, en manquant à ses responsabilités, il avait causé un tort irréparable à leur mère.

— C'est juste qu'il ne prévoyait pas de mourir à cet âge.

L'explication de Sophie ne pouvait convaincre personne. C'était une erreur de taille pour un homme d'affaires de son envergure.

— Comme notre père, quand il s'est crashé avec son jet au Zimbabwe. Et il n'avait pas fait de testament non plus.

— Sauf que lui n'en avait pas besoin. Il n'avait pas la fortune d'Andrew.

Sophie songeait avec inquiétude à sa mère. Elle aurait voulu la réconforter et la protéger. Sabrina, quant à elle, était prête à entrer en guerre. Mais il n'y avait pas de combat à mener. Andrew était mort, il n'y avait plus rien à faire.

Sophie et Sabrina savaient que leur mère allait devoir trouver un moyen de surmonter cette épreuve. Mais comment ? Il n'y avait pas de réponse facile, et des temps durs s'annonçaient.

3

Les deux semaines suivantes, Sydney s'attela à rassembler ce qu'elle pouvait emporter. Elle passa en revue la bibliothèque d'Andrew, et toutes les petites choses qui lui avaient tenu à cœur : les babioles, les photos de famille, les albums des voyages entrepris ensemble. Elle emballait les souvenirs de leurs années partagées. Il ne s'agissait pas nécessairement d'objets précieux – même si certains l'étaient – mais surtout des choses qu'elle chérissait. En plus des piles de cartons, elle avait aussi des valises de vêtements à emporter à New York. Elle écuma son dressing, en sortit toutes les affaires qu'elle ne pensait plus avoir l'occasion de mettre, et disposa sur plusieurs portants destinés à ses filles celles, onéreuses et magnifiques, susceptibles de leur plaire. Elle comptait louer un box pour y conserver certaines robes de haute couture dont elle n'aurait plus besoin, mais auxquelles elle n'était pas prête à dire adieu. Ce grand tri était un job à temps plein et la gouvernante y consacrait également ses journées pour lui donner un coup de main. Pendant toute l'opération, les deux femmes pleurèrent à chaudes larmes.

Sydney poussait un portant de vêtements à vendre dans le couloir quand Veronica débarqua avec un air endeuillé – encore une fois sans prévenir. Elle lui apportait un sandwich et une salade César, et tenta de démarrer la conversation, avec l'intention manifeste de s'attarder. Sydney, qui ne voulait pas perdre son temps, finit par lui dire qu'elle était trop occupée pour papoter et la pria de partir. Elle fut aussitôt prise de culpabilité. Pourtant, il y avait quelque chose d'invasif dans ces visites intempestives, songea Sydney en se remettant à la tâche. Les jumelles aussi passaient tous les jours pour évaluer son avancée et vérifier que rien de précieux n'avait disparu. Kyra ne manqua pas de se plaindre en remarquant qu'une petite horloge Fabergé en émail rose incrusté de perles et de minuscules rubis n'était plus sur la table de chevet de Sydney. Elle demanda aussitôt des comptes à sa belle-mère.

— Ton père m'en a fait cadeau pour mes 40 ans.

Kyra avait de quoi s'en acheter une douzaine, mais c'était celle-là qu'elle voulait. Avec une indifférence manifeste pour les sentiments de sa belle-mère, elle protesta comme elle put :

— Papa a dit que je pouvais l'avoir.

Mais personne n'était dupe, et Sydney ne prit même pas la peine de répondre. Elle avait de plus grands problèmes que les caprices de Kyra. Sa recherche d'emploi était en pause, tant il y avait de choses à organiser pour le déménagement. Pour sa dernière nuit dans la maison qu'elle avait partagée avec Andrew, elle était soulagée de rester seule. Tout ce qu'elle voulait, c'était simplement être là, avec ses souvenirs. Les habits de son mari étaient empaquetés avec ceux qu'elle ne porterait plus, prêts à rejoindre le box de rangement. Elle n'avait pas le cœur à s'en séparer, et ne voulait pas laisser la possibilité à Kyra et Kelly de les vendre ou de les donner à Geoff. Les mettre de côté, c'était comme garder Andrew avec elle encore un peu, même si la réalité de sa disparition se faisait de plus en plus tangible. Elle ne l'aurait jamais admis devant personne, mais il y avait à présent des moments où elle en voulait à son mari de l'avoir laissée à la merci des cruelles jumelles. Elle se voyait dépossédée de tout, pas seulement de ses tableaux et de ses meubles, mais aussi de la maison qui avait été son refuge, de son statut d'épouse, de son sentiment de sécurité, et de tous les vestiges de sa vie avec lui. D'Andrew, il ne lui restait plus que le nom.

Trente jours après le décès d'Andrew, le camion de déménagement arriva pour emporter ce qui devait être stocké dans le box et ce qui allait devoir s'entasser dans le minuscule appartement de New York. Debout au milieu de sa chambre, Sydney prit le temps de contempler la pièce une dernière fois. Puis, avec une boule dans la gorge grosse comme son poing, elle descendit calmement l'escalier et fit ses adieux à la gouvernante, l'embrassant sur la joue. Sydney n'avait plus les moyens de la rémunérer, et il fallait bien qu'elle continue à travailler. Aussi, quand Kellie avait proposé de l'embaucher, elle avait accepté de rester, le cœur brisé.

Une fois au volant de son break, Sydney roula dans l'allée sans un regard en arrière. C'était trop pour elle. Si elle se retournait, elle resterait bloquée. Et il fallait à tout prix qu'elle avance. Au moment où elle franchit le portail à la suite du camion qui la guidait vers New York, elle vit la voiture de Kellie prête à s'engouffrer dans la propriété.

C'était une journée chaude, et on étouffait dans l'appartement sans climatisation. L'ascenseur était étroit, lent, si bien qu'il fallut une éternité pour décharger le camion. Sabrina et Sophie arrivèrent dans l'après-midi, alors qu'elle empilait les cartons au fond de la pièce aveugle qui devait lui servir de dressing. Sophie l'aida à monter les portants. Sydney avait apporté toutes les tenues qu'elle pensait les plus adaptées à une vie new-yorkaise, ou à un cadre professionnel, ainsi que quelques robes de soirée et de cocktail, au cas où sa vie sociale survivrait à ce chamboulement – ce dont elle avait peu d'espoir à présent. Ses amies lui avaient fait parvenir un mot, promettant de l'appeler, mais jusque-là aucune n'avait tenu parole. Veronica l'avait d'ailleurs mise en garde : en tant que femme désormais célibataire et séduisante, elle serait perçue comme une menace. Si elle n'en avait d'abord pas cru un mot, Sydney songeait maintenant qu'il y avait peut-être un fond de vérité dans ces propos. La rumeur de son déménagement s'était propagée rapidement. Peu importe la raison – l'embarras, la discrétion, la lâcheté –, elle n'avait de nouvelles de personne depuis les funérailles. Seule Veronica avait persisté à lui téléphoner. Pour d'ailleurs lui faire part à chaque fois d'une mauvaise nouvelle, semblait-il, si bien que Sydney s'était mise à filtrer ses appels. Elle avait suffisamment de problèmes de son côté sans que Veronica ait besoin de l'accabler davantage.

Ce jour-là, Sophie portait un short en jean blanc et un tee-shirt rose de la marque pour laquelle elle travaillait, avec des sandales dont les lacets remontaient sur ses jambes fines. Les vêtements qu'elle dessinait étaient d'un dynamisme rafraîchissant. Avec ce style jeune qui lui collait à la peau et sa crinière de boucles rousses, on aurait dit une adolescente. Rien à voir avec sa sœur. Ses cheveux bruns ramassés en chignon strict, Sabrina portait une robe élégante en coton noir de sa propre ligne et des sandales à talons hauts, comme parée pour déjeuner dans un endroit chic. En phase avec sa tenue – un jean et une vieille chemise d'Andrew –, Sydney se sentait complètement désorientée. Rien de ce qui l'entourait ne lui semblait réel. Cet appartement affreux ne pouvait pas être le sien. Perturbée par son désarroi, Sabrina s'éclipsa pour aller acheter des fleurs pendant que Sophie l'aidait à suspendre ses vêtements, en faisant son maximum pour alléger la situation sinistre. Elle aurait préféré que sa mère emménage chez elle, mais Sydney aurait eu trop peur de s'imposer.

Il leur fallut une journée entière pour caser toutes les affaires dans l'espace restreint, et à vingt heures, l'opération fut enfin terminée. Malgré les efforts déployés, la plupart des objets avaient dû rester dans les cartons. Il n'y avait simplement pas la place pour tout ranger. Dans des vases, les fleurs achetées par Sabrina apportaient un peu de vie, sans parvenir à donner à Sydney l'illusion d'être chez elle. Elle était obsédée par l'idée que Kellie allait s'installer dans sa maison. Épuisée, elle finit par s'asseoir sur le canapé et contempler ses filles. Aucune parole n'aurait pu adoucir ce moment. La journée avait été rude, à l'image de la dure réalité de sa vie.

— On pourrait sortir dîner, proposa Sabrina sans conviction.

Il y avait plusieurs restaurants dans le quartier et les filles étaient prêtes à tout pour remonter le moral de leur mère, malgré leur appétit coupé par la fatigue.

— Même en me traînant, je ne suis pas sûre que vous réussissiez à m'arracher de ce canapé, dit Sydney sans énergie. Je suis tellement crevée que je me sens incapable de marcher ou manger.

Entre le départ de sa maison et les efforts pour aménager un appartement de la taille d'un placard à balais, la journée avait été pénible. Et l'aspect miteux du lieu lui pesait affreusement : il n'y avait pas de stores aux fenêtres, et les serviettes de toilette fournies avaient l'air d'avoir été volées dans un motel bas de gamme tant elles étaient râpeuses, petites et grisâtres d'avoir trop servies. Deux choses de plus à racheter. Kellie avait insisté lourdement pour qu'elle laisse tout le linge de maison, et elle s'était exécutée, n'ayant aucune envie d'argumenter des heures pour des serviettes et des torchons. Elle avait quand même emporté trois parures de ses draps préférés. Après tout, dans les placards débordants, Kellie ne s'en rendrait jamais compte.

Les deux filles partirent ensemble, abandonnant Sydney sur le canapé, avec la promesse de revenir le lendemain pour sortir quelque part avec elle. Dans le taxi, elles reconnurent que l'épreuve de l'emménagement avait été dure pour elles aussi. Ce qui avait paru si peu dans le Connecticut avait triplé en proportion dans l'appartement étriqué. Elles mesuraient seulement maintenant combien le changement était brutal, et combien la suite s'annonçait difficile.

Le lendemain, Sydney les appela pour annuler. Elle était trop épuisée pour sortir. Il pleuvait et elle voulait rester à l'intérieur. Les deux sœurs essayèrent de la faire changer d'avis, en vain. Après avoir disposé les photos de ses filles et d'Andrew sur toutes les surfaces disponibles, Sydney retourna se coucher et passa le reste de la journée au lit, à regarder des films sur le petit téléviseur de sa chambre.

Le lundi, elle se fit violence pour sortir sa liste des cabinets de recrutement et les appeler. Bien décidée à ne pas perdre de temps, elle obtint quatre rendez-vous pour cette semaine-là. Elle ne pouvait plus regarder en arrière à présent. C'était comme escalader une falaise et devoir se raccrocher à la moindre prise du bout des doigts. Il fallait continuer à grimper, en oubliant le vide sous ses pieds, jusqu'à atteindre une corniche où se mettre en sécurité. Elle n'en était pas encore là. Pour l'instant, l'abysse la menaçait toujours, et elle avait peur de tomber.

Ses entretiens furent tous plus décourageants les uns que les autres. Quand arriva vendredi, elle connaissait par cœur la rengaine. Elle avait quitté le monde du travail depuis trop longtemps, son expérience ne pouvait plus être prise en compte, elle était trop âgée pour rivaliser avec des candidats deux fois plus jeunes. On lui suggéra d'envisager d'autres voies en rapport avec la mode. Assistante éditoriale dans un magazine, peut-être, ou conseillère dans une boutique de luxe, ou à l'espace haute couture d'un grand magasin. Personne ne la prenait au sérieux en tant que styliste. À seize heures le vendredi, elle repêcha la carte de visite de Paul dans son sac à main, où elle gisait depuis qu'elle l'avait montrée aux filles, et l'appela. Elle n'avait pas l'intention de le supplier de lui donner un poste pour lequel elle n'avait manifestement plus les compétences requises, mais elle espérait des pistes de recherche, car elle n'avait aucune idée de la direction vers laquelle se tourner à présent. Ses anciens contacts dans le milieu semblaient s'être volatilisés, et elle ne trouvait leurs numéros nulle part, pas même sur Internet. Paul lui répondit immédiatement, de sa voix enjouée et agréable. Ce fut un vrai soulagement.

— Sydney ! Que devenez-vous ?

Son intérêt semblait sincère, mais elle hésita entre mentir ou lui dire la vérité. Ses ressources de sang-froid commençaient à s'épuiser après cette semaine stressante.

— Alors figurez-vous que depuis que notre avion a manqué s'écraser, j'ai dû abandonner ma maison dans le Connecticut pour un appartement de la taille d'une cabine téléphonique. J'ai passé quatre entretiens dans des cabinets de recrutement cette semaine, et avant de me résoudre à postuler comme serveuse, je me suis dit que j'allais vous passer un coup de fil, au cas où vous auriez une brillante idée pour moi. C'était soit ça, soit Starbucks.

Malgré sa tentative d'humour, le désespoir perçait dans sa voix.

— Vous avez déjà été serveuse ? demanda-t-il, perplexe.

— À dire vrai, non.

— Alors pourquoi ne pas rester dans votre domaine d'expertise ? Déjeunons ensemble lundi, on parlera de tout ça. Attendez juste un peu avant de signer votre contrat chez Starbucks.

Elle éclata de rire.

— Je vais tâcher de résister à la tentation, plaisanta-t-elle.

Rien que de lui parler, elle se sentait déjà mieux. Il avait déjà eu le même effet sur elle dans l'avion lorsqu'il lui avait dit que tout allait bien se passer. Elle avait foi en sa parole.

— Sinon, quoi de neuf ? Comment vont vos filles ?

— Elles sont adorables avec moi. Elles m'ont aidée avec mes cartons ce week-end.

Ne pouvant imaginer le traumatisme qu'avait représenté ce déménagement, quelques semaines à peine après avoir perdu son mari, il ne s'aventura pas à poser de questions sur un sujet sensible, et ils bavardèrent pendant quelques minutes. Puis il l'invita à le retrouver dans ses bureaux, un ancien entrepôt de Hell's Kitchen. Ils avaient également des locaux dans le New Jersey. Il lui proposa de passer à midi pour lui faire visiter les lieux, et ils iraient déjeuner ensuite. Il y avait plusieurs bons restaurants dans le coin.

— À lundi, alors. Et, Paul... merci d'accepter de me voir. J'ai vraiment besoin d'un autre avis, de nouvelles idées.

— Je vais voir ce qui me vient en tête ce week-end, promit-il.

Le moral de Sydney s'améliora légèrement après qu'elle eut raccroché. Une perspective s'ouvrait enfin. Elle décida de ne pas parler de ce coup de fil à ses filles. Leur préjugé à l'égard de Paul semblait viscéral, et elle ne parviendrait pas à les faire changer d'avis. Pour Sydney, il n'y avait pas que sa vision de l'accessibilité de la mode qui était en jeu. Après l'expérience qu'ils avaient partagée en Nouvelle- Écosse, Paul et elle étaient devenus amis. Et c'était précisément ce qui lui manquait cruellement en ce moment. Ses plus vieilles connaissances du Connecticut avaient disparu dans la nature à la minute où Andrew était mort. La théorie de Veronica sur leurs craintes de la proximité des femmes divorcées ou veuves s'avérait. Visiblement, elle en savait un rayon. Il n'y avait pas un seul aspect de la vie de Sydney qui n'ait pas changé.

Ses deux filles étant parties dans les Hamptons, le week-end fut calme. Elle se promena longuement dans Central Park, au milieu des amoureux et des pique-niques en famille, s'arrêta quelques minutes pour écouter un groupe de reggae, puis s'assit sur un banc pour observer le monde qui défilait devant ses yeux. Enfin, elle rentra à l'appartement et tenta de lire un livre, en vain. Son cerveau s'était comme figé à la mort d'Andrew et elle ne parvenait plus à se concentrer. Alors elle resta allongée sur son lit, qui occupait toute la place dans la chambre, et finit par s'endormir.

Lundi matin, elle prit le métro direction Hell's Kitchen. Elle portait une robe en lin blanc agrémentée d'un collier de grosses perles turquoise, des sandales plates, et un sac à main en osier très chic. Ses cheveux étaient soigneusement coiffés en arrière. Le tout était à la fois frais et estival. Elle donna son nom à la jolie jeune fille de l'accueil en arrivant et regarda autour d'elle. Soudain, le monde entier semblait être deux fois plus jeune qu'elle, comme si elle était entourée d'ados. Ce fut un vrai soulagement de voir Paul arriver vers elle quelques minutes plus tard. Au grand sourire qui éclairait son visage, il semblait ravi de la voir. Après une accolade chaleureuse, il la complimenta sur son allure, et l'entraîna dans son bureau pour discuter avant la visite des lieux.

— Vous savez, j'ai pensé à vous toute la journée d'hier, dit-il avec sérieux. J'ai tourné le problème dans tous les sens, en quête d'une idée de génie, mais j'en arrive toujours à la même conclusion : c'est insensé. Vous étiez une styliste incroyable. Un tel don ne s'évanouit pas comme ça. Vous ne pouvez pas gâcher un talent pareil. Ce serait comme former Picasso à devenir commis, ou ingénieur. Quel intérêt ? Vous êtes une artiste, Sydney, une styliste de génie. Vous vous êtes absentée du milieu pendant un bon moment et vous n'avez certainement pas les compétences informatiques des jeunes d'aujourd'hui. Mais ça ne devrait pas être trop compliqué de vous mettre à jour sur la technologie, et tant que vous avez un papier et un crayon, on se fiche de savoir comment vous êtes parvenue au modèle final, ou sur quel support vous l'avez dessiné. Regardez-vous, vous êtes magnifique. Vous avez un don pour créer un look. Pourquoi renoncer à ça ? D'accord, vous avez fait une pause mais maintenant vous voulez reprendre. Alors qu'est-ce qui vous empêche de tenter votre chance ?

— Le marché de l'emploi. En tout cas, c'est ce que me disent les cabinets de recrutement. Je me suis arrêtée trop longtemps, personne ne voudra m'embaucher. Ma vision a changé, le monde a changé. Je n'ai plus de notion commerciale, et les gens dans le milieu ont la moitié de mon âge. Regardez mes filles ! Elles ont 27 et 25 ans, et sont à leur meilleur niveau. Moi, je suis totalement dépassée.

— Foutaises. Vous avez de l'expérience et du recul, ce qui leur fait défaut. Vous avez une vision globale de la mode, de la profondeur. Vous savez ce qui a déjà été fait, ce qui fonctionne, ce qui est voué à l'échec. Beaucoup de ces jeunes ont encore une approche unidimensionnelle. Ils n'ont pas assez de vécu, et beaucoup d'entre eux se reposent trop sur leurs logiciels et manquent d'un réel talent. Combien sont vraiment doués ? Vous le savez aussi bien que moi. Ils savent dessiner, mais pas créer. Ils n'ont encore rien apporté à la mode. Ils connaissent les collections de l'an dernier, et celles de l'année d'avant. Vous avez vu bien plus que ça, et c'est ce qui compte. Vous avez forgé votre propre style, votre patte, ce qui manque cruellement aux jeunes. Regardez-les, ils sont tous habillés comme s'ils dormaient sous les ponts.

Il n'avait pas tort. C'était le look en vogue.

— Que voulez-vous que je fasse, concrètement ? Parce que j'ai tenté ma chance et que j'ai fait chou blanc.

Devant la fougue de Paul, elle parvenait presque à croire en son potentiel. Mais la réalité était bien différente. Dans la mode, la jeunesse était reine. Et une des choses qu'elle ne pouvait pas faire était de rajeunir.

— Je veux que vous me laissiez une chance, que vous nous laissiez une chance. Venez travailler pour moi. Si vous avez parlé de moi à vos filles, je parie qu'elles ont essayé de vous en dissuader. Elles sont en haut de la pyramide mais elles évoluent dans une bulle. Leurs prix sont bien au-dessus des nôtres alors qu'en vérité, ce n'est pas ce qui se vend le plus. Les créatrices comme vos filles détestent les dirigeants comme moi sous prétexte qu'on leur emprunte massivement. Ce n'est pas faux, d'accord. Mais il s'agit de démocratiser la mode. Grâce à nous, tout le monde peut avoir accès au style, et à prix abordable. Si vous acceptez, vous pourriez dessiner des modèles originaux pour notre marque ainsi que quelques pièces emblématiques. J'aimerais vraiment tenter le coup, et si ça ne marche pas, eh bien, ça ne marche pas. Je pense qu'on a besoin l'un de l'autre, et si vous voulez faire valoir votre nom au sein de notre marque, je n'y vois pas d'objection. J'en serais ravi. Vous pouvez même avoir votre propre collection : Sydney Smith pour Lady Louise. C'était le prénom de ma grand-mère, au fait. Elle était couturière, et une vraie lady. J'ai baptisé mon entreprise ainsi pour lui rendre hommage. Elle avait émigré de Pologne et c'est elle qui m'a appris tout ce que je sais de la vie et des vêtements. Alors, qu'est-ce que vous en dites ?

Dans sa tête, Sydney ne pouvait entendre que les

cris horrifiés de Sabrina. Mais la logique de Paul était implacable et il n'avait pas tort : les stylistes comme Sabrina étaient d'un snobisme sans égal et créaient pour une élite. Il y avait une grande place sur le marché pour un autre type de clientèle. Sydney y voyait un défi, et cette idée lui plaisait bien.

— Venez, lui dit Paul. Je vais vous montrer le studio.

Ils sortirent du bureau et elle le suivit dans un escalier. L'immeuble avait une architecture industrielle qui lui plaisait beaucoup. Très différente de l'ambiance loft chic dans laquelle elle avait déjà travaillé. Ici, les espaces respiraient la fraîcheur et la jeunesse.

Il la conduisit à un étage où vingt stylistes étaient installés devant de grandes tables, occupés à dessiner, à travailler sur des ordinateurs ou à modifier des croquis. Des échantillons variés étaient suspendus au-dessus de leurs têtes. Sur certains écrans, elle reconnut des photos de vêtements, et comprit aussitôt. Ils copiaient des pièces de luxe. Paul lui assura qu'on les modifiait assez pour ne pas se retrouver avec des répliques parfaites. La plupart des modèles n'étaient ni protégés ni brevetés, pourtant il demandait quand même à ses stylistes de modifier une poche, une longueur de manche, ou la taille d'un ourlet, pour les différencier des modèles qui les avaient « inspirés ». L'idée était de donner une nouvelle dynamique à laquelle le styliste d'origine n'aurait pas pensé, qu'il n'aurait pas osé assumer, ou qu'il n'aurait pas eu la latitude d'insuffler.

Elle passa tranquillement de table en table et fut surprise par la jeunesse des designers absorbés par leur travail. Il y avait autant de filles que de garçons, et tous étaient vêtus comme des orphelins sans le sou. À l'étage supérieur travaillaient les modélistes, qui ajustaient les dessins pour s'assurer des bonnes dimensions. Sydney ressentait une fébrilité enthousiaste à l'idée de retrouver un milieu familier, à une échelle plus grande encore. Les créateurs étaient si nombreux qu'on aurait cru une école et, d'une certaine manière, c'en était une. Tous y apprenaient quelque chose de nouveau, et elle-même avait de nouvelles techniques à acquérir. Elle fit le tour du bâtiment avec Paul, jusqu'à se retrouver à nouveau dans le hall, puis il l'emmena au coin de la rue dans le patio d'un restaurant italien. Il faisait juste assez chaud pour déjeuner en extérieur. Il commanda un Bloody Mary. Une fois le menu arrêté, Sydney orienta la conversation sur la visite. Elle avait beaucoup de questions, auxquelles il répondit avec clarté et précision. Sa volonté de lui accorder une chance était touchante, surtout en sachant que personne d'autre n'aurait accepté de le faire, et certainement pas une maison de couture comme celle de Sabrina.

Au beau milieu du repas, elle déclara :

— C'est d'accord.

Il lui lança un regard surpris.

— Vous voulez dire que... C'est bien ce que je pense ? Ce que j'espère ?

Elle sourit.

— Si vous voulez de moi, oui.

— Je ne peux pas vous rémunérer à la hauteur de votre ancien salaire. Mais sur le long terme, vous finirez par gagner davantage chez moi. Surtout si vous parvenez à assurer le rôle phare que j'imagine. Sydney, nous avons une place pour vous ici, et de grands projets d'avenir. Vous pourriez avoir un impact considérable au sein de notre société.

Paul la faisait se sentir compétente, utile, et estimée. Pas du tout obsolète. Il lui donnait l'espoir de se sortir de la catastrophe financière qui la menaçait.

— C'est ce que je veux.

Soudain, l'affreuse expérience vécue dans l'avion était devenue la meilleure chose qui lui soit arrivée ces derniers temps.

— Quand pouvez-vous commencer ? demanda-t-il, radieux.

Elle éclata de rire.

— Demain ?

— Alors bienvenue à bord, Sydney !

Il se leva et contourna la table pour la prendre dans ses bras. Ce geste rassurant lui rappela le moment où il lui avait dit que tout allait bien se passer, et où elle l'avait cru. Désormais, il faisait de cette promesse une réalité. Quand ils rompirent leur étreinte pour se rasseoir, il commanda du champagne.

— Ma grand-mère aurait approuvé cette décision, dit-il avec un large sourire.

Elle éclata de rire.

La vie repartait dans la bonne direction. Elle avait un boulot. Depuis la mort d'Andrew, elle avait cru se noyer, et à présent, grâce à Paul, elle remontait à la surface avec la certitude qu'elle allait survivre.

4

Le lendemain de son déjeuner avec Paul, Sydney se réveilla pétrie d'impatience et d'appréhension. Malgré les différences abyssales avec ses maisons passées, elle venait de décrocher un poste dans une grosse boîte et l'enjeu était d'autant plus important qu'il lui semblait qu'un siècle s'était écoulé depuis son dernier jour de travail. À cette pensée, son cœur battait plus vite. Sa hâte de se rendre au studio se mêlait à la nervosité, car elle n'avait aucune idée de la première tâche qui lui serait confiée, et elle allait devoir se familiariser avec beaucoup de nouveautés. Elle se vêtit avec soin. Pour ce premier jour, elle avait choisi un top tout simple en soie blanche, une jupe courte en lin noir, et des talons hauts assortis. L'ensemble de pièces chic et chères lui donnait une allure dynamique et élégante. Si Sabrina n'aurait pas approuvé la signature du contrat, elle aurait au moins validé sa tenue.

Après avoir pris le métro, elle passa les portes des locaux de Lady Louise à neuf heures moins cinq. Paul lui avait dit de se rendre directement au département des ressources humaines pour s'acquitter de la pape-rasse. L'ascenseur la mena au dernier étage de l'entre-pôt. Quand elle se présenta au service RH, une jeune femme souriante de l'âge de Sabrina lui tendit le manuel à destination des employés, et posa devant elle des formulaires à remplir. L'entreprise proposait une mutuelle, ce qui était crucial pour Sydney qui, ne bénéficiant plus de celle d'Andrew, ne pouvait plus se permettre de tomber malade. Les formalités prirent une demi-heure. La jeune femme était vive et efficace, et Sydney n'avait pas de questions. Il ne restait plus que le contrat de travail à signer. Paul et elle n'avaient pas discuté salaire, et elle se figea devant les chiffres imprimés sur le papier. La somme n'avait rien à voir avec son salaire de styliste pour une maison de haute couture, mais restait bien supérieure à ce qu'elle avait espéré, ou à ce qu'elle estimait mériter après une si longue absence sur le marché du travail. C'était la preuve du respect de Paul Zeller à son égard, de sa foi en son talent, et une bonne indication des espoirs qu'il nourrissait pour son rôle dans l'entreprise. Cinq minutes après la signature du contrat, elle se rendit dans le bureau de Paul pour se confondre en remerciements.

— Vous me payez bien trop, dit-elle d'un air gêné.

Il éclata de rire et l'invita à s'asseoir.

— C'est bien la première fois que j'entends ça de la bouche d'un employé ! Vous le méritez, Sydney. Je compte sur vous pour apporter à Lady Louise la touche de classe qui nous manque, pour nous propulser un cran au-dessus dans l'élégance et le style. Je pense que la clientèle est prête pour cette évolution. Pour les fidèles, nous aurons toujours nos gammes les plus accessibles, mais nous voulons aussi attirer un autre type de public. Je vais vous confier aux soins de notre directeur artistique, aujourd'hui. Je veux que vous le suiviez comme son ombre pour les mois à venir. Il vous enseignera tout ce qu'il faut savoir sur notre entreprise. J'ai discuté avec lui hier après notre déjeuner. Il va vous confier quelques projets pour que vous puissiez mettre les mains dans le cambouis. C'est un type génial, et nous lui devons plusieurs de nos plus grands succès commerciaux. Vous verrez, il a l'œil, conclut-il avec un sourire. En ça, vous vous ressemblez beaucoup. Bref, il ne devrait pas tarder.

À l'instant où il prononçait ces mots, un homme élancé, en noir de la tête aux pieds – tee-shirt, jean et Converse – fit son entrée. Ses cheveux lisses d'un noir profond retombaient dans son dos, presque jusqu'à sa taille. Son visage aux traits asiatiques était beau, délicatement ciselé, comme celui d'une statuette d'ivoire. Son look avait une simplicité moderne et chic qui lui allait parfaitement. Il salua Paul de manière très formelle, dévoilant son accent britannique, et posa un regard appréciateur sur Sydney. Elle n'aurait su dire si c'était sa tenue ou son embauche qui lui valait cette approbation, et se demanda subitement si son arrivée risquait de susciter des jalousies ou si son âge allait soulever des questions. Elle n'avait vu personne de sa génération, à part Paul, depuis qu'elle avait franchi le seuil de l'entreprise. Les stylistes qu'elle avait aperçus la veille avaient été recrutés directement sur les bancs de l'école.

Paul fit les présentations. Edward Chin avait 29 ans. Originaire de Hong Kong, il avait travaillé pour Dior avant d'arriver chez Lady Louise trois ans plus tôt, où il était rapidement devenu l'étoile montante de l'entreprise. Sydney trouvait intéressant qu'il soit passé de la haute couture à la production de masse. Ils passèrent quelques minutes à discuter dans le bureau de Paul, puis Edward déclara qu'il avait du pain sur la planche et invita Sydney à l'accompagner. Soudain, elle se sentit trop apprêtée, en comparaison avec son supérieur. Elle avait estimé que des vêtements un peu habillés étaient de rigueur pour ce premier jour de travail, et comprenait à présent qu'elle pouvait venir en jean et en tee-shirt tant que l'ensemble restait classe et élégant. La tenue d'Edward était si discrète qu'elle s'effaçait au profit de ses traits fins et de l'intelligence de ses yeux noirs.

Elle le suivit à l'étage design, qu'elle avait visité la veille, et où les jeunes stylistes travaillaient frénétiquement dans un immense open space aux murs en brique apparente, aux hautes fenêtres étroites, et au plafond plus haut encore. Il la conduisit à la table qui lui était réservée, à côté de la sienne. Un immense écran d'ordinateur l'y attendait. Il y avait aussi plusieurs carnets de croquis, une boîte de crayons, des gommes, un taille-crayon et tout le matériel dont elle pourrait avoir besoin. Elle se sentait comme une enfant à la rentrée des classes.

— Paul m'a dit que vous ne dessiniez pas sur ordinateur. Vous apprendrez. En ce moment, on travaille sur la collection du printemps prochain. La moitié du groupe planche sur les tops et les blouses, les plus expérimentés sont aux vestes.

— Qu'est-ce que vous aimeriez que je fasse ? demanda-t-elle, légèrement dépassée.

— Je vais vous montrer où nous en sommes et ce qui a déjà été validé.

Sur le grand ordinateur de son propre bureau, il afficha une série de croquis. Elle fut impressionnée par les dessins nets et efficaces. Plusieurs étaient des variations du même modèle – une économie pour l'entreprise – et certains lui semblaient familiers. Elle se concentra sur les images qu'il lui montrait.

— Pour aujourd'hui, essayez de travailler sur ces silhouettes, histoire de voir ce que vous pouvez en tirer. L'idéal est de rester dans les dimensions de ce que vous voyez, en utilisant le même corps, pour ajouter une touche nouvelle au col, à la manche, des détails, ou des coutures. Notre échelle de taille est assez étendue, il faut que le modèle tombe aussi bien sur un 32 qu'un 44. Et pas de fermetures cachées ou trop élaborées, elles sont trop coûteuses à produire. Bon, ce n'est pas ce à quoi vous êtes habituée.

Elle hocha la tête, incapable de déterminer s'il s'agissait d'une critique. Jusque-là, il s'était montré franc et détaché, très professionnel, et n'avait pas souri une seule fois. Témoignage de son éducation dans les meilleures universités anglaises, son accent britannique lui donnait du poids. Alors qu'il lui montrait un dessin à l'écran, elle remarqua ses mains fines et gracieuses. Puis il récupéra ce qui ressemblait à un stylo, et ajouta des corrections directement sur l'ordinateur, comme par magie. Il dessinait littéralement sur l'écran.

— J'ai l'impression de débarquer du Moyen Âge, admit-elle. Il y a vingt ans, ce que vous venez de faire serait passé pour de la science-fiction.

Il décocha enfin un sourire.

— Oui, moi aussi j'ai dû apprendre sur le tas. J'ai été formé au Royal College of Art, à Londres. Là-bas, on ne croyait pas non plus à ce genre de technologie il y a dix ans. J'ai fait mon stage chez Stella McCartney et j'ai travaillé pour Alexander McQueen avant d'entrer chez Dior. C'était une sacrée transition de débarquer ici. Paul aime le tout-numérique, mais la plupart des bons vieux principes sont encore valables. C'est juste qu'on simplifie avec le logiciel.

Comme ils copiaient beaucoup, cela signifiait aussi qu'ils ne partaient pas d'une page blanche, comme les plus grands stylistes.

— Je connais votre travail, reprit-il d'une voix douce. J'en suis un grand admirateur. J'ai monté un projet d'étude sur vos manteaux, à l'école. Votre sens des matières est fantastique. Vous m'avez enseigné tout ce que je sais sur le travail des tissus rigides alors que je préfère de loin les plus fluides de chez Nina Ricci ou les robes de soirée de Chanel. Ici, on ne fait pas beaucoup de tenues de soirée, du moins pas encore. Notre gamme concerne essentiellement l'habillement de jour car c'est la plus grande part de marché. Les robes de soirée entrent dans une gamme de niche, et sont plus difficiles et plus risquées à produire. On peut perdre beaucoup de tissu au moindre accroc.

Tout cela, elle le savait d'expérience. Elle était impressionnée par son cursus. Son parcours en disait long sur la marque pour laquelle il avait choisi de travailler.

Il imprima les croquis de blouses et de vestes à modifier et lui tendit les feuilles.

— Vous allez vous en sortir. Je sais que Paul a de grands projets pour vous, si tout se passe bien. Mais d'abord, il faut que vous maîtrisiez les bases, notre façon de faire ici. Dans quelques semaines, je dois aller faire un tour de nos usines en Chine. Je compte bien vous y emmener. Ce ne sera pas un problème pour vous, j'espère ? Le voyage durera une vingtaine de jours. Il fera une chaleur abominable à cette période de l'année, mais ça fait trop longtemps que je repousse, et Paul tient à ce que vous voyiez la production. La coordination avec les usines et leur gestion est une grande partie de mes responsabilités.

Rien qu'à l'entendre, Sydney savait que la confiance que lui vouait Paul était justifiée. Edward était brillant dans son domaine, et ses explications étaient limpides.

Elle emporta les impressions à son bureau et tenta de se concentrer sur sa tâche : ajouter des éléments aux croquis pour les rendre plus intéressants sans augmenter les coûts de production. Elle dessina toute la matinée, ne fut interrompue que par trois jeunes femmes qui passèrent lui dire bonjour. À midi, nombre d'employés sortaient déjeuner à l'extérieur, même si on lui avait assuré que la nourriture sur place était très bonne. Au lieu de descendre à la cafétéria au sous-sol avec les autres, Edward se contenta d'une salade à son bureau. Sydney décida elle aussi de rester à son poste et de sauter la pause déjeuner. Elle n'avait obtenu qu'un dessin satisfaisant à ses yeux. Les autres ne collaient pas. Elle se sentait à la fois rouillée et débutante. Quand Ed Chin passa la voir à douze heures trente, il sembla pourtant content de son travail.

— J'aime bien celui-là, commenta-t-il en désignant un croquis qu'elle avait éliminé.

Il parcourut les autres, puis pointa celui qu'elle préférait.

— Et aussi les coutures en double piquage de celui-ci. Le souci, c'est qu'on ne peut pas se permettre ce genre de détails. Il faut créer l'illusion à moindre coût. Gardez toujours en tête les coûts de production. On veut du style, mais sans les finitions haute couture. À chaque croquis, il faut renoncer à quelque chose.

Il s'interrompit, puis lui expliqua avec un sourire :

— Ce sont de toutes nouvelles règles du jeu. Et c'est un vrai défi de renoncer à ce que nous aimons le plus. Mais il faut se souvenir de notre public, et de son budget. Nous avons nos standards et nos prix. C'est notre atout sur le marché.

Il paraissait plus intéressé par l'aspect créatif que par la copie, et voulait se faire une idée de la couleur qu'elle pourrait insuffler à leur ligne. Toutes ses indications étaient utiles. Elle travailla sur les blouses et les vestes tout l'après-midi, jusqu'à dix-huit heures. Ed n'avait pas bougé.

— Alors, ce premier jour ? lui demanda-t-il avec un intérêt sincère.

Il ne voulait pas le lui montrer, mais sa concentration l'avait favorablement impressionné.

— Exaltant, effrayant, nouveau, mais aussi familier. J'attends avec impatience le voyage en Chine que vous avez mentionné. Je ne suis jamais allée en Asie.

— C'est une expérience, surtout dans le milieu des affaires. Tout le monde est implanté là-bas à présent, même les plus grandes marques. Ça n'a plus aucun sens de faire produire en masse ailleurs. Les villes industrielles en Chine sont extrêmement pauvres, la pollution y est abominable, et la vie à Pékin peut être dure, mais l'éthique de travail est prodigieuse et la main-d'œuvre, illimitée. J'ai l'intention de passer par Hong Kong au retour pour rendre visite à ma famille, vous êtes la bienvenue. Je pense que vous allez adorer. C'est une ville incroyable.

— Merci, répondit-elle, touchée. Ça ne leur pose pas de problème que vous viviez à New York ?

Paul lui avait laissé entendre qu'il venait d'une famille très influente à Hong Kong.

— Ce n'était pas une surprise. Ils estiment qu'une expérience aux États-Unis est bonne à prendre. L'entreprise familiale est responsable de la production pour des marques de luxe européennes et américaines, et on m'a encouragé à découvrir l'autre côté de la chaîne. Lady Louise est un petit détour pour moi, mais c'est un marché qui a son importance. Nos usines produisent toutes les pièces Chanel d'Asie, ainsi que celles de Prada, Gucci, et les grands noms américains. C'est en Chine que tout se passe. Je compte y rentrer, un jour. Mais je ne suis pas encore prêt. Il me reste beaucoup de choses à découvrir ici.

Vu l'importance du poste qu'il avait décroché aux côtés de Paul, il semblait profiter pleinement de son apprentissage. C'était sur lui que reposait le style de la marque. S'il retournait travailler pour les usines familiales, il n'aurait pas l'occasion de dessiner, aussi il savourait la création pour le moment, fût-ce chez Lady Louise. Il semblait voir cette entreprise comme un défi, et pas comme une régression.

Sur le chemin du retour, elle pensa à lui. C'était un homme intelligent, de toute évidence talentueux. Elle aurait beaucoup aimé le présenter à ses filles. Elles n'auraient certes pas manqué de critiquer ses choix, mais ils avaient beaucoup en commun, dont un œil affûté. Il n'avait gardé qu'un seul des croquis de Sydney, pour le retravailler avec son stylo magique sur l'ordinateur. Mais il l'avait félicitée et lui avait dit qu'elle était sur la bonne voie. Maintenant qu'elle avait une meilleure idée de ce qu'on attendait d'elle, elle apprendrait vite. Le tout était de miser sur la simplicité, le bas coût, et l'élégance.

En mangeant sa salade dans son minuscule salon suffocant, elle se demanda comment elle pourrait bien justifier auprès de ses filles trois semaines d'absence. Le moment allait probablement bientôt se présenter où elle n'aurait pas d'autre choix que de leur parler de son embauche. Elle ne pouvait pas se contenter de disparaître sans un mot.

Plus tard au téléphone, Sophie lui demanda ce qu'elle avait fait de sa journée. Elle avait tenté de la joindre sur son portable et s'était étonnée de le trouver éteint.

— J'étais à une conférence au Metropolitan Museum toute la journée, mentit Sydney dans l'espoir que cette excuse suffirait. C'était fascinant, ça parlait d'art étrusque.

— Ah bon ? Je me demandais où tu étais passée !

Sophie annonça à sa mère qu'elle comptait partir

en week-end dans le Maine pour faire du voilier avec des amis – si son petit copain était d'humeur. Grayson souffrait d'une anxiété sociale sévère, qui le rendait imprévisible, mais Sophie semblait accepter son excentricité sans se plaindre.

— Peut-être qu'un week-end te ferait du bien à toi aussi, maman. Tu ne peux pas rester enfermée à étouffer dans ton appartement.

— Ne t'en fais pas pour moi.

Elle ne pouvait pas lui dire qu'elle profitait de la climatisation du studio de design de Lady Louise toute la journée – un vrai bonheur pour échapper à la chaleur. Son appartement était une fournaise, même la nuit.

Elles bavardèrent encore un peu. La marque de Sophie préparait des présentations pour les acheteurs sans pour autant organiser des défilés, ce qui la sauvait de la pression vécue par Sabrina. Elle ne recevait pas non plus les lauriers de la gloire, mais elle préférait ce monde moins stressant et la fantaisie des lignes pour adolescents, qui lui correspondaient parfaitement. C'était une niche faite pour elle.

Sydney alla se coucher tôt, surprise d'être si fatiguée. Elle n'avait plus l'habitude de travailler, et le stress de vouloir bien faire avait été intense en cette première journée.

Les semaines s'écoulèrent en un clin d'œil. Ses collègues s'arrêtaient souvent pour discuter avec elle en passant devant son bureau. Ils étaient impressionnés par ses croquis et sa méthode de création old school, bien plus exigeante que le dessin numérique, qui reposait fortement sur les corrections automatiques des logiciels. Elle avait jeté un coup d'œil à leur travail, elle aussi, et compris les bases de la ligne de Paul Zeller. Les stylistes copiaient les dessins des plus grands créateurs, procédaient à des petits ajustements et des modifications mineures pour ne pas être accusés de plagiat, mais la ressemblance avec les originaux n'en était pas moins indéniable. Pourtant, Sydney n'y voyait plus un problème. Lady Louise rendait la mode de luxe accessible à des femmes qui n'avaient pas les moyens de se la payer et voulaient néanmoins être vêtues avec style pour sortir ou aller travailler. Elle en discuta un soir avec Ed, après le boulot. Il l'avait invitée à prendre un verre dans un petit bar du quartier très apprécié des employés.

— Mes filles sont scandalisées par ce qui se passe chez Lady Louise. Selon elles, c'est une usine de copies, mais je ne vois pas les choses de cette façon. Il me semble qu'on répond à un besoin. Le chic ne devrait pas être réservé aux femmes avec un salaire à six chiffres.

Il éclata de rire devant sa déclaration. Ed était facile à vivre, bosseur, talentueux, consciencieux, et plus elle apprenait à le connaître, plus elle l'appréciait. Si elle avait vu beaucoup de copies sur les écrans autour d'elle, il ne lui avait jamais demandé de s'y mettre. Petit à petit, il lui montrait les ficelles de son nouveau poste.

— Attention à ne pas vous faire l'avocate du diable, Sydney. Regardons les choses en face : nous sommes bel et bien une usine à copies. Mais la meilleure. Nous savons quoi garder, quoi changer, de sorte qu'on ne puisse pas totalement nous tomber dessus, mais les critiques qui nous sont adressées sont majoritairement méritées. Je suis d'accord, c'est une noble mission que de rendre la mode accessible aux femmes ayant peu de moyens. Paul est intelligent. Il sait ce qu'il fait, et il connaît son marché. Il répond à un besoin avec des prix imbattables. Pour autant, même si nos produits sont bien mieux réalisés et moins chers que la concurrence, ça reste de la contrefaçon et, dans le milieu, nous ne sommes guère respectés. C'est inévitable.

— Est-ce qu'il s'est déjà attiré des ennuis pour avoir trop plagié d'autres stylistes ?

Sydney était avide d'en savoir plus sur Paul. Elle lui serait éternellement reconnaissante pour ce poste qui l'avait sauvée quand elle en avait grand besoin et le salaire qui allait avec. Elle l'avait à peine croisé depuis qu'elle avait commencé à travailler pour lui : il était très occupé à faire tourner son entreprise et n'avait guère de temps pour discuter. D'ailleurs, elle ne s'attendait pas à un traitement de faveur, maintenant qu'elle faisait partie des salariés.

— Copier une robe ne porte pas vraiment à conséquence. Seules les pièces phares d'une collection sont des modèles déposés. Et si Paul a le goût du risque, c'est aussi un homme d'affaires averti. Il a investi beaucoup d'argent dans ses usines en Chine, et ce sont parmi les plus performantes que j'aie jamais vues. Il n'a pas peur de dépenser pour mieux gagner, et il a toujours un coup d'avance. Alors il ne risquerait pas de mettre en danger tout ce qu'il a construit en franchissant la ligne blanche avec un procès. La presse mode nous descend en flammes régulièrement, mais je ne le crois pas capable d'œuvrer en toute illégalité. Même s'il l'a déjà frôlée.

Sydney hocha la tête. De ce qu'elle savait de Paul, elle ne pouvait qu'être d'accord. Ça semblait logique.

— C'est un génie de la vente à perte, continua Ed. Il sait exactement sur quelle pièce ça vaut le coût de perdre de l'argent pour faire sensation et gagner plus à terme. Comme nos cachemires de la dernière saison, par exemple. Grâce à cette méthode, on met en avant un autre produit sur lequel on gagne vingt à cinquante fois notre coût de production. Bref. Sinon, Paul compte sur vous pour nous apporter une touche plus « classe », comme il le dit. Je pense que c'est une bonne idée. Vous avez frappé à la porte pile au bon moment. Il cherchait justement à se renouveler.

— Moi aussi, dit-elle doucement. Ça tombait bien.

Ed n'avait aucune idée des raisons qui l'avaient poussée à reprendre le collier. À voir comment elle s'habillait, elle n'avait pas l'air d'avoir besoin d'argent. Il supposait que c'était l'ennui, tout simplement, qui l'avait motivée après tout ce temps. Elle n'avait pas fourni d'explications, et il n'avait pas posé de questions. Il était discret sur la vie des autres comme sur la sienne.

Ed avait mentionné autour d'un verre qu'il était célibataire, et elle voyait bien qu'il ne comptait pas ses heures, comme ses filles. Sophie avait bien un petit ami, mais quand elle s'attelait à une nouvelle collection, il passait au second plan. Leur relation n'était pas sérieuse : Grayson était un garçon compliqué qui aimait son indépendance. Sabrina, quant à elle, déclarait platement qu'elle n'avait pas de temps pour la romance. Ed était fait du même bois.

— C'est fou comme on se tue à la tâche dans le milieu, de nos jours, commenta Sydney. Mon aînée n'a pas de compagnon non plus, elle dit qu'elle n'a pas de temps pour ça. Elle reste au studio jusqu'à minuit presque tous les soirs et je crois même qu'elle y dort quand elle prépare la Fashion Week.

— Vous aviez probablement le même rythme à l'époque, fit remarquer Ed.

— Absolument pas. D'ailleurs, il me semble que l'industrie de la mode n'était pas si extrême. Bien sûr, elle a toujours été stressante, mais aujourd'hui, c'est à un degré inédit.

— Elle le vaut bien, répliqua-t-il avec passion. Il n'y a rien d'autre que j'aimerais autant faire.

— Quant à moi, je ne serais même pas capable de faire autre chose, plaisanta Sydney.

Si la flamme de l'ambition qui animait Sabrina et Ed s'était atténuée chez elle, c'était parce qu'elle savait que la vie réservait d'autres trésors : des enfants, un mari, une famille. Ce que ni l'un ni l'autre ne semblait vouloir pour le moment. Sydney s'était mariée, elle avait eu ses enfants jeune, tout en travaillant. Cette nouvelle génération était obnubilée par la carrière, quitte à occulter le reste. Après avoir passé deux heures agréables en sa compagnie, à parler de mode, d'art, et de son enfance à Hong Kong, elle fut d'autant plus désolée de ne pas pouvoir le présenter à ses filles, mais c'était impossible tant qu'elle ne leur aurait rien dit de son embauche chez Lady Louise.

Le moment de vérité se présenta enfin trois jours avant son départ pour Pékin. Cela faisait un peu moins d'un mois qu'elle travaillait pour Paul et les filles se plaignaient de son indisponibilité grandissante. Elle avait tour à tour épuisé les prétextes des conférences dans les musées, du cinéma, de la sieste, ou de la batterie à plat, et commençait à tomber à court d'excuses plausibles. Alors de là à en trouver une convaincante pour justifier une indisponibilité de trois semaines... D'autant plus qu'elle ne savait rien de l'état du maillage Internet dans les régions reculées où les conduirait leur mission.

Pour leur annoncer la nouvelle, elle attendit la fin du dîner dans un restaurant à sushis qu'elles affectionnaient particulièrement. Sydney n'avait pas pu les inviter à l'appartement car elle opérait le tri des affaires à emporter. Elle ne prenait qu'une valise, ce qui était peu pour elle. À l'époque où elle voyageait avec Andrew, il n'était pas rare qu'elle en ait deux ou trois, voire quatre selon la durée de son absence. Mais elle n'avait besoin de rien de sophistiqué cette fois, juste des tenues de travail adaptées à la chaleur – sauf pour Hong Kong, où elle voulait être bien habillée pour rencontrer la famille d'Ed, faire les boutiques et dîner au restaurant.

— J'ai quelque chose à vous annoncer, déclara gravement Sydney.

Les filles levèrent les yeux vers elle, surprises.

— Les deux garces ont décidé de te rendre ton argent et ta maison ? suggéra Sabrina sur un ton sarcastique.

— Pas vraiment. Elles m'ont envoyé une pile de factures la semaine dernière, pour des dépenses qu'Andrew et moi avions engagées, comme la moquette dans deux des chambres d'amis, la peinture du garage, le nouveau réfrigérateur. Et nos frais bancaires, qui sont arrivés en retard.

Ses belles-filles lui avaient envoyé la totalité des reçus, sous le poids desquels Sydney croulait.

— Ne va pas débourser un dollar pour ça ! ordonna durement Sabrina. Tu n'as pas embarqué le frigo et la moquette avec toi. Tu ne devrais même pas avoir à payer les frais bancaires. Qu'elles aillent se faire voir. Pourquoi tu devrais leur donner le moindre foutu dollar ?

C'était déjà l'objet d'un grand débat intérieur pour Sydney. Elle voulait conserver un minimum de politesse, sans pour autant être prise pour un pigeon. Elle avait déjà toléré beaucoup de leur part en mémoire d'Andrew, et même trop. Elle envisageait de transférer les factures à son avocat pour qu'il négocie à sa place.

— Bref, ce n'était pas le sujet que je souhaitais aborder. J'ai quelque chose à vous annoncer.

Elle prit une profonde inspiration qui fit aussitôt paniquer Sophie.

— Qu'est-ce qu'il y a, maman ? Tu es malade ?

— Non, pas du tout. Je vais très bien. J'aurais dû vous le dire il y a des semaines, mais je ne voulais pas vous contrarier. J'ai trouvé du travail.

Sabrina se fit instantanément méfiante.

— Quel genre de travail ? Pas vendeuse dans un grand magasin, j'espère ?

Sydney avait mentionné cette possibilité à un moment, et Sabrina voulait une situation meilleure pour sa mère, une vie plus simple.

— Non, non, je ne suis pas vendeuse. J'ai repris le design. Pas à votre niveau, bien sûr. Je ne pouvais pas espérer y prétendre. Ça fait trop longtemps que j'ai quitté le milieu.

— Alors pour qui ?

Sabrina lui trouvait un air bien coupable et gêné. Sydney ne les avait pas encore regardées dans les yeux.

— Vous n'allez pas approuver. Ni l'une ni l'autre. Mais tout le monde ne peut pas se permettre de faire la fine bouche, moi y compris. Les cabinets de recrutement que j'ai contactés n'avaient rien à me proposer, et comme je vous l'ai dit, je me suis absentée trop longtemps. J'ai pris la seule offre qu'on m'ait faite, pour un salaire très généreux. Celle de Paul Zeller. Je ne comptais pas vous en parler, mais comme je pars à Pékin pour visiter les usines dans trois jours, je ne voulais pas disparaître sans un mot.

Débarrassée du poids du secret, elle se sentait bien mieux. Sabrina poussa un petit cri et, se laissant aller contre le dossier de sa chaise, fixa sa mère avec une expression outrée.

— Sérieusement ? Pourquoi tu n'es pas venue nous en parler d'abord ?

— Je l'ai fait, avant d'appeler Paul. Et vous m'avez sauté à la gorge. J'ai besoin d'un salaire, les filles. Je dois travailler, maintenant. Je n'ai pas le choix. Paul m'a donné une chance, et il me paie bien plus que je ne le mérite après tant d'années d'inactivité. Personne ne va m'embaucher comme directrice artistique, comme numéro deux, ou même comme assistante dans une maison de haute couture. Et je me fiche de ce que vous pensez : ce qu'il fait mérite le respect. Son directeur artistique est fantastique. Je pars en Chine avec lui. Il s'appelle Edward Chin, et il vient de Hong Kong. On fera un détour par chez ses parents avant notre retour.

Sophie semblait déçue, et Sabrina était furieuse. Elle avait une nouvelle vie à présent, et ne les avait pas consultées avant d'entreprendre tous ces changements. Leur incompréhension était légitime.

— Est-ce que tu te rends compte à quel point c'est humiliant pour nous ? s'emporta Sabrina. C'est notre réputation que tu souilles en travaillant pour une ordure pareille.

— Paul n'est pas une ordure ! protesta Sydney. Et il va peut-être me laisser dessiner des pièces phares qui porteront mon nom.

— Évidemment, puisqu'il t'exploite. Il veut tirer profit de ton nom et de celui de la maison pour laquelle tu travaillais pour donner du cachet à sa camelote.

Impossible de les convaincre, et le mécontentement de Sophie semblait égal à celui de sa sœur. Sabrina avait simplement la langue plus pendue. Son côté grande gueule l'avait fait réagir en premier, et exprimer ce qu'elles pensaient toutes les deux.

— Je suis navrée que vous n'approuviez pas, dit

simplement Sydney. Mais c'est ainsi, et j'estime qu'il était temps de vous le faire savoir. Je vous enverrai mon itinéraire par mail avant le départ.

Ses filles restèrent assises dans un silence morose. Au moment de partir, elles insistèrent pour régler l'addition. La soirée se terminait sur une note bien amère. Sydney les embrassa pour leur dire au revoir.

Dans le taxi du retour, Sabrina était furibonde. Sophie tenta de tempérer sa colère.

— Il faut lui reconnaître le mérite d'avoir trouvé du travail.

— Tu imagines le scandale si quelqu'un à la rédaction de *Women's Wear Daily* l'apprend ? Ils vont traîner son nom dans la boue, et le nôtre par la même occasion, gémit Sabrina.

— Tout ne tourne pas toujours autour de toi, tu sais. Il faut bien qu'elle paie son loyer, et je la trouve très courageuse. Elle n'est pas restée chez elle à se lamenter, elle est sortie affronter le monde et elle a trouvé du travail. Elle mérite ton admiration au moins pour ça.

Sabrina afficha une mine sombre et inquiète.

— Ce que je n'admire certainement pas, c'est son sens du discernement. Pourvu que personne ne l'apprenne, ou ne fasse le lien avec nous.

Elle déposa Sophie, puis regagna son appartement vide, sans cesser de pester contre sa mère. Elle n'aimait pas non plus cette idée de voyage en Chine. C'était un voyage épuisant et risqué, et on ne savait pas ce qui pouvait s'y passer.

Sabrina envoya à sa mère un mail cinglant pour lui détailler les raisons qui faisaient de son embauche chez Lady Louise une idée déplorable et pointer la naïveté qui l'avait fait tomber dans le piège tendu par Paul Zeller. Elle lui écrivit qu'elle faisait honte à ses filles, qui seraient mortifiées d'avouer à âme qui vive pour qui elle travaillait. Elles qui étaient auparavant si fières de se revendiquer dans le milieu de la mode comme les filles de Sydney Smith… Elle se dépravait et les entraînait dans sa chute.

Sydney lut le mail, les yeux remplis de larmes. Avec le recul, elle n'était pas seulement en colère contre ses filles. Elle en voulait plus encore à Andrew. Oui, les jumelles étaient malveillantes, et ç'avait été facile de concentrer son amertume sur celles qui l'avaient expulsée de sa maison. Mais c'était Andrew qui l'avait mise dans cette situation. Tout était sa faute. Ses belles-filles ne pouvaient pas faire office de boucs émissaires éternellement. Andrew avait sa part de responsabilité. Tout avait commencé par son incapacité à lui assurer sécurité et stabilité. Allongée dans son lit, elle fulminait. C'était sa faute à lui, si maintenant ses propres filles lui en voulaient. Elle n'avait plus d'alliés, plus d'amis, plus d'argent, et personne vers qui se tourner. Tout ce qu'elle avait, c'était son travail. Et ses filles y voyaient une raison de la détester.

Sabrina aussi en voulait à Andrew. Après avoir tant fait pour elles, il s'était comporté de manière totalement irresponsable et avait laissé leur mère dans une situation intenable. Voilà maintenant à quoi elle en était réduite. Tout ça, à cause de lui. Elle en voulait bien plus à Andrew qu'à sa mère, qui était assez naïve pour voir en Paul Zeller son sauveur. Aucun des deux hommes n'avait l'étoffe d'un héros, aux yeux de Sabrina, et certainement pas Andrew, qui avait abandonné sa mère à la merci des requins de ce monde – dont Paul Zeller était le roi. Sa mère n'avait aucune idée de ce dans quoi elle s'était fourrée. La dernière chose que voulait Sabrina, c'était qu'elle en ressorte blessée. Sydney avait déjà beaucoup trop souffert.

5

Dans l'avion à destination de Pékin, Ed et Sydney étaient installés en business class. Pour les vols long-courriers, Paul ne regardait pas à la dépense lorsqu'il s'agissait du confort de ses cadres. Ed, qui avait pour habitude de se faire surclasser en première à ses propres frais, avait pour cette fois-ci renoncé à ce luxe pour rester en compagnie de Sydney. Ils bavardèrent un temps jusqu'au repas, puis Ed regarda un film et Sydney s'endormit. Quand elle se réveilla au bout de quelques heures, Ed pianotait sur le clavier de son ordinateur, dans la perspective des rendez-vous à venir. Il en profita pour lui faire un topo sur les responsables qu'ils allaient rencontrer. Ed pensait constamment au boulot, et se préparait minutieusement à toute éventualité. C'était un de ses points forts et ce pour quoi Paul lui accordait sa confiance.

— Vous avez parlé à vos filles du voyage ?

Sydney hocha la tête pour toute réponse.

— Comment ça s'est passé ? demanda-t-il, conscient de ses inquiétudes sur le sujet.

— Pas si bien...

Sydney soupira. Sophie lui avait envoyé un mail, un jour après Sabrina. S'il était plus mesuré que celui de sa sœur, le message sous-jacent était tout aussi dur. Leur conclusion était la même : en travaillant pour

Lady Louise, leur mère leur faisait honte à toutes les deux.

— En matière de mode, elles sont très élitistes, expliqua-t-elle. Elles n'approuvent pas ce que nous faisons.

— Peut-être qu'elles finiront par changer d'avis, suggéra-t-il gentiment.

Il sentait aussi que c'était une femme de parole, qui adorait ses filles, et que leur désapprobation lui était douloureuse. Ed aimait beaucoup Sydney. Elle était intelligente, raisonnable, il était agréable de travailler avec elle, et surtout, c'était une créatrice de talent. Sa longue période d'inactivité n'avait pas altéré ses dons. Elle bossait dur, et avait fini par s'investir bien plus qu'il ne l'aurait imaginé. Elle était désireuse de se mettre à jour et ne rechignait pas devant les heures supplémentaires.

— J'en doute, dit tristement Sydney. Elles peuvent se montrer terriblement obstinées, et elles se soutiennent dans leur entêtement. Mon aînée dit que ça pourrait même avoir des conséquences sur leur carrière si quelqu'un venait à découvrir que je travaille pour Lady Louise. Je m'en voudrais éternellement si cela arrivait. Mais je ne veux pas non plus démissionner pour leur faire plaisir.

D'autant plus qu'elle n'en avait pas les moyens. Son compte en banque était presque à sec, elle avait besoin de ce salaire.

— J'espère vraiment que vous ne démissionnerez pas. Elles se calmeront. C'est facile d'être élitiste en matière de mode, surtout dans la haute couture, au point que ça en devient parfois ridicule. C'était fréquent dans les maisons pour lesquelles j'ai travaillé. Tout le monde m'a dit que j'étais fou d'accepter ce poste chez Lady Louise. J'avais peur de leur donner raison, mais j'adore ce que je fais, et c'est une expérience inestimable. J'ai appris beaucoup de choses ici, auxquelles je n'aurais jamais été confronté ailleurs. Paul et moi ne sommes pas toujours d'accord, mais c'est un P-DG sérieux, tant que les limites sont claires. Il sait ce que je suis prêt à faire, ou pas, et il s'adapte. C'est un patron juste. Il m'écoute quand je lui dis qu'on va trop loin dans la contrefaçon et, si je le lui demande, il fait marche arrière.

Sydney était soulagée de l'entendre, et d'avoir le soutien d'Ed. Dans le peu de temps qui s'était écoulé depuis son arrivée, elle avait appris à respecter son opinion, et elle était convaincue que ses filles l'apprécieraient tout autant, s'ils se rencontraient un jour – ce qui semblait peu probable à présent. Elles ne voulaient rien avoir à faire avec sa nouvelle vie et les personnes qui la peuplaient.

Leur avion pour Pékin faisait une escale de trois heures à Hong Kong – le temps pour Sydney, qui avait dormi pendant huit des seize heures de vol, de profiter des boutiques de l'aéroport. À Pékin, ils avaient une réservation au Fairmont Hotel, dans le district de Chaoyang, où Ed avait l'habitude de séjourner. Les usines de Lady Louise se trouvaient à Shijiazhuang, à trente minutes de vol, et ils s'y rendirent après une nuit de sommeil réparatrice. L'hôtel qui les attendait là-bas était bien moins confortable et son personnel n'y parlait pas anglais. Sydney dépendait donc totalement d'Ed, qui parlait couramment mandarin. Aussi, dans les usines impeccablement tenues, elle put s'entretenir grâce à lui avec quelques employés et poser mille questions pour comprendre le volume de production qui y était géré, les problèmes rencontrés, ce qu'on attendait des créateurs. Elle voulait maîtriser la chaîne de production à tous les niveaux et Ed était impressionné par son professionnalisme. Ils passèrent deux semaines à temps plein dans l'usine de Shijiazhuang, puis ils se rendirent dans une autre ville pour visiter une nouvelle usine que Paul envisageait d'acquérir. Ed n'était guère enthousiaste. Il estimait qu'il leur en coûterait une fortune de l'adapter à leurs normes. Après deux semaines et demie en Chine continentale, ils s'envolèrent enfin pour Hong Kong, un tout autre monde.

Dès l'instant où ils posèrent pied à terre, Sydney comprit qu'elle pénétrait un territoire fascinant, alliance subtile de cultures britannique, européenne et chinoise, avec leur million de nuances. Ici, les habitants étaient sophistiqués, les boutiques fabuleuses, et il était facile de communiquer. Ed lui avait assuré qu'elle n'importunerait personne, et que sa famille avait très envie de la rencontrer – ce que confirma la Bentley avec chauffeur envoyée pour les récupérer. Située sur le pic Victoria qui offrait une vue imprenable sur le port et la ville, la maison des Chin était gigantesque et magnifiquement décorée d'antiquités anglaises, françaises et chinoises. La suite qui avait été allouée à Sydney jouissait d'un panorama spectaculaire, avec une chambre au confort raffiné. Devant un tel joyau, elle ne pouvait comprendre pourquoi Ed préférait vivre aux États-Unis, et elle lui fit part de sa perplexité.

— C'est très facile de vivre en privilégié ici, expliqua-t-il avec un sourire. D'autant que mes parents me chouchoutent encore comme si j'avais 12 ans.

Il était fils unique, et l'entreprise familiale était dirigée par son père et ses deux oncles. Splendide, cultivée, sa mère avait étudié l'histoire de l'art à Paris. C'était une des femmes les plus époustouflantes que Sydney ait jamais rencontrées. Tout, chez elle, était exquis, jusqu'au long sautoir de perles de jade impérial qu'elle arborait.

— J'ai l'intention de travailler un jour avec les miens, mais avant je voulais voir davantage du monde.

Étant donné ce que sa famille pouvait lui offrir et le poids de leur empire, Sydney ne pouvait pas imaginer qu'Ed en reste éloigné encore des années. Il semblait profiter de sa vie indépendante à New York, échappant ainsi aux regards de sa famille comme à sa notoriété. Aux États-Unis, il était un anonyme, et il adorait ça. Mais trop de choses finiraient par le rappeler à la maison. Par ailleurs, sa famille n'avait aucun souci avec son homosexualité. Un cousin plus âgé avait fait son coming out avant lui. Si sa mère exprimait parfois le regret de ne pas avoir de petits-enfants, ce n'était pas un problème, car il envisageait d'adopter, peut-être une fois qu'il serait rentré définitivement à Hong Kong. Mais il n'était pas encore prêt pour avoir une vie de famille, pas plus que les filles de Sydney. Pour leur génération, ce n'était pas une préoccupation majeure. Tout comme lui, Sabrina et Sophie étaient absorbées par le travail.

Sydney et Ed passèrent deux jours à Hong Kong, à savourer de délicieux repas et à découvrir des boutiques typiques. Ed lui fit la visite guidée de la ville, à la fois extraordinairement raffinée et excitante. Son oncle les emmena au casino à Macao un soir, en hors-bord. Cette vie de luxe rappelait à Sydney tout ce qu'elle avait perdu, dans des proportions encore plus grandioses. Il n'était pas difficile d'en déduire à quel point la fortune de la famille d'Ed était immense et combien ses perspectives d'avenir étaient radieuses.

Dans l'avion du retour, Ed lui confia que, parfois, il rêvait de créer sa propre collection. L'idée était tentante et, l'espace d'un instant, Sydney lui envia cette liberté. Il pouvait faire tout ce qu'il voulait, avec le soutien de sa famille. C'était une chance rare. Et pourtant, Ed restait un homme humble et discret, qui ne se vantait jamais de l'opulence familiale. À la fin de ce séjour, elle l'admirait plus encore et avait l'impression qu'ils devenaient amis.

Ils étaient à bord depuis une heure, pendant laquelle elle avait savouré les souvenirs de ce voyage et des endroits reculés et méconnus qu'Ed lui avait fait découvrir, quand le pilote annonça qu'en raison d'un incident électronique mineur une discussion était en cours quant à un retour éventuel à Hong Kong. Les passagers devaient être tenus informés dans les minutes suivantes.

Sydney afficha aussitôt une mine inquiète et, jetant un coup d'œil en direction de son voisin, déclara d'un ton anxieux :

— Et merde. Pas encore…

— Comment ça, « encore » ?

Ed n'avait d'ordinaire pas peur de l'avion, mais ce problème technique à dix mille mètres d'altitude n'était pas fait pour le rassurer.

— C'est comme ça que j'ai rencontré Paul, lui expliqua-t-elle. On a failli faire un plongeon dans l'Atlantique et l'avion a dû opérer un atterrissage en urgence en Nouvelle-Écosse. Il m'a tenu la main pendant la descente, qui a été salement brutale. On est restés coincés là-bas quinze heures. Quand on a enfin atterri à New York, c'était comme si on se connaissait depuis toujours.

Ed leva les yeux au ciel.

— Dans ce cas, c'est ta faute. Tu as un mauvais karma avec les avions. Je ne serais pas monté avec toi si j'avais su.

Il plaisantait, bien sûr, mais tous deux restaient inquiets. L'avion tourna en rond pendant une demi-heure, puis le commandant de bord reprit le micro pour annoncer qu'on avait pu résoudre le problème et qu'il avait reçu l'autorisation de continuer jusqu'à l'aéroport JFK.

— Bon, pour cette fois je te pardonne, dit Ed.

Elle le remercia encore de l'avoir invitée chez ses parents. Après deux semaines de dur labeur, cet interlude avait été une vraie bénédiction.

— On reviendra, lui dit-il. Il faut absolument que tu fêtes le nouvel an chinois. C'est vraiment quelque chose là-bas.

— Je ne comprends toujours pas comment tu peux rester à New York alors que tant de choses t'attendent à Hong Kong.

— Elles peuvent m'attendre encore un peu. J'ai adoré mes cinq ans à Londres, et pour l'instant, je profite de New York.

Sydney n'était jamais allée en Asie avec Andrew. Ils avaient leurs habitudes en Europe, s'étaient rendus quelques fois en Amérique du Sud. Elle garderait un très bon souvenir de sa première visite à Hong Kong, et de ce temps privilégié passé avec Ed, qui lui avait montré la ville comme seuls ses habitants la connaissaient.

En atterrissant à New York, elle songea aussitôt à ses filles dont elle n'avait reçu que quelques SMS pendant son absence. Ceux de Sabrina étaient empreints de froideur, ceux de Sophie légèrement plus chaleureux. Elle ne leur avait pas parlé de vive voix depuis son départ. Le décalage horaire avait joué en sa défaveur chaque fois qu'elle avait eu un moment devant elle, et elle avait le sentiment que ses filles l'évitaient et lui faisaient payer sa décision.

— Tu as des projets pour ce week-end ? demanda-t-elle à Ed dans le taxi qu'ils partageaient pour Manhattan.

On était loin de la Bentley avec chauffeur ! Ici, rien dans son habillement ou son comportement ne laissait deviner l'opulence de sa famille, et elle le respectait pour ça.

Il lui sourit, l'air vaguement mystérieux.

— J'ai un rendez-vous.

Il ne sortait pas souvent et elle s'en réjouit pour lui.

— Et toi ? demanda-t-il.

— J'espère voir mes filles, si elles acceptent de me reparler.

Il y avait une note de tristesse dans sa voix. Ses filles lui avaient manqué.

— Depuis le temps, elles devraient avoir digéré la nouvelle.

La désapprobation se peignit sur le visage d'Ed. Sydney était une femme incroyable, et il l'avait prise en affection. Elle ne méritait pas que ses filles la boudent, surtout après ce qu'elle avait vécu. Même sans connaître toute l'histoire, il en savait assez pour compatir. Sydney avait brièvement mentionné ses belles-filles qui, en plus d'avoir récupéré la maison, avaient tout l'air d'un cauchemar. Elle ne lui en avait pas confié davantage, trop fière et discrète pour s'étendre sur le sujet.

— On verra. Elles ont peut-être d'autres projets.

En trois semaines, elle espérait vivement que leur colère était tombée.

Sitôt rentrée chez elle, Sydney décrocha son téléphone. Sabrina ne répondit pas. Quant à Sophie, elle était avec son petit ami, et avait déjà prévu quelque chose le lendemain, mais lui promit un dîner dans la semaine. Sabrina la rappela un peu plus tard. Si elle semblait s'être un peu calmée, elle n'avait pas plus de temps à lui consacrer pendant le week-end car elle croulait sous les essayages pour le défilé de la Fashion Week. C'était une période de grand stress pour elle, mais elle s'engagea à la voir dès qu'elle aurait un moment de répit, ce qui, Sydney le savait, n'aurait lieu qu'après le défilé et les shootings photo pour le lookbook que feuilletaient les acheteurs avant de passer commande.

— Comment s'est passé le voyage ? lui demanda poliment Sabrina.

— C'était fascinant. J'étais invitée dans la famille de mon supérieur à Hong Kong. La ville était incroyable, et tout ce travail à l'usine était très intéressant aussi. Et puis, grâce à Ed, la barrière de la langue n'a pas posé problème.

Deux ans plus tôt, Sabrina avait monté un défilé de mode à Pékin, une expérience qu'elle avait détestée. La loi de Murphy opérant, tout avait viré au cauchemar. La climatisation était tombée en panne dans l'espace qu'ils avaient loué, trois des mannequins s'étaient évanouies à cause de la chaleur sur le podium et, pour couronner le tout, Sabrina avait attrapé une bronchite à cause de la pollution.

Elle en dit tout autant à Paul Zeller quand il l'invita à déjeuner pour faire le point. Elle lui rapporta tout ce qu'ils avaient fait, partagea ses impressions, et s'extasia sur les compétences d'Ed, ne tarissant pas d'éloges sur son efficacité, son professionnalisme, et ses égards pour elle.

— Je sais, dit Paul avec un soupir. J'ai fait quelques visites d'usine avec lui, c'est une perle. Malheureusement, je sais aussi que le temps m'est compté. Peu importe ce que je peux lui offrir, tôt ou tard, il finira par rentrer à Hong Kong. C'est inévitable. Je ne peux pas rivaliser avec sa famille. Ils comptent parmi les industriels les plus puissants de Chine. Et un jour, c'est lui qui sera à la tête de leur empire. Mais je suis heureux de pouvoir profiter de ses talents tant que c'est encore possible. D'ailleurs, en parlant de ça... je pense qu'il est temps de réfléchir à vos pièces signature Sydney Smith pour Lady Louise. Si ça marche, ça pourrait déboucher sur votre propre ligne, un jour.

C'était une belle carotte.

— Quel type d'habillement vous aviez en tête ? demanda-t-elle calmement. Plutôt soirée ? *Casual* ? Une gamme un soupçon plus chic que ce que nous avons actuellement ?

— Oui, l'étape du dessus dans l'élégance. Voyez ce qui vous inspire. Je vous laisse carte blanche.

Ravie, elle s'empressa de raconter ça à Ed dans l'après-midi, mais fut surprise par son air contrarié. Se pouvait-il qu'il soit jaloux ? Pourtant, il n'en avait jamais donné l'impression et n'avait aucune raison de l'être. Il était le directeur artistique de Lady Louise, un poste bien plus élevé que le sien.

— Ça fait trois ans que je travaille pour Paul et je commence à le connaître. Il a parfois des intentions cachées, et quand il agite une carotte sous le nez de quelqu'un, c'est souvent parce qu'il a une autre idée en tête. J'ai eu cette impression ce matin en le voyant, même si je ne saurais pas te dire pourquoi. En tout cas, c'est beaucoup trop tôt pour te parler de lancer ta propre ligne. Ça ne fait pas si longtemps que tu es arrivée, et il n'a pas encore sondé le marché pour les pièces individuelles signature. Bref, au risque de passer pour un fou ou un parano, conclut-il avec prudence, j'ai ce drôle de pressentiment qu'il a quelque chose d'autre en tête.

Ed avait l'air soucieux et Sydney ne savait pas comment l'interpréter. Ses propos la laissaient perplexe. Il avait été le premier à lui dire que Paul était un patron honnête. Avait-il changé d'avis ?

— Comme quoi, par exemple ? demanda-t-elle.

— Je n'en ai aucune idée. Et je me trompe probablement. Je sais juste que, parfois, lorsqu'il fait miroiter une belle récompense, c'est qu'autre chose se trame. Ce dont je suis certain, c'est qu'il comptait attendre avant de te confier ta propre ligne. Je ne vois pas pourquoi il aurait avancé d'un coup l'échéancier. En tout cas, il ne m'a rien dit. Il lui arrive de se montrer un peu trop ambitieux. Je crois que tu ferais mieux de rester sur tes gardes. Paul va finir par dévoiler ses cartes tôt ou tard. Il n'est pas aussi subtil qu'il le croit.

Aux oreilles de Sydney, ce discours semblait un peu alarmiste, mais elle décida de suivre son conseil. Pourtant, elle était presque certaine que l'intuition d'Ed n'était absolument pas fondée, et son enthousiasme à l'idée d'une ligne à son nom l'emportait. Paul avait parlé de débuter avec quelques pièces signature pour le printemps, une surprise pour leurs acheteurs plus haut de gamme, et elle comptait y réfléchir sérieusement.

Mettant les réserves d'Ed de côté, elle choisit de se concentrer sur leur présentation pour la Fashion Week. Parce qu'ils évoluaient dans la mode milieu de gamme, ils ne montaient pas un défilé comme il s'en faisait dans les grandes maisons. Mais la marque louait tout de même un showroom pour montrer les vêtements sur des mannequins, ce qui correspondait un peu au fonctionnement de Sophie. C'était bien moins stressant que les défilés prêt-à-porter de luxe que Sabrina gérait avec quarante top-models sur le podium.

Ed l'avait déjà prévenue qu'il l'inviterait à assister aux grands défilés avec l'une de leurs jeunes designers, selon l'usage. Celui de Sabrina était sur la liste. Sydney savait très bien que, dans la foulée, les créateurs de Lady Louise planchaient sur leurs contrefaçons pour développer la collection suivante en un temps record. Les délais étaient très serrés, c'était une réalité du marché qu'ils avaient tous acceptée. Sydney espérait qu'ils modifieraient un peu plus leurs modèles cette saison pour que le plagiat ne soit plus si flagrant. C'était l'un de ses objectifs à long terme. De son côté, Ed avait aussi toujours cette préoccupation en tête, alors que Paul n'avait pas tant de scrupules. Mimi, une jeune designer française, devait les accompagner aux défilés. Petit prodige aux yeux de Paul, elle ne modifiait jamais suffisamment ses dessins au goût d'Ed, ce qui était un sujet de discorde récurrent entre les deux hommes, car Ed était bien décidé à préserver autant que possible l'intégrité des créateurs.

Sydney réussit à retrouver Sophie, le temps d'un dîner, avant la frénésie de la Fashion Week. Elle avait eu Sabrina au téléphone plusieurs fois, à défaut de la voir. La première fois qu'elle l'aperçut après leur dispute fut à son défilé. Sydney était assise à côté d'Ed et rayonnait de fierté quand Sabrina salua la foule, après le dernier passage des mannequins. C'était un défilé spectaculaire, un de ses meilleurs. Pour avoir suivi l'évolution de sa carrière de près avec admiration, bien avant de rencontrer sa mère, Ed était du même avis.

Dès que le défilé prit fin, Sydney se rendit en coulisse pour embrasser sa fille, puis rejoignit son siège pour les deux suivants. Quelques rangs plus loin, Mimi, la jeune designer, n'avait pas manqué une miette du spectacle. Une semaine plus tard, en passant devant son bureau, Sydney comprit pourquoi la protégée de Paul ne s'était pas assise à côté d'eux. Ses reproductions étaient quasi identiques aux modèles vus. Elle le signala aussitôt à Ed.

— Ses dessins sont trop similaires. On va se retrouver avec des vêtements ressemblant trait pour trait aux originaux, le prévint-elle. La presse va se déchaîner.

Il alla vérifier par lui-même et la remercia de l'avoir alerté. Même si les modèles n'étaient pas déposés, l'usage était de modifier quatre ou cinq éléments, or Mimi n'en avait changé que deux, à peine visibles.

— Elle a tendance à rester bien trop fidèle, expliqua Ed. Mimi est très douée pour reproduire n'importe quel modèle, mais elle oublie qu'il faut les simplifier, limiter les finitions, et leur insuffler une dimension nouvelle.

C'était donc pour cette raison que Mimi avait été assignée aux défilés : pour sa faculté à recopier avec une précision extrême. Dès que possible, on l'envoyait dans les showrooms privés pour examiner de plus près les pièces haute couture. Elle avait un profil parfaitement anonyme, discret, et faisait exactement ce dont Sabrina accusait Paul Zeller. Ils n'utilisaient pas le travail des grands créateurs comme base « d'inspiration », comme il le prétendait. Mimi était la preuve qu'ils les copiaient à l'identique, faisant fi de la déontologie.

Sydney retourna examiner les dessins de Mimi, et particulièrement ceux inspirés de la collection de

Sabrina. Il s'agissait des plus fidèles, certainement parce qu'elle était la créatrice la plus en vogue.

— Tu devrais y aller mollo avec ceux-là, suggéra-t-elle.

— Je ne fais que répondre aux directives de M. Zeller, se défendit fermement la styliste.

— Je doute qu'il soit si explicite.

Sydney retourna se plaindre auprès d'Ed, qui lui assura qu'il garderait la jeune designer à l'œil.

Ce n'est qu'après la Fashion Week que Sydney put enfin dîner en compagnie de ses deux filles. Sabrina avait l'air épuisée, mais son défilé s'était très bien déroulé, et les commandes des acheteurs pour les grands magasins avaient été plus fructueuses que jamais. Le showroom de Sophie avait rencontré un immense succès, avec des volumes d'achats inédits, ce qui avait ravi ses employeurs.

Sydney put enfin leur raconter les détails de son voyage en Chine, et à la fin du repas, Sabrina avait retrouvé son expression irritée.

— Alors, est-ce que tes larbins ont réussi à copier toute ma collection ?

— J'espère bien que non. Ça fait déjà deux fois que je les mets en garde. Paul veut que nous soyons plus innovants à l'avenir. Nous voulons être reconnus pour autre chose que nos copies. La collection le mérite vraiment.

— Tu es bien la seule à le penser. Si seulement tu n'avais pas accepté ce job !

— Je n'avais pas le choix. J'ai quand même une bonne nouvelle : l'appartement à Paris est loué. Ça me soulage.

Elle avait encore reçu une nouvelle pile de factures de la part des jumelles, de quoi ajouter au stress du quotidien. Ces envois étaient devenus systématiques, et elle refusait toujours de les payer.

— Un de ces jours, son usine à contrefaçons va lui exploser en pleine tronche, et tu seras en première ligne si tu restes trop proche de Zeller. Fais attention, maman.

— Je sais. J'y suis attentive, et le directeur artistique aussi. C'est un type honnête.

— S'il était si honnête, il ne travaillerait pas pour Paul Zeller, rétorqua froidement Sabrina.

— Ça me désole que tu dises ça. J'aimerais beaucoup que vous le rencontriez. Il est à peine plus âgé que vous et sa famille s'est montrée merveilleusement accueillante à Hong Kong.

Au silence de ses filles, Sydney conclut qu'aucune d'elles n'avait envie de faire la connaissance d'Ed. C'était la deuxième fois qu'un dîner se terminait sur une note tendue parce qu'elles critiquaient son travail. Elles étaient intransigeantes, et Sydney restait convaincue qu'elles avaient tort. La mission de démocratisation de la mode voulue par Lady Louise sonnait comme une croisade dans la bouche de Paul. Pourtant, Sabrina et Sophie n'y voyaient aucune noblesse.

Deux semaines après la Fashion Week de New York, Sydney et Ed se rendirent à la Fashion Week de Paris pour voir les collections de prêt-à-porter de luxe des créateurs français. À la demande de Paul, ils emmenèrent Mimi qui, entre-temps, avait assisté à celles de Londres et Milan. Comme partout, jamais elle ne s'assit à côté d'eux. Sydney adorait les couturiers français, mais estima que leurs défilés n'avaient cette année rien à envier à celui de Sabrina.

À leur retour, Sydney se mit à plancher sur les premières esquisses pour ses pièces signature, ce qui l'absorba entièrement. Elle aurait voulu jeter un coup d'œil aux dessins de Mimi après la Fashion Week de Paris mais, faute de temps, elle fit confiance à Ed pour vérifier que les copies n'étaient pas complètement identiques. Ce n'est que lorsqu'elle vit arriver les premiers échantillons de la collection début novembre qu'elle comprit l'ampleur du problème. On lui avait caché certains croquis, elle en avait maintenant la certitude. Toutes les pièces phares de la collection de Sabrina avaient été reproduites au détail près, au point que sur certaines photos on ne pouvait différencier l'original de la contrefaçon. Un dossier entier dans *Women's Wear Daily* y était consacré et descendait en flammes les pratiques malhonnêtes de certains designers, qualifiant Paul Zeller de parasite numéro un de l'industrie de la mode. On y rapportait également que la mère de Sabrina Morgan, la créatrice Sydney Smith qui avait fait fureur dans le milieu fut un temps, travaillait à présent pour Lady Louise. La journaliste évoquait la possibilité que Sabrina ait fait fuiter ses modèles à sa mère, voire les lui aurait vendus pour qu'ils soient reproduits. L'article donna la nausée à Sydney. Une heure plus tard, Sabrina l'appelait, la voix entrecoupée de sanglots.

— J'espère que tu es contente, maman. Je viens d'être virée. Ils ont dit que ce qui s'est passé est inadmissible, que tout est ma faute. Ils sont convaincus que j'ai vendu mes croquis à ta marque de merde. J'ai eu beau jurer que c'était faux, ils n'ont rien voulu entendre. Ils m'ont virée *manu militari*, et ils ont même appelé les agents de sécurité pour m'escorter hors du bâtiment.

Le cœur de Sydney se serra et les larmes se mirent à rouler sur ses joues.

— Oh, ma puce... je suis tellement désolée... J'avais pourtant prévenu la styliste. Elle n'était pas censée copier avec une telle précision.

— Elle n'est pas censée copier du tout, oui, rétorqua Sabrina entre deux sanglots.

Mais toutes les deux savaient que c'était le modèle marketing, et que Lady Louise n'était pas la seule marque à fonctionner ainsi.

— À cause de toi, ma carrière est foutue, fit Sabrina avant de raccrocher sans un mot d'adieu.

Furieuse, Sydney alla directement voir Ed. Il avait déjà pris connaissance de l'article.

— Je suis vraiment désolé, Sydney. Je lui ai pourtant dit que les croquis étaient trop ressemblants. Mais Paul n'a pas écouté mes mises en garde.

— Sabrina a été virée. Sa boîte pense qu'elle nous a vendu ses dessins. Ils ont été jusqu'à la faire reconduire à la porte par des agents de la sécurité. Je n'ai pas d'autre choix que de démissionner.

Comment pourrait-elle un jour se faire pardonner ? Par sa faute, sa fille avait dû renoncer à un poste fantastique. Sa carrière était peut-être même en jeu. Sabrina avait eu raison depuis le début : Sydney avait joué avec le feu en travaillant pour Paul Zeller.

— Tu ne peux pas démissionner. Je viens de parler à Paul : on va rappeler tous les modèles copiés sur ceux de Sabrina pour y apporter des modifications. Je suis d'accord avec toi, ça n'aurait pas dû se produire. Mais nous ne sommes pas les seuls à le faire, sur le marché.

Ce n'était pas une excuse suffisante, surtout quand Sabrina faisait les frais de ces malversations.

— C'est ma fille, et c'est à moi qu'elle en veut. Mon rôle est de la protéger, or j'ai échoué.

— Tu crois qu'ils accepteront de la reprendre, si on leur promet qu'on va modifier les modèles ?

Malgré toute sa bonne volonté, réparer les dégâts ne serait pas facile : il s'agissait de rétablir la réputation de Sabrina et de sa mère.

— En tout cas, dis-lui d'embaucher un avocat sans pitié et de négocier son départ avec ses employeurs. Si elle est bel et bien virée, il faut au moins qu'elle en tire des indemnités solides sans clause de non-concurrence. C'est important.

— Je lui dirai. Mais ne te fais pas d'illusions. Ma relation avec ma fille est bien plus importante à mes yeux que n'importe quel job.

Même celui dont elle avait désespérément besoin pour payer ses factures. Elle ne pouvait pas vivre uniquement du loyer parisien. Et elle ne trouverait probablement pas d'autre emploi, en particulier après ce scandale. Elle envoya aussitôt un message à Sabrina pour lui transmettre les conseils d'Ed tandis que ce dernier retournait voir Paul.

Ce fut un après-midi stressant. Paul fit remarquer à Ed qu'ils faisaient déjà tout leur possible en modifiant les modèles, et qu'il avait même accepté d'en retirer définitivement un. Il admit que les contrefaçons étaient abusives et, après l'avoir convoquée, promit à Sydney que ça n'arriverait plus. Personne ne voulait la voir partir.

Sydney était en colère contre Paul, et contre elle-même pour avoir participé indirectement à cette mascarade.

— Ma fille ne me le pardonnera jamais. Je viens de lui coûter le meilleur poste de sa carrière, tout ça parce que mon nom est associé au vôtre.

— Vous ne pouvez pas démissionner maintenant,

plaida Paul. Je veux vous donner votre propre ligne dans l'année, pas juste quelques pièces signature, avec une participation aux bénéfices en prime !

Il abattait tous ses atouts pour la tenter. Elle ne pouvait pas se permettre de perdre son travail. C'était comme si elle avait vendu son âme au diable, et que Sabrina en payait le prix.

Sydney alla voir sa fille en fin d'après-midi. En larmes dans le salon de son appartement de Tribeca, Sabrina se mit à tempêter contre sa mère dès son entrée. Sophie, qui était sortie plus tôt pour venir la consoler, serrait sa sœur contre elle.

— Je t'avais prévenue de ne pas t'approcher de lui, maman. C'est un putain de voyou !

Sydney voulut la prendre dans ses bras, mais sa fille la repoussa. Sa réaction n'avait rien d'étonnant.

— Je m'en veux terriblement. Tu n'imagines pas. Il a retiré tous tes modèles et il est en train de les faire modifier. Il en a définitivement supprimé un. Si on dit ça à tes employeurs, tu crois qu'ils accepteront de te reprendre ?

Sydney avait l'air aussi dévastée que sa fille.

— Tu as appelé un avocat ?

— Oui. Il est sur le dossier. Ils n'ont aucune preuve pour étayer leurs accusations, ce qui n'a pas retenu mon connard de patron. Vous n'êtes pas les premiers à nous copier. Sauf que là, il s'agit de véritables contre-façons, pas « d'inspirations », et la journaliste a sauté sur l'occasion d'exploiter le lien avec toi. C'est devenu viral. Je pense que le P-DG voulait un coupable à blâ-mer. Évidemment, leur dossier ne tient pas la route, puisque je suis innocente.

— J'ai dit à Paul que j'étais prête à démissionner.

— Est-ce que tu peux te le permettre ? demanda Sophie.

Sydney hésita avant de formuler sa réponse. Techniquement, elle n'avait pas ce luxe. Mais elle était prête à tout, par loyauté envers sa fille.

— Pas vraiment. Mais si c'est ce qu'il faut pour que Sabrina se sente mieux, alors la question ne se pose pas.

Sabrina sourit, émue. Sa fureur s'était éteinte, mais elle était toujours profondément bouleversée par la perte de son poste.

— Je peux retrouver du travail plus facilement que toi, trancha-t-elle. Et ça n'aurait aucun sens que nous soyons toutes les deux sur le carreau. Mais, bon sang, maman, méfie-toi de ce type. Je sais que tu le vois comme le messie, mais il n'a aucune éthique et il est prêt à t'exploiter au maximum.

— C'est à Ed Chin que je fais confiance. C'est mon supérieur direct. Il va garder un œil sur lui.

— En attendant, il n'a pas réussi à empêcher ce coup-là.

Les trois femmes discutèrent encore pendant plusieurs heures. Sophie décida de rester pour la nuit, tandis que Sydney rentrait chez elle. Véritable fournaise en été, l'appartement se transformait en glacière en automne mais pour une fois, Sydney s'en fichait. Elle se servit un verre de vin pour se détendre, le reposa après en avoir pris une gorgée. Elle n'avait aucune idée de comment se faire pardonner. Et si sa fille ne retrouvait pas de travail ? Et si elle avait vraiment détruit sa carrière ? Sydney elle-même avait tout perdu, et voilà qu'elle faisait voler la vie de ses enfants en éclats. C'était sa soirée la plus sombre depuis la mort d'Andrew. Soudain, les somnifères que lui avait prescrits le médecin à l'époque lui revinrent en mémoire. Elle n'en avait jamais pris.

Sydney alla prendre les cachets dans son armoire à pharmacie et s'assit, le flacon dans les mains. Elle avait l'impression d'avoir saccagé la carrière de Sabrina. Sa propre vie n'avait plus grande valeur. Elle parvenait à peine à s'en sortir seule et n'apportait rien à personne. Et voilà que maintenant, elle avait même fait du tort à Sabrina. Heureusement, il lui restait l'appartement à Paris qu'elle pouvait léguer à ses filles. Elle ne possédait rien d'autre, mais c'était déjà ça. Elle se fit la réflexion qu'en fin de compte elle leur serait peut-être plus utile morte qu'en vie. Il ne lui vint pas à l'esprit qu'elle leur manquerait, ou que sa disparition serait vécue comme un abandon. Dans ce tourbillon de pensées noires, elle en arriva à la conclusion que ce serait leur rendre service que de mourir en expiation de ses fautes. Elle n'avait plus de raisons de vivre, de toute façon, rien à leur offrir. Quant à sa carrière chez Lady Louise, c'était une vaste blague. On n'avait pas besoin d'elle là-bas. Qu'ils continuent donc à pomper les grands créateurs. Et si Andrew l'avait vraiment aimée, comment avait-il pu l'abandonner sans ressources ? Ces cinq derniers mois avaient été trop éprouvants. Tout ce qu'elle voulait à présent, c'était une porte de sortie.

Ses pensées tournaient en boucle. Elle prit une deuxième gorgée de vin, et fit sauter la capsule du flacon. Le téléphone sonna. Elle l'ignora. Elle n'avait rien à dire à personne. Sa décision était prise. La sonnerie se tut, puis reprit. Le nom de Ed Chin apparut sur son écran, mais elle ne répondit pas : elle ne voulait pas lui parler. Il rappela encore une fois et, les cachets en main, elle posa son verre sur la table basse pour décrocher.

— Sydney, tout va bien ?

Il s'inquiétait. Il avait lu le désespoir sur son visage quand elle avait quitté le studio.

— Oui, ça va, répondit-elle d'une voix rauque.

Le vin n'y était pas pour grand-chose. Elle n'était pas une grande buveuse, car il lui en fallait peu pour subir les effets de l'alcool.

— Comment va Sabrina ?

— À ton avis ? Très mal.

— On a retiré tous les modèles pour faire des modifications. Je m'en suis assuré avant de partir ce soir. Et Paul fera tout ce qu'il faudra pour que tu lui pardonnes.

— Il ne peut pas rendre son boulot à ma fille, rétorqua-t-elle, désespérée. Et je ne peux pas me permettre de démissionner. Est-ce que ce n'est pas une vaste plaisanterie ? Je leur serais plus utile morte qu'en vie. À l'heure qu'il est, je ne sers à rien ni à personne.

En entendant l'expression de pensées si décousues et sombres, Ed sentit la panique monter en lui. Son premier amour s'était suicidé à l'université, et il sentait Sydney dériver vers ces mêmes eaux troubles.

— Tu ne peux pas dire ça. Elles ont besoin de toi. Tu es leur mère. Elles n'ont personne d'autre.

— Ma fille vient de perdre son travail à cause de moi. Elle adorait cette boîte. Et je ne peux même pas l'aider. Je suis fauchée comme les blés. Je ne suis plus qu'une prise de tête supplémentaire pour elles, à présent.

— Toutes les maisons de couture de New York vont vouloir lui mettre le grappin dessus quand ils apprendront la nouvelle. Elle est l'une des créatrices les plus en vogue des États-Unis. Qu'est-ce que tu as de prévu ce soir ?

De mettre fin à mes jours, songea-t-elle en silence.

— Rien, je bois un verre de vin.

Elle semblait au bout du rouleau.

— J'arrive, déclara Ed.

— Pourquoi ? Non, ne viens pas. Je suis occupée.

Ed n'avait pas l'intention de la laisser faire. L'histoire ne pouvait pas se répéter. À 20 ans, il révisait à la bibliothèque quand son petit ami s'était ôté la vie. Il avait préféré se tuer plutôt que d'annoncer à ses parents son homosexualité. Ce drame avait marqué Ed à jamais. Depuis ce jour, il refusait de s'engager dans une relation sérieuse. Il en avait bien trop peur.

— Je suis là dans cinq minutes, dit-il avant de raccrocher.

Sept minutes plus tard, il frappait à la porte. Son appartement n'était pas loin, et il avait couru tout le long du chemin. Une fois entré, il mesura l'ampleur de son désespoir. Sydney avait toujours ses cachets en main, et il lui prit le flacon pour l'enfouir dans sa poche.

— Tu peux te saouler autant que tu veux, mais pas te tuer. Tu ne ferais qu'empirer les choses pour tes filles. Il faut que tu t'accroches pour elles. Elles sont trop jeunes pour te perdre. Toute cette histoire va finir par se tasser et Sabrina trouvera un nouveau boulot. Je ne suis même pas sûr qu'ils puissent lui faire signer une clause de non-concurrence, après l'avoir licenciée comme ça. Ils ne peuvent pas prouver qu'elle nous a vendu quoi que ce soit, puisqu'elle est innocente, et un bon avocat lui obtiendra de belles indemnités pour cette injustice. Ce n'était pas sa faute. Tu dois être là pour elle, pour l'aider à traverser cette épreuve.

Sydney lui lança un regard plein de remords, et il vit dans ses yeux la raison reprendre le dessus.

— Je suis désolée de t'avoir fait venir jusqu'ici.

— Pas besoin de t'excuser. Je suis venu parce que je le voulais. Tu ferais mieux d'aller te coucher. Je vais dormir sur ton canapé, ce soir.

Craignant qu'elle ne change d'avis, il se rendit dans la salle de bains pour vider le flacon de cachets dans les toilettes et tira la chasse. Il ne lui faisait pas confiance. Elle avait encore l'air ravagée par le désespoir, même si elle s'était un peu calmée. Sydney s'effondra dans ses bras et éclata en sanglots. Il était son seul ami à présent. Ed la porta jusqu'à son lit et s'allongea à côté d'elle, lui tenant la main jusqu'à ce qu'elle s'endorme. Puis il alla s'installer sur le canapé. Quand il se réveilla, elle était assise dans le salon, les traits tirés. De larges cernes soulignaient ses yeux.

— Je suis désolée, je ne sais pas ce qui m'a pris hier soir. Je n'étais même pas ivre. Je n'ai bu que quelques gorgées.

— Je sais, dit-il d'une voix douce. Sabrina va s'en remettre.

— Ça t'embête si je prends ma journée ?

Il secoua la tête, catégorique.

— Hors de question que je te laisse toute seule ici. Tu viens au boulot. Je ne te quitte pas des yeux.

Il avait décidé d'endosser le rôle de garde du corps.

— Je vais bien, je t'assure.

— Je n'y crois pas une seule seconde. Répète-moi ça quand tu seras habillée, maquillée, et à ton poste.

Elle se leva pour aller prendre sa douche en râlant, mais se tourna vers lui et lui adressa un regard reconnaissant.

— Merci... Tu m'as sauvé la vie hier soir. J'allais faire une bêtise.

Il hocha la tête, les yeux remplis de larmes au souvenir de son petit ami.

— Je sais…

Il tendit le bras vers la salle de bains, et elle alla prendre une douche.

Quand elle revint en jean et pull noir, il lui tendit une tasse de café. Elle avait meilleure mine, même si ce n'était pas encore ça. Sabrina appela quelques minutes plus tard. Sa boîte lui avait proposé de récupérer son job mais, trop bouleversée par leurs accusations, elle avait décidé de réclamer de sérieuses indemnités de licenciement sans clause de non-concurrence, afin de pouvoir postuler ailleurs. Elle semblait bien plus optimiste que sa mère.

— Peut-être que c'est une bonne chose, en fin de compte. Je vais leur faire regretter ça, maman.

Sydney éclata de rire, soulagée d'entendre sa fille aussi déterminée. Elle allait beaucoup mieux en quittant l'appartement avec Ed, une demi-heure plus tard.

— Viens, je paie le taxi, proposa-t-il généreusement en hélant une voiture jaune.

Une fois qu'ils furent installés, Ed lui prit la main, se pencha vers elle et déposa un baiser sur sa joue.

— Tu m'as vraiment fait flipper hier soir.

Elle hocha la tête. Elle aussi s'était fait peur. L'envie de mourir avait tout occulté dans son esprit. S'il n'était pas intervenu, elle serait probablement passée à l'acte. Alors que le taxi slalomait dans la circulation, ils restèrent plongés dans cette pensée sombre, main dans la main, sans dire un mot.

6

Ce jour-là, Paul l'invita à déjeuner pour lui exposer ses projets. Après s'être confondu en excuses, il lui renouvela sa proposition de créer sa propre ligne, avec un pourcentage sur les bénéfices. Il avait aussi une nouvelle idée dont il voulait discuter avec elle pour la convaincre de rester : lui donner la direction d'une gamme de maroquinerie de belle manufacture. Les copies de sacs à main cultes à des prix raisonnables, qui porteraient son nom aussi. Selon lui, il s'agissait des plus belles copies jamais vues. C'était pour elle l'occasion de gagner beaucoup d'argent. Elle en parla avec Ed après le déjeuner.

— Il veut me mettre à la tête de la gamme et y apposer mon nom. Je ne connais rien à la maroquinerie.

Sydney était curieuse, mais prudente. Il l'attirait dans des eaux où elle n'avait pas l'habitude de nager.

— Tu as vu la marchandise ?

La curiosité d'Ed était tout aussi piquée. Paul n'avait pas évoqué le projet avec lui, mais il savait que les sacs qu'ils importaient de Chine rencontraient toujours un franc succès.

— Non, il doit me montrer ça cet après-midi. Il a déjà des échantillons à l'entrepôt. Quelqu'un va les apporter ici.

Un peu plus tard, Paul les fit venir dans son bureau et tous deux restèrent médusés devant les sacs exposés sur une table. On aurait dit d'authentiques sacs de luxe, à la qualité irréprochable.

— Qui les fabrique ? demanda Ed en examinant les doublures en soie.

Paul mentionna une usine avec laquelle ils n'avaient jamais travaillé. Ed tournait et retournait les sacs entre ses mains, imité par Sydney. La confection était impeccable. Il y avait quatre styles différents, tous inspirés de grandes marques de luxe facilement identifiables. Ed poursuivit son inspection, en quête d'un signe qui indiquerait qu'il avait bien affaire à des contrefaçons mais il n'en trouva aucun. Il semblait à la fois impressionné et ravi quand il adressa un signe de tête à Paul.

— Ils sont magnifiques, approuva-t-il.

Paul avait l'intention de baptiser la gamme « Sydney Smith pour Lady Louise », et il leur annonça un prix de vente auquel personne ne pourrait résister.

— Il faut que vous retourniez en Chine pour signer le bon de commande. On doit les acheter directement au fabricant, nos usines n'ont pas les machines pour travailler des cuirs pareils, expliqua Paul.

Ed confirma. Les sacs étaient bien plus sophistiqués que les produits qu'ils avaient réalisés jusqu'alors.

— Quand voulez-vous que nous partions ? demanda-t-il avec inquiétude. J'ai des réunions de fabrication programmées ici pendant tout le mois, des lookbooks à approuver, et on est déjà en plein dans les préparatifs de la présentation de la collection d'automne.

Comme toutes les grandes marques, ils travaillaient avec presque un an d'avance.

— Impossible de partir maintenant, conclut-il.

Ed semblait paniqué à cette idée et totalement dépassé par sa charge de travail.

— Il faut que Sydney y soit d'ici deux semaines,

déclara Paul. Je ne veux pas attendre. Les sacs sont déjà produits, il ne nous reste plus qu'à choisir les modèles et les coloris qui nous intéressent et les importer. L'usine ne propose pas de service de modifications, et ce ne sera pas nécessaire. Les sacs sont déjà magnifiques tels quels. Sydney peut se charger de l'opération. La boîte qui les fabrique est établie à quelques heures de Pékin, on lui trouvera un interprète et un chauffeur. Elle peut gérer sans toi, cette fois.

Son ton était ferme et assuré, mais Sydney n'était pas aussi confiante. C'était faire reposer beaucoup de responsabilités sur ses épaules. Aller en Chine sans Ed ne serait pas une mince affaire. Il connaissait les douanes bien mieux qu'elle. Mais l'occasion que lui offrait Paul était si énorme qu'elle n'osa pas refuser. C'était un défi qu'elle allait devoir relever.

En remontant à l'étage du studio de design, Ed semblait soucieux.

— Tu t'en sens capable ? L'exportation sous-tend une tonne de paperasse, et tu dois t'assurer que le reste de la production est aussi beau que les échantillons que l'on vient de voir. Le risque est de se faire berner par un leurre et se retrouver avec une cargaison de qualité inférieure. Personnellement, je ne me suis jamais occupé de la maroquinerie et je ne peux rien te dire sur ce fabricant.

— Leur travail est magnifique, commenta Sydney.

On aurait dit ses propres sacs de luxe qu'elle avait remisés au garde-meuble. Ils étaient presque trop beaux pour être vrais. Ébloui par le prix, Paul assurait qu'il faisait un cadeau à Sydney en lui confiant le projet. Avec une part sur les bénéfices, ces sacs à main étaient une aubaine pour elle – ce qu'Ed confirma.

Paul lui avait dit qu'elle n'aurait besoin de passer que deux jours à Pékin, et que toutes les démarches seraient faites pour elle avant son arrivée. Interprète, chauffeur, hôtel. Ses rendez-vous étaient déjà pris avec le fabricant. Tout ce qui lui restait à faire était d'inspecter les sacs, de choisir les modèles qu'elle voulait commander, de remplir les documents pour la douane, d'organiser le transport de la marchandise jusqu'à New York, et de reprendre l'avion.

Elle partit une semaine plus tard. À son arrivée à Pékin, une voiture l'attendait pour la conduire à l'hôtel, et l'interprète vint la trouver le lendemain matin pour l'accompagner au rendez-vous. On lui montra des sacs d'une qualité tout aussi exceptionnelle que les échantillons envoyés à New York, répliques parfaites de sacs cultes de grandes marques. Seule la lanière les différenciait des originaux. La gamme allait rencontrer un succès inédit et le prix était incroyablement bas. Les bénéfices seraient démesurés sur ces pièces de maroquinerie, et c'était précisément ce qui ravissait Paul. Y associer son nom était une chance incroyable pour Sydney.

Le vol du retour pour New York se déroula sans encombre. La marchandise devait arriver dans les deux semaines, par avion. À peine rentrée, elle fit son rapport à Ed. Elle avait acheté deux cents sacs – une quantité conséquente pour un produit qu'ils n'avaient pas encore testé sur le marché, mais le prix était si dérisoire qu'avec le budget alloué par Paul pour l'opération elle pouvait se le permettre. Les sacs allaient se vendre comme des petits pains, et elle ne doutait pas qu'ils repasseraient commande.

Puisque Ed était resté à New York, c'était elle qui avait signé tous les bons de commande et les documents pour la douane. Ce voyage en Chine en solo lui avait conféré une confiance en elle nouvelle, et Paul se disait impressionné par son efficacité.

En rentrant chez elle ce soir-là, elle appela ses filles. Sabrina sortait d'un entretien avec une maison pour laquelle elle avait toujours voulu travailler, et elle venait de négocier des indemnités de licenciement au montant inespéré, grâce aux menaces de son avocat. Son ancien employeur l'avait accusée sans preuves et il y avait là les bases d'un procès pour diffamation, ce qui était un excellent levier. Elle avait fini par récupérer l'équivalent de deux ans de salaire, sans clause contraignante de non-concurrence. En un mot, elle était ravie. Cerise sur le gâteau, son avocat avait également obtenu de *Women's Wear Daily* qu'ils publient des excuses.

— En fait, tu m'as même rendu service, maman, dit-elle au téléphone.

Sydney était on ne peut plus soulagée. Elles avaient arraché une victoire aux griffes de la défaite. Un frisson la parcourut en songeant qu'elle avait envisagé de s'ôter la vie pour ne plus souffrir des remords et de la culpabilité. Sous la pression des bouleversements considérables des derniers mois, l'idée de faire perdre son emploi à sa fille lui avait été insupportable. La goutte de trop.

Sophie n'était pas disponible, mais dès que Sydney raccrocha après être tombée sur la messagerie, elle reçut un appel de Veronica. Cette dernière avait appris par un cabinet d'architecture que Kellie envisageait une rénovation totale de la maison et elle estimait que Sydney devait en être avertie.

— C'est sa maison à présent, répondit Sydney. Elle peut bien en faire ce qu'elle veut. Pour être honnête, je préfère ne pas savoir. C'est beaucoup trop dur pour moi d'imaginer les changements qu'elle envisage. Surtout qu'il n'y a rien que je puisse faire. Je ne veux pas être tenue au courant de l'avancée des travaux.

— Je croyais que ça t'intéresserait.

Veronica était la seule parmi ses anciennes relations à lui parler encore – mais uniquement pour lui rapporter de mauvaises nouvelles. Cette fois-ci, elle s'arrangea pour glisser d'une voix faussement compatissante que la rumeur disait qu'Andrew l'avait laissée sans rien et qu'elle était fauchée. De quoi contrarier Sydney plus encore.

— C'est probablement parce que tu t'es remise à travailler que tout le monde pense ça. Mais qu'est-ce que tu pouvais faire d'autre ? Tu n'allais pas rester à te tourner les pouces maintenant que tu n'as plus ni mari ni maison pour t'occuper.

Sydney supposait que ses belles-filles étaient à l'origine de ces ragots.

— J'aime bien travailler, se défendit-elle.

Cette phrase semblait bête, même à ses propres oreilles.

— J'ai lu quelque part que Sabrina s'était fait virer, renchérit Veronica.

Son ton de pimbêche sonnait comme des représailles pour le refus de Sydney de l'écouter détailler les futurs travaux.

— Pas vraiment. Ils avaient un désaccord, et la direction a agi trop vite. Ils ont changé d'avis dès le lendemain. Au final, elle a démissionné. Elle passe des entretiens, en ce moment.

Pourquoi se sentait-elle toujours obligée de se justifier auprès de Veronica ? Elle n'avait rien à prouver à une mère de deux filles n'ayant jamais travaillé de leur vie, dont une était en plein divorce. Pourquoi ne se défendait-elle pas de ça, plutôt ? Pourquoi fallait-il que le malheur de Sydney soit toujours au centre de la conversation ?

— Qu'est-ce que tu deviens ? insista Veronica.

— Je rentre tout juste d'un deuxième voyage d'affaires en Chine.

Sydney se sentait fière de ce qu'elle avait accompli.

— J'imagine que c'est pour ça que tu n'as plus de temps à consacrer à tes vieilles amies.

À entendre son ton plein de rancune, on aurait pu croire que Sydney l'avait sciemment négligée, alors qu'elle travaillait d'arrache-pied et luttait pour maintenir la tête hors de l'eau.

— Au contraire. Sauf que mes vieilles amies, comme tu dis, ne m'ont pas appelée depuis la mort d'Andrew.

C'était vrai. Elle l'avait très mal vécu dans un premier temps, mais elle était trop occupée pour y penser à présent.

— Elles ont probablement peur de déranger.

— Ou bien tu avais raison la première fois, quand tu m'as dit qu'elles ne voudraient pas fréquenter une femme seule. Je n'ai de nouvelles de personne.

Leur silence n'avait plus d'importance pour elle. Elle avait bien assez de soucis comme ça. Mais elle n'aimait pas qu'on dise dans son dos qu'elle était sur la paille. Elle n'avait aucune envie de passer pour une victime. Malheureusement, si Kyra et Kellie étaient responsables de la rumeur, il n'y avait rien à faire pour les empêcher de la répandre, d'autant qu'elle était fondée.

Veronica promit de la rappeler bientôt et raccrocha. Sydney aurait préféré qu'elle n'en fasse rien mais elle n'eut pas le cran de le lui dire. Quelle que soit son humeur, Sydney se retrouvait à broyer du noir après chacune de leurs conversations. Au moins, une chose était sûre : Veronica ne débarquait plus à l'improviste. Elle ne venait jamais à New York.

Pendant les deux semaines qui suivirent, Sydney travailla en étroite collaboration avec Ed sur la présentation de la nouvelle collection d'automne. Par ailleurs, elle dessinait les premiers croquis d'inspiration pour sa ligne

Sydney Smith pour Lady Louise en développement. Il y avait encore beaucoup de chemin à parcourir. La gamme de sacs à main couture serait la première à être mise sur le marché, et on comptait sur ce lancement pour tester la popularité de son nom en tant que marque.

Pour Thanksgiving, elle dîna en compagnie de Sabrina et Sophie au restaurant du Greenwich Hotel, dans leur quartier. C'était leur premier Thanksgiving sans Andrew, et ce fut aussi éprouvant que prévu. Ce soir-là, Sydney fut soulagée de retrouver son lit. Elle oscillait entre la nostalgie des merveilleux moments partagés avec un mari qui lui manquait de tout son cœur et la colère qu'elle nourrissait envers lui pour l'avoir abandonnée à cette vie d'instabilité financière et d'inquiétude permanente. Elle avait l'impression de se retrouver vingt-deux ans plus tôt, après son premier divorce, avec deux petites filles à charge, quand les fins de mois étaient difficiles. À l'époque, elle s'en était sortie par son seul labeur, jusqu'au jour où Andrew avait débarqué dans son existence et avait tout rendu plus facile. Et après s'être accoutumée à une vie de luxe à laquelle elle n'avait jamais aspiré, sa mort l'avait replongée dans l'autre extrême, sans un sou. Son patrimoine se limitait à un appartement parisien pour lequel elle ne trouvait pas d'acheteur.

Sydney passa le week-end de Thanksgiving à lire au calme, chez elle, finalement heureuse de voir la pluie battante derrière les fenêtres de cet appartement qui ressemblait de plus en plus à un cocon.

Le jeudi matin, le commissionnaire en douane dédié à Lady Louise l'appela. Les deux cents sacs à main étaient arrivés de Pékin et il avait besoin d'elle pour valider l'importation, puisque c'était elle qui avait signé les documents en Chine. Peu avant midi, elle prévint de son départ. Derrière la montagne de papiers qui s'empilait sur son bureau et les dizaines de croquis affichés sur l'écran de son ordinateur, Ed répondit distraitement :

— Appelle-moi en cas de problème.

— Il n'y en aura pas, le rassura-t-elle. Le commissionnaire sera avec moi. Tout était en règle à la sortie de l'usine.

— Avec les douanes, on ne sait jamais. Ils chipotent pour des broutilles et peuvent faire des montagnes d'une glissière ou de l'imprimé d'une doublure. Ça dépend de l'humeur du jour, de l'alignement des étoiles, et de la volonté de l'agent de faire les choses dans les clous.

— Je suis sûre que tout va bien se passer.

Elle n'avait jamais réceptionné une commande de marchandise seule – normalement, cette tâche ne lui aurait jamais incombé si elle n'avait pas signé tous les documents en personne, comme le lui avait demandé Paul en la nommant responsable de la gamme. C'était une grande première pour elle.

En quittant le bâtiment, elle croisa le P-DG qui sortait déjeuner. Il lui adressa un sourire radieux. Il était très élégant en costume gris foncé, chemise blanche, cravate rouge, dans son pardessus à la coupe magnifique, et chaussé de John Lobb pour Hermès. Il ne lésinait jamais sur sa propre garde-robe. S'il vendait des vêtements à bas coût, Paul Zeller n'achetait que le meilleur pour lui-même. Sa femme aussi avait la réputation de lui coûter une fortune en la matière, ce dont il aimait se plaindre – avec humour, car il semblait accepter les dépenses phénoménales liées au mariage et au divorce comme des choses de la vie.

— Vous allez où ? demanda-t-il alors qu'elle se dépêchait de rejoindre son Uber.

— À l'aéroport, pour réceptionner nos sacs. Le commissionnaire aux douanes vient de m'appeler.

Elle ne doutait pas que Paul serait enchanté. Elle avait acheté des modèles en noir, en marron, un autre en cuir naturel, et quelques-uns en rouge ; tous d'une facture incroyable. Même la doublure était magnifique, dans une soie de qualité exceptionnelle. Comme lui, elle pensait qu'on allait se les arracher pour Noël.

— Envoyons-les en boutique dès que possible, dit-il avant de s'éloigner d'un pas vif, le col de son pardessus relevé pour se protéger du froid.

Après avoir indiqué au chauffeur la localisation du bureau des douanes à l'aéroport, elle décida de profiter du trajet pour traiter ses mails sur son iPad. Elle en avait reçu un nouveau de l'avocat de Kellie et Kyra, qui exigeait le paiement du remplacement de la moquette – ce qu'elle avait déjà refusé. Il répétait que ses belles-filles n'en aimaient pas la couleur et voulaient la faire changer. Elle transféra le message à Jesse Barclay, lui demandant de répondre à sa place. Sydney n'avait pas l'intention de leur accorder le moindre dollar mais ça n'empêchait pas les jumelles d'en réclamer. Et chaque fois, elle devait payer les heures de Jesse de sa propre poche, puisqu'il n'y avait pas de succession pour le rémunérer. Malgré tout, ses honoraires lui revenaient moins cher que de donner aux jumelles de l'argent qu'elle ne leur devait pas.

Il fallut quarante minutes pour rejoindre l'aéroport depuis le quartier de Hell's Kitchen. Dan Parker, leur commissionnaire aux douanes, l'attendait devant le bureau d'entrée des cargaisons commerciales.

— Est-ce qu'ils vous ont remis la marchandise ? demanda-t-elle, pleine d'espoir.

— Ils disent qu'ils doivent vous voir en personne.

Je ne sais pas ce qui leur prend aujourd'hui, mais ils sont pénibles.

Ed l'avait prévenue. Elle entra dans le bureau à grands pas, Dan Parker sur ses talons. Trois agents des douanes l'y attendaient et lui demandèrent une pièce d'identité. Ils voulaient savoir s'il s'agissait bien de sa signature sur les documents d'importation, ce qu'elle confirma.

— Vous avez acheté ces sacs à des fins commerciales ? demanda l'un d'eux.

Sydney sentait l'agacement monter, mais elle s'efforça de rester polie.

— Oui, c'était une vente en gros directement à l'usine en Chine. Je m'y suis rendue pour conclure la transaction moi-même et avaliser le produit fini.

Elle ne voulait pas admettre qu'il s'agissait de copies, pour ne pas qu'on l'accuse de contrefaçon, ce qui était illégal. Chez Lady Louise, on suivait à la lettre les normes légales en matière de copie : on n'usurpait pas le nom de la marque d'origine, le produit était en cuir de moindre qualité, avec des doublures différentes et des lanières modifiées. Elle les avait inspectés en personne sur les instructions de Paul, en prenant en compte les critères d'Ed.

Le deuxième agent lui tendit un des sacs pour identification, et elle confirma qu'il s'agissait bien de leur marchandise. C'était un sac en cuir marron avec une doublure en soie de la même couleur. Les originaux de ce modèle étaient doublés de cuir haut de gamme. Sous ses yeux, l'agent découpa au couteau la doublure et la posa sur le comptoir. Sydney en fut extrêmement contrariée. Elle craignait qu'ils ôtent toutes les doublures parce que la matière ne leur convenait pas, ou qu'ils décident d'augmenter ses frais de douane.

— Vous n'êtes pas censé détériorer la marchandise, lui rappela-t-elle.

— Jetez un coup d'œil.

Impassible, il ne la quitta pas des yeux alors qu'elle se penchait sur l'intérieur du sac où apparaissait désormais une doublure en cuir familière qu'elle reconnaissait pour en avoir un exemplaire original. Au centre scintillait une petite plaque argentée gravée au nom de la maison de luxe dont ils avaient copié le modèle, accompagné de l'indiscutable « Made in Italy ». Interloquée, elle se tourna vers l'agent, sans savoir quoi dire. À l'évidence, la doublure en soie avait été soigneusement conçue et cousue pour cacher l'intérieur d'origine et le nom de la marque célèbre. Et ce n'était vraisemblablement pas une contrefaçon. Sydney y voyait le vrai sac, l'original. Quelqu'un en avait changé la lanière et masqué la doublure pour en dissimuler l'authenticité.

— Vous n'êtes pas censée faire entrer de la marchandise volée sur le territoire.

— Je n'ai rien vu de tout ça quand je les ai inspectés en Chine, se défendit-elle d'une bien plus petite voix à présent.

— Qui a ajouté la bandoulière et la doublure pour les déguiser ?

— On nous les a vendus comme des copies modifiées du design d'origine. Il n'y avait rien qui puisse indiquer que ce n'était pas de ça qu'il s'agissait. De très belles copies.

— De trop belles copies, remarqua un agent avec dédain. Ce n'est pas la première fois qu'on a affaire à ce fournisseur. Les produits sont soit contrefaits, soit volés. Ceux-là ne sont pas des contrefaçons, c'est donc de la marchandise volée.

Une fois la doublure ôtée, tous les indices pointaient dans cette direction. Ces sacs de luxe avaient été vendus pour un dixième de leur valeur. En si grande quantité et avec une distribution aux États-Unis, il s'agissait forcément de marchandise volée. Une structure commerciale comme celle de Lady Louise pouvait écouler plus d'exemplaires qu'il n'était possible de le faire sur le marché noir.

— Dans ce cas, on s'est clairement fait avoir à l'achat, dit Sydney d'une voix légèrement tremblante.

Le commissaire aux douanes de Paul la regardait sans un mot.

— Il faut que j'appelle mon employeur, il ne va pas être ravi de cette histoire.

Tout le budget de la gamme était parti en fumée. Il ne faisait aucun doute que la douane allait confisquer la marchandise et poursuivre en justice ceux qui la leur avaient vendue.

— Je ne vois pas le nom de votre employeur sur ces documents. C'est votre signature.

À ces mots, il détacha une paire de menottes de sa ceinture et les lui passa aux poignets avant qu'elle puisse réagir ou protester. Elle resta pétrifiée, horrifiée.

— Sydney Wells, vous êtes en état d'arrestation pour recel de vol.

Quand il lui récita ses droits, Sydney, les yeux remplis de larmes et désespérée, interpella le commissionnaire.

— Appelez immédiatement M. Zeller, et racontez-lui ce qui s'est passé. Vous avez son portable ?

Il secoua la tête, et elle lui dicta le numéro de mémoire d'une voix mal assurée.

— Dites-lui de mandater un avocat et de me sortir de ce pétrin au plus vite.

Ce n'était pas son problème à elle, c'était celui de Paul. Elle n'était que l'intermédiaire. Tout à coup, elle pensa au projet qui, depuis le début, était d'associer son nom à elle à la collection de sacs. Paniquée, elle se tourna vers les agents. L'un d'eux réclamait par talkie-walkie la présence d'une collègue.

— Est-ce que je peux passer un appel très rapide ? demanda-t-elle.

— À votre avocat ?

Elle hocha la tête, mentant sciemment. Que les avocats de Paul gèrent cette affaire, mais elle voulait à tout prix prévenir Ed Chin de son arrestation. Elle lui faisait confiance pour mettre la main sur Paul.

— D'accord, mais faites vite.

On lui tendit un téléphone. Priant pour ne pas tomber sur la boîte vocale, elle composa le numéro de portable d'Ed. Il décrocha à la deuxième sonnerie, sur un ton distrait.

— Je viens de me faire arrêter à l'aéroport. Les sacs ne sont pas des contrefaçons, ce sont des Prada volés. L'usine en Chine a posé une fausse doublure pour le cacher. Si on la découpe, tous les éléments d'authentification sont là, ça explique la qualité incroyable. Oublie les sacs. Va chercher Paul et sors-moi de là, bordel. Ils m'ont arrêtée parce que c'est moi qui ai signé les formulaires d'importation.

Un instant, elle se demanda si Paul avait une idée des risques qu'il lui avait fait courir. Après tout, c'était à sa demande qu'elle avait signé les documents. Il l'avait laissée réceptionner la cargaison seule, endosser toutes les responsabilités. Mais elle ne parvenait pas à croire ça de lui. Comment aurait-il pu se douter que les sacs étaient le produit d'un vol ? Non, ils s'étaient fait berner dès le départ.

— Tu plaisantes ? Où es-tu ?

— Au bureau d'entrée des douanes, à l'aéroport.

Une agente imposante et à l'allure extrêmement déplaisante était arrivée. Le beau manteau en agneau et les bottes Hermès de Sydney n'avaient pas l'air de l'impressionner.

— Ils t'envoient en prison ? demanda Ed.

Les yeux remplis de larmes, elle se tourna vers les agents.

— Vous m'emmenez quelque part ?

— On vous conduit au centre de détention provisoire fédéral, ici à l'aéroport. Ce soir, vous serez transférée au centre pénitentiaire de New York. Votre avocat pourra vous y rendre visite demain. Maintenant, raccrochez.

— Est-ce qu'il peut venir me voir maintenant ?

Les trois agents secouèrent la tête, et elle rapporta les informations à Ed.

— Il faut que tu préviennes Paul immédiatement. Ils ne peuvent pas m'arrêter. J'importais les sacs pour le compte de la société. C'est à lui que revient la responsabilité de toute cette histoire. Il est hors de question que j'assume pour lui. Va le chercher, Ed, s'il te plaît, le supplia-t-elle, terrifiée.

— Je m'en occupe tout de suite. Et, Sydney... je suis désolé. Je n'aurais jamais dû te laisser retourner à Pékin seule. Garde ton calme, et demain matin on t'aura sortie de là.

— Oh, mon Dieu, je vais devoir passer la nuit en taule ?

La panique commençait à prendre le dessus.

— Je vais voir ce que je peux faire ce soir.

Ed avait envie d'étriper Paul pour avoir mis Sydney dans cette situation. Il y avait toujours un risque de contrefaçons ou de marchandises volées quand on achetait des copies pour une bouchée de pain, en particulier en Asie. Elle n'aurait jamais dû signer les formulaires d'exportation, c'était au fabricant de le faire.

L'agente reprit le téléphone pour le rendre à ses collègues, confisqua le sac à main de Sydney, et la conduisit dehors où l'attendait une voiture qui avait tout d'un véhicule de police, hormis pour le logo « Department of Homeland Security » sur les portières. Elle poussa Sydney sans ménagement sur la banquette. Cinq cents mètres plus loin, la voiture s'arrêta devant un bâtiment appartenant aux services des douanes américaines et qui servait à la détention provisoire des dealers et des criminels appréhendés à l'aéroport. Une vraie prison, jusqu'aux barreaux qui délimitaient les espaces. Une petite zone était réservée aux femmes. On enferma Sydney dans une cellule aux allures de cage, occupée par une autre détenue. On avait retrouvé cinq cents grammes d'héroïne sur elle, scotchée entre ses cuisses, et elle se mit à hurler sur l'agente des douanes dès qu'elle la vit. Elle exigeait un avocat. Sydney eut l'impression d'avoir été projetée dans le cauchemar de quelqu'un d'autre.

Sa codétenue, âgée d'une vingtaine d'années, lui demanda pourquoi on l'avait coffrée.

— Un malentendu avec un lot de sacs volés.

Sydney se sentit ridicule en disant cela et la jeune femme éclata de rire.

— Moi, c'était un malentendu avec un demi-kilo d'héroïne planqué dans ma culotte.

Elle se remit à brailler, mais personne ne vint. Tout ce que pouvait faire Sydney, c'était espérer qu'Ed ou Paul ferait quelque chose, et vite, pour la sortir de là. Elle ne pouvait pas rester ici. C'était impossible. Rien de tout ça n'était sa faute.

Il ne lui vint pas à l'esprit que Paul Zeller ait pu savoir que la marchandise avait été volée, et l'ait utilisée elle, une innocente, pour introduire les sacs dans le pays.

7

Dès que Sydney raccrocha, Ed courut au bureau de Paul, où l'assistante l'informa qu'il était sorti déjeuner et qu'il ne serait pas de retour avant une heure.

— Trouvez-le.

L'idée que Sydney ait pu être arrêtée et envoyée dans une prison fédérale était impensable, et il voulait l'en sortir sur-le-champ. Ce n'était pas seulement sa responsabilité en tant que supérieur hiérarchique, mais aussi en tant qu'ami.

La situation était catastrophique, le pire scénario imaginable, et il ne cessait de se demander, encore et encore, si Paul savait qu'il s'agissait de vrais Prada. Le marché était énorme pour la contrebande dans l'industrie de la mode, en particulier dans la maroquinerie. Vuitton, Chanel, Prada, Gucci... cela arrivait à toutes les plus grandes maisons. Les vols étaient fréquents, et les sacs se revendaient au marché noir partout dans le monde. Nombre de ces articles étaient envoyés en Europe et aux États-Unis depuis l'Afrique ou l'Asie. Le prix d'usine lui semblait maintenant trop beau pour être vrai. D'un autre côté, Ed n'arrivait pas à croire que Paul ait pu tendre un piège pareil à Sydney, et se sentait même coupable de l'envisager. Quoi qu'il en pense, pour l'heure, l'essentiel était de lui trouver un avocat pour la sortir de là et démêler cette histoire.

Les appels sur le portable de Paul basculaient automatiquement sur sa boîte vocale. Ed entreprit de faire les cent pas devant son bureau jusqu'à son retour. Vers seize heures, Paul débarqua, tout guilleret, et s'étonna de l'air stressé d'Ed.

— Sydney s'est fait arrêter par la douane. Les sacs sont de la marchandise volée. Son nom est sur tous les documents, alors ils l'ont incarcérée. Il faut que vous appeliez un avocat pour la sortir de là. Elle ne mérite pas ça. Elle y est déjà depuis trois heures.

Ed, fou d'angoisse, avait parlé avec précipitation. Paul lui fit signe de le suivre dans son bureau, où il prit le temps d'ôter son manteau, de le déposer avec soin sur une chaise, et de s'asseoir à son bureau.

— Premièrement, je n'avais aucune idée qu'il s'agissait de marchandise volée.

Établir son innocence était sa priorité, mais Ed la balaya aussitôt.

— Là n'est pas la question, et on en parlera plus tard. Pour l'instant, vous devez appeler un avocat. Elle ne peut pas être tenue responsable comme personne morale. On s'est fait avoir par le fabricant – du moins c'est ce que je soupçonne. Vous ne pouvez pas la laisser porter le chapeau pour ça. Vous devez envoyer quelqu'un pour la sortir de là.

— Je ne vois pas vraiment qui je pourrais appeler, dit Paul lentement. Elle a besoin d'un avocat en droit fédéral et, à vrai dire, nous n'en avons pas.

Au plus grand désarroi d'Ed, Paul ne semblait pas plus pressé que ça d'en trouver un.

— Est-ce qu'une situation similaire s'est déjà présentée ? demanda-t-il, toujours paniqué.

— Une fois, il y a cinq ans, environ.

— Qu'est-ce qui s'est passé ?

— L'employé a été condamné à cinq ans de prison, et il a été libéré au bout de quatre. Mais c'était différent. Il savait que la marchandise était volée – ou en tout cas il s'en doutait et ne nous a pas prévenus. Il devait certainement toucher une commission de la part du fabricant qui nous les a vendus.

— Sydney n'avait aucune idée qu'il s'agissait de marchandise volée, affirma Ed. Elle est innocente, c'est une novice dans l'industrie !

Paul savait très bien tout cela.

— Elle n'était probablement pas au courant, concéda-t-il. Mais parlons franchement. Sydney est une femme sophistiquée. Elle sait à quoi ressemble un sac de luxe. Elle aurait pu les reconnaître, même si vous et moi sommes passés à côté. Pourtant elle n'en a pas dit un mot. Pour ce que j'en sais, elle aurait très bien pu toucher un pot-de-vin des Chinois et choisir en pleine conscience d'importer les sacs. Vous et moi n'étions pas à Pékin. Nous ne savons pas ce qui s'y est passé.

— Vous êtes en train de dire qu'elle savait qu'il s'agissait de marchandise volée ? C'est de l'humour ? Elle ne connaît rien à la filière ! C'est une créatrice de génie, mais en matière d'achat et d'importation, c'est une novice ! Elle n'a jamais eu à faire la différence entre une très bonne copie et un original. Elle nous fait confiance. Comment aurait-elle pu soupçonner que la marchandise était volée ?

Avec une foi inébranlable, Ed était prêt à se porter garant de son innocence, s'il le fallait.

— J'espère bien qu'elle est innocente, rétorqua Paul d'un ton suffisant.

Ed se demanda combien de verres avait bus Paul au déjeuner. Il était particulièrement lent à réagir. Et pendant ce temps, Sydney croupissait au centre de détention de l'aéroport.

— Qu'est-ce qu'on fait assis là, à bavarder ? Pourquoi vous n'appelez pas un avocat ?

Paul le regarda droit dans les yeux sans un mot, puis reprit :

— Ed, avez-vous déjà lu notre manuel à destination des employés ? Nous avons une politique très stricte en ce qui concerne les incidents de ce genre. Si un employé est arrêté dans le cadre d'une mission pour le compte de la société, quelle qu'en soit la forme, et peu importe le contexte ou le pays, nous ne sommes pas requis de lui fournir une assistance juridique ni de le défendre. Cela relève entièrement de sa responsabilité propre. Nous ne pouvons pas être tenus pour responsables des agissements de trois cents employés qui peuvent être arrêtés à tout moment pour une raison ou une autre. En signant un contrat de travail avec nous, vous nous dédouanez de toute obligation de vous défendre. Sydney va devoir trouver son propre avocat. Je n'ai aucun moyen de m'assurer si oui ou non elle savait que les sacs étaient volés. Je ne peux pas me porter garant pour elle. Le fabricant a très bien pu lui proposer une part des bénéfices. Elle a beau avoir l'air blanche comme neige, on ne sait jamais de quoi les gens sont capables.

Proprement scandalisé, Ed n'arrivait pas à croire ce qu'il entendait.

— Vous êtes en train de me dire que vous allez rester les bras croisés et la laisser trinquer pour cette histoire ? Mais quel genre d'homme êtes-vous donc ? Ces sacs, elle les a importés pour vous, pas pour les revendre à la sauvette. Et la voilà accusée de contrebande.

— Peut-être que le fabricant lui a fait miroiter une commission plus alléchante que la mienne, allez savoir. Mais peu importe ce qui s'est passé, c'est à elle de se défendre. Si je devais payer pour l'assistance juridique de chaque employé au moindre pépin, ce serait la faillite assurée.

— Vous lui avez fait signer tous les formulaires, putain !

Ed criait à présent, mais Paul se contenta de hocher la tête.

— Vous pouviez les faire signer par n'importe qui, et j'étais là quand vous lui avez personnellement demandé de s'en charger. Vous vous êtes servi d'elle, pas vrai ? Juste au cas où vous vous feriez prendre. Je parie que ce n'est pas votre coup d'essai ! Et maintenant, vous me dites que vous n'allez même pas lui trouver un avocat ?

— Ce n'est pas à moi de le faire. Si elle avait lu son contrat, elle le saurait.

— Et c'est écrit où ? En caractères microscopiques dans une langue étrangère au verso de la dernière page ? Je lis toujours mes contrats très attentivement et je n'ai jamais vu cette clause.

— Dans ce cas, vous auriez dû lire plus attentivement encore, et elle aussi, avant de décider d'accepter une commission supérieure derrière mon dos, ou d'importer des produits sur lesquels elle aurait pu avoir des doutes. Nous ne saurons jamais la vérité dans cette histoire.

Ed mobilisa tout le sang-froid dont il était capable pour ne pas le frapper.

— Alors c'est comme ça que ça va se passer ? Vous la laissez écoper à votre place ? Vos pertes se limitent à un budget de trois fois rien alloué à deux cents sacs que vous saviez volés alors qu'elle, non ?

Ed comprenait tout à présent. Paul avait eu pour objectif de tester la difficulté de faire entrer la marchandise sur le territoire, et il avait sciemment choisi Sydney pour payer les éventuels pots cassés.

Il était maintenant évident que Paul Zeller n'avait pas l'intention de faire quoi que ce soit pour lui porter secours. Ed claqua la porte du bureau et rejoignit son poste. Avant toute chose, il devait trouver un avocat. Alors il fit la seule chose qui lui vint à l'esprit : il appela son oncle Philip, de dix ans son aîné, et le tira du lit. Il était six heures du matin à Hong Kong. Il lui expliqua la situation, lui dit qu'il devait trouver un avocat en droit fédéral à New York et n'avait aucune idée de vers qui se tourner. Son oncle avait rencontré Sydney lors de leur séjour et vit immédiatement de qui il s'agissait.

— Tu es sûr qu'elle n'était pas au courant pour la marchandise volée ?

Un brin de cynisme teintait sa question, car il savait à quel point le bon cœur de son neveu pouvait s'apparenter à de la naïveté. Sydney était une adulte qui avait longtemps travaillé dans l'industrie de la mode. Il fallait envisager la possibilité qu'elle soit coupable.

— On ne fait pas plus innocente qu'elle dans le milieu, je peux te le jurer. Son mari est mort il y a six mois, et je suis convaincu que notre ordure de patron l'a piégée pour l'utiliser comme bouc émissaire si les choses tournaient au vinaigre.

— C'est tout à fait possible. Comment vont ses finances ?

Cette question était légitime, car elle pouvait expliquer une prise de risque potentielle. Ed répondit à contrecœur.

— Je suppose qu'elle est à sec. Son mari est mort sans avoir mis à jour son testament, et il y a eu des problèmes avec la succession, mais de là à en devenir malhonnête...

— Peut-être, mais ça reste à envisager. Et pourquoi veux-tu lui trouver personnellement un avocat ?

— Parce que je viens d'apprendre que notre patron n'en a pas l'intention. Elle n'a personne d'autre pour l'aider. Je suis son supérieur, et son ami.

— Je vais voir ce que je peux faire, promit Philip. Je te tiens au courant de mes recherches. Un ami avec qui j'ai étudié à Oxford est avocat au barreau de New York. Il connaît peut-être quelqu'un. Elle aura besoin d'un avocat de la défense spécialisé dans le délit fédéral. Ce n'est pas aussi facile à trouver qu'un bon fiscaliste. Je m'en occupe. Et Edward... fais attention. Tu ne connais peut-être pas cette femme aussi bien que tu le penses.

L'intention était bonne, mais Ed s'agaça immédiatement de cette mise en garde et rétorqua que si avant de remercier son oncle et de raccrocher.

Puis il quitta les locaux de Lady Louise. Il n'était pas encore dix-sept heures. Il n'avait prévenu personne de son départ, et n'en avait cure. Dans le taxi qui le conduisait chez lui, il appela le bureau des douanes à l'aéroport. Tout ce qu'il obtint fut un message préenregistré détaillant les informations relatives à la localisation, mais pas un mot concernant les horaires d'ouverture. Rien ne servait de se rendre là-bas pour essayer de voir Sydney, car elle l'avait prévenu que les visites n'étaient pas autorisées. Alors il appela la prison fédérale de Manhattan, où on lui affirma qu'aucune détenue répondant au nom de Sydney Wells n'avait été enregistrée. On refusa de lui donner plus d'informations, et on lui conseilla de rappeler dans la matinée. Il ne lui restait plus qu'à attendre des nouvelles de son oncle ou de Sydney elle-même. D'ici là, il était impuissant.

Sydney en était à sa cinquième heure dans la cellule du centre de détention des douanes. Elle n'avait eu de nouvelles de personne, aucun avocat ne s'était présenté pour elle, le commissionnaire aux douanes était parti dès qu'on lui avait passé les menottes et elle ne pouvait entrer en contact ni avec Paul Zeller ni avec Ed Chin. Elle était persuadée que, de leur côté, ils faisaient le maximum, et qu'un avocat allait arriver d'une minute à l'autre pour obtenir sa libération. Les agents fédéraux qui l'avaient enfermée ne lui avaient rien appris de plus. Ils se comportaient comme si elle n'existait pas. Le seul être humain qui voulait bien lui adresser la parole était sa codétenue, et elle dormait sur le lit de camp. Elle venait directement de Mexico et n'avait pas fermé l'œil de la nuit.

À dix-neuf heures, on leur apporta à chacune un sandwich sur un plateau ainsi qu'un gobelet de soupe instantanée. Il n'y avait pas de cantine sur place, et les agents devaient acheter de la nourriture d'aéroport pour les détenus. C'était un centre provisoire, et on transférait les délinquants dans des prisons aussi tôt que possible. À vingt et une heures, deux agentes arrivèrent pour leur passer les menottes. La jeune dealeuse se réveilla en sursaut. On les fit monter à l'arrière d'un petit fourgon qui devait les conduire à la prison fédérale. Leurs objets de valeur – comme le sac à main de Sydney, son téléphone, sa montre, ses boucles d'oreilles et son alliance – étaient rangés dans un grand sachet en plastique transparent qui fut remis aux agents chargés de les emmener.

La dealeuse s'endormit à nouveau pendant le trajet, et Sydney regarda le paysage familier défiler à travers la vitre grillagée, certaine que Paul Zeller tirerait les choses au clair, et qu'une fois à Manhattan on la relâcherait. Même dans ses pires cauchemars, elle n'aurait pas pu imaginer une situation pareille.

Pourtant, le fourgon poursuivit son chemin jusqu'au Metropolitan Correctional Center situé sur Park Row, en face du tribunal de Pearl Street. Les deux femmes furent enfermées avec six autres et on leur ordonna de se déshabiller. Au greffe, on leur attribua à chacune un numéro d'identification au registre fédéral. Sur le mur, les règles de conduite étaient placardées en anglais et en espagnol. Sydney lança un regard incrédule aux agentes fédérales. C'était impossible. Un mauvais rêve. Les autres femmes se déshabillèrent rapidement, comme habituées. Elles étaient presque toutes là pour des chefs d'inculpation liés à la drogue. Une femme avait tenté de faire passer des armes à feu à l'aéroport, et une ado au teint blême avait essayé, sous l'influence de la méthamphétamine, de braquer une banque avec deux acolytes. Le tout formait une bande peu recommandable, et bientôt elles se retrouvèrent nues, exposées aux courants d'air de la pièce sinistre. Toutes les surveillantes étaient des femmes, ce qui n'empêcha pas Sydney de frissonner d'effroi en ôtant ses vêtements. Une agente fédérale récupéra leurs affaires pour les fourrer dans des sacs en plastique transparent à leurs noms. Puis, l'une après l'autre, de nouveau menottées, elles furent conduites dans une seconde pièce sous le regard implacable de six surveillantes.

Il n'y avait là que des femmes. Une agente enfila une paire de gants en latex. On demanda aux détenues de se pencher, mains autour des chevilles pour la fouille anale et, l'espace d'un instant, Sydney crut qu'elle allait s'évanouir. Enfin, on la poussa vers une douche et on lui remit une serviette de toilette, une culotte en coton grossière, une combinaison en tissu épais et des chaussures en toile. Elle avait les yeux remplis de larmes quand on la prit en photo et quand on l'emmena enfin dans une cellule isolée. La pièce contenait une couchette, des toilettes, un minuscule lavabo et une étagère vide. On lui remit une brosse à dents, un pain de savon, puis on la laissa seule avec ses pensées, à se demander ce qui se passait dans le monde extérieur, et si on viendrait un jour la sortir de là. Sans parvenir à croire que Paul et Ed l'avaient abandonnée, elle ne comprenait pas non plus pourquoi il leur fallait autant de temps pour venir la chercher. Sous les lumières crues perpétuellement allumées, Sydney resta éveillée sur la couchette étroite, à l'affût des bruits environnants – huées et hurlements de femmes qui semblaient folles à lier, et conversations entre les surveillantes qui passaient dans la coursive. Elle s'efforçait de suivre des exercices de respiration pour se calmer. Elle ne voulait qu'une chose : sortir d'ici. Tout cela n'était qu'un terrible malentendu. Dès le lendemain matin, elle serait libre. Elle pensa à Sabrina et Sophie, bien déterminée à ne pas les appeler, même si on l'y autorisait. Hors de question de dire à ses filles qu'elle était en prison.

Philip Chin appela son neveu à vingt-deux heures ce soir-là. Il était onze heures à Hong Kong et il avait enfin réussi à joindre son ami à New York, qui lui avait donné le nom d'un avocat fédéral de la défense. Ses honoraires étaient élevés, mais c'était un type bien, diplômé d'Harvard.

— C'est vous qui allez vous acquitter des honoraires ? demanda Philip.

— Non, répondit Ed. C'est elle qui va devoir les payer de sa poche. Je suis certain que notre employeur ne le fera pas pour elle. Apparemment, c'est stipulé dans notre contrat : en cas de problème dans le cadre de nos missions, les services juridiques sont à nos frais.

— Tu travailles pour des gens charmants, dis-moi. Quand est-ce que tu comptes rentrer à la maison ?

— Un de ces jours.

— Es-tu amoureux de cette femme ?

La question avait taraudé Philip toute la matinée.

Ed éclata de rire.

— Non, bien sûr que non. Je suis toujours gay. Mais je suis son supérieur direct. J'aurais dû la protéger, or je ne l'ai pas fait. Je me sens coupable à présent. On est amis, et elle ne mérite pas ce qui lui est tombé dessus. D'autant que je ne suis pas convaincu de l'innocence de notre patron. Revenir en arrière est impossible, mais le moins que je puisse faire, c'est de lui trouver un avocat.

— Et tu as l'intention de continuer à travailler pour cet homme ? demanda Philip, scandalisé.

— Non.

Ed avait pris sa décision ce soir-là, en se repassant le déroulé des événements. Paul Zeller était une ordure, et Sydney avait été sa victime. Ed ne pouvait pas l'abandonner maintenant.

— Je ne lui ai pas encore annoncé mon départ. Tout est encore très frais. Ça ne date que d'aujourd'hui. Je n'ai même pas pu parler à Sydney depuis son arrestation.

— Si elle est innocente, déclara Philip avec prudence, ce doit être une expérience traumatisante pour elle.

Il commençait à ressentir de l'empathie pour cette pauvre femme. Quand il l'avait rencontrée, il l'avait trouvée charmante, pleine de dignité.

— Sans aucun doute. La première chose à faire est de la sortir de prison. J'appellerai l'avocat dont tu m'as parlé dès demain. Je te tiendrai au courant.

— Bonne chance, conclut Philip Chin avant de raccrocher.

Ed contempla le nom qu'il avait noté. Steve Weinstein. Pourvu que cet homme puisse l'aider à innocenter Sydney ! C'était Paul qui méritait la prison, pas elle. Rongé par l'inquiétude, il ne ferma pas l'œil de la nuit.

Le lendemain à huit heures, Ed appela le téléphone portable de Steve Weinstein. Ce dernier ne s'offusqua pas de cet horaire matinal, il revenait juste de la salle de sport. Après lui avoir expliqué comment il avait obtenu son contact, Ed lui raconta ce qui était arrivé à Sydney et pourquoi il supposait qu'elle avait été transférée à la prison fédérale de New York.

— Votre employeur m'a tout l'air d'un sale type, commenta froidement Weinstein.

— Sûrement, oui. Même si on se laisse vite séduire par ses manières conviviales. Je lui ai toujours soupçonné un côté fourbe, mais pas à ce point.

— Et vous ne pensez pas possible que votre collègue ait joué un rôle dans cette affaire, ou qu'elle ait eu connaissance de ce qui se tramait ?

— Absolument pas. C'était une designer réputée. Et puis elle s'est remariée, il y a une quinzaine d'années.

— Comment s'appelle son mari ?

— S'appelait. Il est mort il y a six mois. Un type du nom d'Andrew Wells.

— Andrew Wells, le banquier d'affaires ? s'étonna l'avocat, impressionné.

— C'est possible. Elle n'en parle pas souvent. Je crois qu'il y a eu un problème avec les filles de son mari. Elles ont hérité de tout, c'est pour ça que Sydney s'est remise à travailler.

Pensif, Steve Weinstein resta silencieux une minute.

— Si c'est bien d'elle qu'il s'agit, cette histoire va attirer l'attention de la presse, ce qui risque d'être très désagréable pour elle le temps qu'on démêle ce bazar. Le procureur va sûrement réclamer une peine lourde et exemplaire.

— Est-ce que dans l'immédiat vous pouvez au moins la faire libérer sous caution ? Elle doit être dans tous ses états. Elle avait l'air paniquée quand elle m'a appelé, et elle doit se demander pourquoi personne n'est encore venu la sortir de là. Je pensais que Zeller lui enverrait ses avocats, mais apparemment, ça va à l'encontre de la politique de l'entreprise, ce qu'aucun de nous ne savait. J'ai l'intention de lui présenter ma démission aujourd'hui. Ce type est un connard, et je suis maintenant convaincu que c'est aussi un escroc.

— Entretenez-vous une relation amoureuse avec cette femme ?

Weinstein voulait glaner le maximum d'informations avant de la rencontrer.

— Non. J'étais son supérieur direct et nous sommes devenus amis.

— Est-ce qu'elle a des enfants ?

— Deux filles, toutes les deux designers mode.

— Pour répondre à votre première question : oui, je

peux la faire sortir de prison, reste à savoir quand. On est vendredi, et il faut d'abord qu'elle soit assignée à comparaître pour que le juge fixe un montant pour la caution, à moins qu'on réussisse à obtenir un non-lieu. S'il refuse, il y aura une audition devant un grand jury. Tout dépend des preuves à charge contre elle, surtout si son patron la désigne comme coupable, ce que vous semblez laisser entendre.

— C'est l'impression qu'il m'a donnée hier, oui. Il assure ses arrières. Si c'est lui qu'on met en examen, les dommages seraient irréparables pour sa société. Il préfère sacrifier Sydney. J'aurais dû le voir venir.

La culpabilité s'empara de lui à nouveau. L'idée que Sydney puisse écoper d'une peine lourde à titre d'exemple le terrifiait.

— Je vais essayer d'aller la voir ce matin, et je vous tiendrai au courant en fonction de ce que j'apprendrai.

Ed avait un bon pressentiment concernant cet avocat. Il semblait jeune, intelligent, et pragmatique. Au moins, Sydney avait désormais quelqu'un pour la représenter, et elle était entre de bonnes mains. Peut-être que ce Weinstein pourrait même obtenir un non-lieu. Ed ne comprenait pas comment on pouvait faire porter le chapeau à Sydney. Elle agissait sous les ordres du P-DG de la société. Comment pouvait-on la mettre en examen ? Ça n'avait aucun sens. Il haïssait Zeller pour l'avoir mise dans cette situation. Il avait toujours cru à un petit côté louche, mais n'avait pas vu venir l'escroc fini. L'homme s'était révélé bien plus machiavélique qu'il ne l'aurait imaginé.

Une heure plus tard, Ed entrait dans le bureau de Paul Zeller. Il était déjà passé par le studio pour récupérer ses affaires ainsi que les croquis sur sa table de travail. La porte de Paul était ouverte et il buvait un café que venait de lui apporter son assistante. Un large sourire éclaira son visage quand il vit Ed.

— J'étais justement sur le point de vous appeler ! Il faut que nous élaborions une opération commerciale pour remplacer les sacs.

Il ne semblait pas inquiet du tout et ne mentionna même pas Sydney.

— C'est tout ? Votre seule préoccupation, c'est la mise en place d'une nouvelle promotion pendant que vous laissez Sydney croupir en prison ?

— Elle ne croupit pas en prison, comme vous dites. C'est une femme avec un bon carnet d'adresses qui a commis une erreur colossale. Je suis sûr qu'elle a déjà appelé un avocat.

— Sa seule erreur a été d'accepter un poste ici, rétorqua Ed avec fureur. Et moi aussi. Je suis là pour rectifier ça ce matin.

Paul semblait surpris. Plantant son regard dans celui de Paul, Ed déclara :

— Je démissionne.

— Sans préavis ? Vous ne pouvez pas partir comme ça, répliqua Paul, furibond. Vous êtes le directeur artistique. Vous avez une responsabilité envers l'entreprise et envers votre équipe.

Il ne s'attendait pas à perdre Ed dans l'opération. Sydney était remplaçable. C'était d'ailleurs pour cette raison qu'il s'était servi d'elle. Mais pas Ed. En tout cas, pas si facilement.

— Et vous, vous êtes censé avoir une responsabilité vis-à-vis de vos employés, mais apparemment vous ne le voyez pas de cette manière.

— Je vous préviens, Ed, si vous partez maintenant, votre nom sera traîné dans la boue. Vous n'aurez plus aucun crédit dans le milieu.

— J'en doute. Le vôtre est déjà une tache en soi. Ça fait trois ans que je vous défends. C'était ma plus grande erreur. Mais maintenant, c'est terminé.

Il tourna les talons et se dirigea vers la porte. Derrière son bureau, Paul se leva. Ses yeux brillaient d'une lueur malveillante quand il passa à la menace :

— Si vous me lâchez maintenant, je pourrai toujours dire que vous étiez le complice de Sydney. Vous ne sortirez pas indemne de cette histoire non plus.

Ed lui fit face à nouveau, avec une expression froide et déterminée.

— Si vous envisagez une seule seconde de me faire ça, ma famille provoquera votre faillite. Vous perdrez toutes vos usines en Chine. Espèce d'enflure. Ne vous avisez plus jamais de me menacer.

Sur ces mots, Ed s'en alla. Paul se rassit dans son fauteuil, sans un mot.

Sydney se lavait les dents quand une surveillante vint la prévenir qu'elle avait une visite de son avocat. Sans peigne ni brosse, elle tenta de lisser ses cheveux du plat de la main. L'uniforme bleu qu'on lui avait donné était beaucoup trop grand pour elle, comme les chaussures en toile. On lui passa à nouveau les menottes pour la faire sortir de sa cellule et, trois portes sécurisées plus loin, elle entra dans la salle réservée aux consultations juridiques. Debout au milieu de la pièce, un homme en costume l'attendait.

Steve Weinstein se présenta, et quand il précisa qu'il avait été envoyé par Ed Chin, Sydney ne cacha pas sa surprise.

— Vous ne travaillez pas pour Paul Zeller ?

— Non. Et de ce que j'ai compris, votre contrat

avec Zeller stipule que si une situation de ce genre devait se présenter dans le cadre d'une mission professionnelle, la responsabilité vous en incombe.

Sydney n'en revenait pas. Weinstein reprit :

— Racontez-moi toute l'histoire, en commençant par le voyage en Chine, et ce qui s'est passé à la douane hier.

Il prit en note ses explications et en arriva à la même conclusion qu'Ed. Zeller l'avait piégée. Il le soupçonnait également d'être parfaitement au courant de la provenance des sacs et de ne pas en être à son coup d'essai.

— Avez-vous à un moment ou un autre eu des doutes, pensé qu'il s'agissait de sacs authentiques et pas de copies ?

— Non, jamais. Je les ai juste trouvés d'une qualité inédite mais ils font un travail remarquable en Chine. Toutes les maisons ont leurs usines là-bas maintenant. Et jamais, au grand jamais, je n'aurais imaginé qu'ils étaient volés.

Tout chez elle respirait l'honnêteté et l'innocence. Elle semblait abasourdie par les événements.

— Pour votre information, Zeller prétend que vous étiez de mèche avec le fabricant, et que vous avez touché une commission pour importer de la marchandise volée aux États-Unis.

— Oh, mon Dieu. Vous pensez que le juge risque de le croire ?

Ses yeux se remplirent de larmes. C'était la pire chose qui puisse lui arriver. Bien pire que de tout perdre pour une histoire de testament non révisé.

— C'est possible. Mais mon boulot est de le convaincre de votre innocence, en laquelle j'ai foi.

— Je ne savais rien, je vous le jure. Qu'est-ce qu'on va faire ?

Assise devant lui, elle paraissait complètement démunie.

— Est-ce que je peux sortir d'ici, maintenant ?

— Malheureusement, non. Le juge ne siège pas aujourd'hui. J'ai vérifié. Vous êtes assignée à comparaître lundi, ce qui signifie que vous êtes coincée ici pour le week-end. On ne peut pas sortir avant la première comparution devant le tribunal. C'est à ce moment que vous choisirez de plaider coupable ou non coupable, et que le juge déterminera la caution pour votre remise en liberté conditionnelle en attendant le procès. Ça devrait tourner autour des cinquante mille dollars. J'imagine que vous les avez.

En scrutant son visage, il lut la panique dans ses yeux. Elle n'avait pas cinquante mille dollars sur son compte. Elle en était même très loin. Et elle n'avait pas de patrimoine à hypothéquer.

— Et si je ne les ai pas ? demanda-t-elle d'une petite voix.

— Dans ce cas, il vous faudra attendre en prison jusqu'à l'audition devant le grand jury, puis jusqu'au procès. Ou peut-être que j'arriverai à vous faire relâcher sur parole ; vous ne me paraissez pas du genre à prendre la fuite. En fait, tout dépendra du juge. On peut même espérer un non-lieu, si le dossier n'est pas solide. Mais je pense que Zeller va témoigner contre vous, pour éviter d'être lui-même mis en examen. Toutes ses actions avaient pour but de vous désigner comme la responsable si l'opération capotait. Mes honoraires de départ pour vous représenter s'élèvent à vingt-cinq mille dollars. Ils montent à cinquante si j'arrive à vous obtenir un non-lieu. Cent mille si on va au procès. Et tous les frais de justice doivent être réglés en amont. Mais je ne pense pas qu'on aille jusque-là. Au pire, le procureur proposera un accord de remise en liberté conditionnelle si vous acceptez de plaider coupable.

— Mais je suis innocente !

— Il y a toujours un risque d'être inculpée si vous allez jusqu'au procès. Parfois, les choses ne se déroulent pas comme prévu. Les jurés sont imprévisibles.

— Vous croyez que je vais finir en prison ? demanda-t-elle dans un souffle.

— J'espère bien que non.

Il ne voulait pas faire de promesse qu'il n'était pas sûr de pouvoir tenir.

— Mais c'est une éventualité si tout se passe mal et que Zeller décider de vous sacrifier pour sauver sa peau, continua-t-il. Je ne veux pas de lui à la barre des témoins à charge. D'après votre ami, Zeller est un menteur patenté, doublé d'un escroc. Je suis convaincu qu'il savait qu'il s'agissait de marchandise volée. Si vous m'engagez, je ferai de mon mieux pour vous épargner la prison. Je suis désolé que vous soyez contrainte de rester ici jusqu'à lundi. Il n'y a rien que je puisse faire pour remédier à ça.

Steve Weinstein était précis, franc, efficace.

Sydney hocha la tête, incapable de prononcer un mot. Elle réfléchissait à la manière dont elle allait devoir annoncer ça aux filles. Il fallait qu'elle leur dise la vérité. Mais quand ? Si elle ne pouvait pas verser la caution lundi, elle allait devoir attendre en prison jusqu'au procès.

— Si je vous défends, reprit Weinstein, j'aimerais faire appel aux services d'un détective privé pour chercher un témoin qui pourrait attester que Zeller savait

146

ce qu'il faisait, et peut-être même prouver qu'il n'en est pas à son premier coup. Avec un peu de chance, quelqu'un crachera le morceau et vous serez blanchie.

Plus elle l'écoutait, plus elle paniquait. Si les choses n'allaient pas dans son sens, elle atterrirait en prison. À ses yeux, ça revenait presque à être morte. Elle commençait à regretter de ne pas l'être – une pensée qui ne lui était pas complètement étrangère ces derniers mois.

Steve Weinstein se leva.

— On se voit lundi, madame Wells. Vous pourrez engager un autre avocat après l'assignation à comparaître si vous le souhaitez, mais commençons au moins par vous sortir d'ici.

Sydney hocha la tête sans oser lui demander combien coûteraient les honoraires d'un détective.

Elle le remercia d'être venu et fut ramenée menottée dans sa cellule. Allongée sur sa couchette, elle repensa à tout ce que Weinstein lui avait dit. Elle avait l'impression que sa vie était finie. Elle ne se leva pas, ne mangea pas, ne bougea pas jusqu'au moment où la surveillante vint la chercher à l'heure des visites, cet après-midi-là. On l'avait informée qu'elle avait un droit de visite par semaine, pas plus, et, étonnée d'en recevoir déjà, elle demanda qui voulait la voir.

— Vous me prenez pour votre secrétaire ? aboya l'agente en lui passant les menottes.

On la conduisit dans une pièce où elle fut fouillée avant d'être autorisée à rejoindre le parloir. Ed l'y attendait, et elle fondit en larmes à l'instant où elle le vit. Le cœur fendu par le désespoir de son amie, il la serra dans ses bras. Puis ils s'assirent, entourés des autres détenues et de leurs proches. Toujours en état de choc, elle avait une mine abominable.

147

— Sydney, est-ce que ça va ? demanda-t-il en prenant ses mains dans les siennes.

Elle hocha la tête, la gorge nouée tant elle était bouleversée.

— Je crois. Merci de m'avoir trouvé un avocat. Jamais je n'aurais imaginé qu'il puisse m'arriver une chose pareille, ou que Paul s'avérerait être une telle ordure, chuchota-t-elle.

— Il cache bien son jeu. Je ne lui ai jamais vraiment fait confiance. Je te le dis depuis le début. Mais même moi je ne pensais pas qu'il irait aussi loin. J'ai démissionné ce matin. Il veut faire croire que tu as passé un accord avec le fabricant pour se tirer d'affaire.

— Je sais, oui. Steve Weinstein me l'a dit. Je suis désolée que tu aies dû démissionner à cause de moi.

Il sourit.

— Je ne l'ai pas fait à cause de ça. Il était temps pour moi de partir. Je ne veux pas travailler pour un connard pareil.

— Qu'est-ce que je vais dire à mes filles ? Quelle humiliation pour elles. Surtout si la presse l'apprend.

— Ça reste à envisager...

En particulier si le procureur voulait faire d'elle un exemple, comme le soupçonnait Steve Weinstein.

— Imagine, si je finis en prison...

Elle était terrifiée. Rien que les dernières vingt-quatre heures avaient suffi à la briser. Une peine de prison allait la tuer.

— Mais non. Tu es innocente. Peut-être que ton avocat arrivera à obtenir un non-lieu.

Sydney hocha la tête, mais Ed vit bien qu'elle n'y croyait pas. Elle tremblait de peur, et il ne pouvait même pas la prendre dans ses bras pour la rassurer. Ce n'était autorisé qu'en début et en fin de visite. Mais il pouvait au moins lui tenir la main. Au bout d'une heure, on les informa que le temps était écoulé. Ed la serra contre lui à nouveau, et elle le remercia d'être venu. Elle lui adressa un petit signe de la main quand il la quitta. Au moment où il retrouva l'air glacial de décembre, des larmes roulèrent sur ses joues. De son côté, Sydney subissait une nouvelle fouille, avant d'être reconduite à sa cellule.

Après la visite, Sydney se rallongea sur son lit et ne se leva plus. Elle refusa d'avaler quoi que ce soit et, le samedi matin, elle appela Sabrina. Avant d'être mis en relation, le correspondant devait accepter les frais de communication.

— Où es-tu ? demanda Sabrina, perplexe.

Un silence s'installa, le temps pour Sydney de ravaler un sanglot et de rassembler son courage.

— En prison, finit-elle par avouer piteusement. Je t'appelle parce que je ne voulais pas que tu t'inquiètes si tu n'arrivais pas à me joindre sur mon portable.

Mais Sabrina était encore plus inquiète maintenant qu'elle savait où se trouvait sa mère. Sydney lui raconta toute l'histoire. Sabrina était stupéfaite.

— Je t'avais dit que ce type était un escroc ! Qu'il avait une réputation de merde !

Furieuse, Sabrina ne savait pas si elle en voulait plus à Paul Zeller ou à sa mère pour s'être montrée si naïve. L'histoire ne la surprenait pas, mais elle n'en était pas moins horrifiée.

— Est-ce que tu peux être libérée sous caution ?

— Pas avant lundi. Le juge n'a pas encore fixé le montant. Et il risque d'être très élevé.

Elle ne lui dit pas qu'elle n'avait pas l'argent, qu'elle avait beau économiser son salaire, son compte en banque se réduisait comme peau de chagrin.

Sabrina lui demanda les coordonnées de son avocat, que Sydney lui donna sans broncher avant d'ajouter :

— En revanche, je ne veux pas que tu viennes au tribunal. Et tu ne peux pas venir me voir en prison non plus, je n'ai droit qu'à une seule visite par semaine, et Ed Chin est déjà passé. C'est lui qui m'a trouvé un avocat.

Aussitôt après avoir raccroché, Sabrina appela Steve Weinstein pour en savoir plus. Il lui donna son estimation du montant probable de la caution, lui expliqua la procédure de règlement. Puis elle téléphona à sa sœur, qui se mit à pleurer à chaudes larmes en apprenant la nouvelle. Sabrina se rongeait les sangs ; quant à Sophie, elle était d'autant plus désespérée qu'elles ne pouvaient pas rendre visite à leur mère. Les deux sœurs passèrent la soirée du samedi ensemble. La situation était inconcevable.

Sabrina avait déjà pris la décision de payer la caution. Elle était propriétaire de son appartement, et pouvait l'hypothéquer auprès du garant agréé par le tribunal, qui soumettrait le contrat de caution à la cour. Hors de question de laisser sa mère derrière les barreaux une seconde de plus. Steve Weinstein devait lui faire un topo sur le processus judiciaire lundi matin avant la comparution.

Ce fut un week-end interminable. Sabrina et Sophie étaient rongées par l'inquiétude tandis que, seule dans sa cellule, Sydney aurait préféré être morte.

8

La comparution se déroula exactement comme Steve Weinstein l'avait annoncé. Pas de surprises, rien de spectaculaire. Sydney eut le droit de porter ses propres vêtements. Elle plaida l'innocence pour les charges de recel de vol et tentative d'importation de marchandise volée sur le territoire américain. Steve avait envisagé de demander un non-lieu, mais avec la signature qui figurait sur tous les documents d'importation et d'exportation, les preuves de l'implication de Sydney étaient trop solides. Quand il se rabattit sur une remise en liberté conditionnelle sur parole, le procureur fédéral fit objection, et le juge refusa, fixant le montant de la caution à cinquante mille dollars avant de passer au dossier suivant. La plus grande crainte de Steve Weinstein se voyait confirmée : on avait l'intention de faire de Sydney un exemple. Le juge aurait facilement pu la laisser sortir sur parole. Il n'y avait pas de risque de fuite. Mais au lieu de ça, il avait fixé une caution faramineuse. Désespérée, Sydney resta bouche bée pendant une minute, puis elle se tourna vers son avocat.

— Je vais devoir rester en prison, chuchota-t-elle. Je n'ai pas de quoi payer la caution.

— C'est déjà arrangé, répondit-il calmement. Votre

fille s'en est occupée pour vous. Encore quelques détails à régler et vous pourrez sortir.

Les larmes montèrent immédiatement aux yeux de Sydney.

— Je ne peux pas la laisser faire ça. Les enfants ne sont pas censés payer pour leurs parents.

— Elle m'a aussi remis un chèque de vingt-cinq mille dollars, en attendant de voir si nous poursuivons jusqu'au procès.

Sydney était horrifiée par ce qu'elle coûtait à sa fille, alors que toutes les deux étaient sans emploi. Elle refusait d'être un fardeau pour Sabrina. Toute cette histoire était mortifiante. Steve tenta de la rassurer.

— Commençons par vous faire sortir d'ici. On s'inquiétera du reste ensuite.

Elle avait plus mauvaise mine encore que la dernière fois qu'il l'avait vue, et il savait qu'elle ne survivrait pas à ce régime pendant un an si elle ne laissait pas Sabrina s'acquitter de la caution. Sydney aussi en était consciente. À présent, vendre l'appartement de Paris était primordial. C'était son seul recours pour rembourser sa fille.

Une surveillante l'emmena, et Steve alla s'occuper du versement de la caution. Sabrina avait réglé tous les détails financiers dans la matinée, et une heure plus tard, Sydney était dehors. Dans la voiture de son avocat, regardant autour d'elle les arbres, les immeubles et les passants, elle eut l'impression de revenir enfin sur terre, elle qui avait eu si peur de ne jamais retrouver sa liberté. Ces quatre jours avaient été les plus effrayants de sa vie. Les surveillantes comme les détenues avaient eu l'air d'actrices dans un mauvais film. Sauf que tout était vrai.

Elle pénétra dans son appartement, s'assit sur le canapé, et observa les lieux comme pour la première fois. Puis elle appela Sabrina pour la remercier et promit de la rembourser dès que possible. Elle avait honte à l'idée que sa fille ait dû se servir de son appartement comme dépôt de garantie.

— Qu'est-ce que tu vas faire maintenant, maman ?

— Je ne sais pas. Chercher un nouveau travail, j'imagine.

Sans pouvoir se prévaloir de son poste le plus récent pour référence, l'entreprise s'annonçait difficile.

— Et toi ? Tu as des nouvelles de tes entretiens ?

Elle était inquiète pour Sabrina. C'était un tel séisme.

— Pas encore.

Elles s'efforcèrent d'entretenir une conversation normale, sans mentionner le fait que Sydney sortait tout juste de prison. Sa vie était devenue un conte sordide : la perte de son mari, de sa maison, de sa fortune, et maintenant s'ajoutaient à cela une arrestation et une incarcération. Et si elle était déclarée coupable et retournait en prison ? Mieux valait ne pas y penser. Steve Weinstein lui avait donné rendez-vous le lendemain pour parler du grand jury et de ce qui l'attendait. Sabrina proposa de venir chez elle avec le dîner, Sophie devait l'accompagner. Ayant à peine fermé l'œil en quatre jours, Sydney était trop fatiguée pour sortir.

Comme par enchantement, le téléphone sonna dès qu'elle eut raccroché avec sa fille. Elle n'avait pas pris la peine de regarder l'écran et elle grogna en reconnaissant la voix de Veronica. Celle-ci appelait pour la prévenir que les jumelles vendaient ses toiles préférées chez Sotheby's. Veronica les avait repérées dans le catalogue des ventes, et les avait immédiatement reconnues.

— Je me devais de te le dire, se justifia-t-elle d'un ton compatissant.

C'était risible et, cette fois, Sydney n'était pas d'humeur à rester polie.

— Ah oui ? Pourquoi, exactement ? Tu penses que je vais les racheter ?

— Non, bien sûr que non, je me disais juste...

— Que ça allait me bouleverser plus que je le suis déjà ? C'est gagné. Pourquoi tu ne m'annoncerais pas de bonnes nouvelles, la prochaine fois ? Ça changerait.

— Très bien, compte sur moi, répondit abruptement Veronica avant de raccrocher.

Sydney en avait par-dessus la tête des gens qui la manipulaient, comme Paul, ou de ceux qui se réjouissaient de son malheur, comme Veronica. Elle se sentit bien mieux après l'avoir envoyée sur les roses. Ce fut au tour d'Ed de l'appeler. Spontanément, elle lui proposa de se joindre à sa famille pour le dîner.

— Après tout ce qui s'est passé, ça me ferait plaisir que tu rencontres mes filles.

Il sembla d'abord hésitant, par peur de s'imposer, puis accepta. Elle lui dit qu'elle l'attendait pour dix-neuf heures et le remercia à nouveau d'avoir trouvé Steve Weinstein pour elle.

— Je le vois demain pour parler de mon dossier.

— C'est Zeller qui devrait risquer la prison, pas toi.

— Steve Weinstein veut engager un détective privé pour trouver quelqu'un qui témoignera contre Paul.

— Ça m'a tout l'air d'une bonne idée.

Ce soir-là, il arriva le premier, avec un bouquet de fleurs et une bouteille de vin, et lui proposa de déjeuner ensemble le lendemain.

Quand les filles débarquèrent à leur tour, elles furent surprises de trouver un inconnu dans l'appartement.

Les présentations faites, un silence embarrassé régna un moment. Ed craignait qu'elles ne le prennent en grippe à cause de son ancien poste. Les filles étaient surtout mal à l'aise. Elles avaient commandé à emporter dans un restaurant thaïlandais, et avaient aussi apporté des sashimis. Le temps de dresser le couvert sur la petite table, la discussion était lancée sur le vaste sujet de la mode, point commun tout trouvé. Sydney sourit en les écoutant. La vie lui semblait à nouveau normale. Ce ne fut qu'à la toute fin du repas, après leur deuxième bouteille de vin, qu'ils parlèrent enfin du dossier juridique, et déclarèrent leur haine à l'égard de Paul Zeller.

Il était minuit passé quand tout le monde partit. La soirée avait été agréable, et Sydney s'installa dans son salon pour se repasser les événements. Dire qu'elle avait été arrêtée et qu'elle allait devoir se défendre au tribunal ! Elle était gênée que sa fille ait dû s'acquitter de sa caution, mais sans cela, elle serait encore derrière les barreaux. C'était la première fois qu'elle se retrouvait dépendante de ses enfants, et ce n'était pas un sentiment plaisant. Au moment où elle croyait enfin que les choses commençaient à aller mieux, la vie prenait un tournant qui lui donnait l'impression d'être une ratée.

Le lendemain matin, Sydney se réveilla tôt pour se rendre au cabinet de Steve Weinstein, dans un quartier du Lower Manhattan, non loin du tribunal fédéral. Deux heures durant, ils passèrent en revue les détails du dossier. Une enquête judiciaire serait menée en toute discrétion pour déterminer la nécessité d'un procès. Elle accepta de le laisser recourir à un détective pour déterrer ce qu'ils pouvaient sur Paul, tout en se demandant comment elle le payerait, mais elle n'avait pas d'autre choix.

Sabrina l'appela, avec de bonnes nouvelles, pour changer. Elle avait décroché le poste de ses rêves, mieux rémunéré encore. Quelque chose d'heureux était arrivé à sa fille. Sydney espérait y voir un signe que la chance avait tourné. C'est de meilleure humeur qu'elle prit le métro pour remonter jusque chez elle. Sophie lui téléphona juste quand elle arrivait.

— Devine de qui on parle dans *Page Six*, aujourd'hui ? gloussa-t-elle.

Sydney lâcha un grognement.

— Par pitié, ne me dis pas que c'est de mon arrestation.

Sophie lui lut l'article des pages people du *New York Post*. Il laissait entendre que le mari de Kellie la trompait. Geoff avait été vu récemment dans un hôtel en compagnie d'une célèbre héritière – pile son genre de femme, apparemment. Le sourire de Sydney revint aussitôt.

— C'est le karma, maman. Elle le mérite.

Sydney ne voulait pas l'admettre, mais elle était bien d'accord.

Elle retrouva Ed pour déjeuner dans un de leurs restaurants préférés, et il lui annonça qu'il partait pour Hong Kong.

— Définitivement ?

Elle ne cacha pas sa déception. Il était devenu son ami le plus proche, le seul, et elle avait espéré qu'il reste dans les parages et trouve un nouveau poste à New York.

— Non, juste pour la semaine. Je veux avoir une conversation sérieuse avec mon père.

— Au sujet de l'entreprise familiale ?

Maintenant qu'il avait démissionné, elle prenait

conscience qu'il voudrait sans doute rentrer travailler pour sa famille. Il avait tiré toute l'expérience dont il avait besoin de sa vie européenne et new-yorkaise. Mais il la surprit en lui annonçant :

— Je veux lancer ma propre marque. Je crois que je suis prêt. Je veux savoir si ma famille m'aidera à la lancer ici. Je veux rester à New York.

Il la regarda avec une expression des plus sérieuse.

— Sydney, qu'est-ce que tu dirais d'une collaboration ? Il va probablement me falloir entre six mois et un an pour monter une maison à partir de rien. Mais je veux commencer dès maintenant. Je suis allé visiter un local du côté de Chelsea ce matin. Ça t'intéresse ? Tu te jetterais à l'eau avec moi ?

— Tu en sais bien plus long que moi sur la façon de gérer une entreprise. Moi, je ne suis que designer.

Elle avait beaucoup appris de son expérience chez Lady Louise, essentiellement grâce à lui, mais restait styliste avant tout. Soudain, son visage s'assombrit.

— Sans compter que, dans un an, je serai peut-être en prison.

— Pas si Steve Weinstein vaut chaque dollar que tu lui verses.

Elle lui adressa un petit sourire triste.

— Je ne lui ai encore rien versé. C'est Sabrina qui le paie. J'aimerais la rembourser dès que possible, mais c'est impossible tant que je n'aurai pas revendu l'appartement à Paris, qui est actuellement occupé par un locataire.

— Je pourrais te proposer des parts dans la société. Ça ne résoudrait pas immédiatement tes problèmes financiers, mais ça voudrait dire que tu détiendrais des fonds propres. L'idée serait de commencer à petite échelle, avec une collection de prêt-à-porter. Je ne veux pas viser trop ambitieux.

Elle adorait l'idée. Ils profitèrent d'une longue promenade après le déjeuner pour continuer d'en discuter. Ed partait pour Hong Kong le lendemain. Il avait déjà parlé de son projet avec sa mère, mais voulait en discuter en tête à tête avec son père. Ce dernier serait plus difficile à convaincre. Il entretenait toujours l'espoir de voir son fils intégrer l'entreprise familiale.

C'est le sourire aux lèvres et gonflée à bloc que Sydney rentra chez elle. Si Ed parvenait à convaincre son père, elle aurait de nouveau un travail, cette fois respectable, au service d'un homme honnête. Sa bonne humeur dura toute la soirée, jusqu'à un appel tôt le lendemain, malheureusement porteur de mauvaises nouvelles.

Sabrina avait repéré un article sur son arrestation dans le *Women's Wear Daily*, avec une citation de Paul qui regrettait publiquement de voir une styliste si talentueuse s'adonner à des activités illégales. Le magazine érigeait le P-DG en victime, et présentait Sydney comme une délinquante. L'humiliation était totale. Sydney s'inquiéta aussitôt des répercussions sur sa fille.

— Tu penses que ça risque d'avoir un impact sur ton nouveau boulot ?

— Non, je ne crois pas. Je les ai appelés ce matin pour les prévenir, et ils ont été adorables. Ils sont désolés pour toi. Paul Zeller n'a pas beaucoup d'admirateurs dans le milieu. Je crois que la plupart des gens se doutent que tu n'as rien fait et que tu as trinqué pour lui. Dans tous les cas, ça n'a rien à voir avec moi et ils m'ont assuré que ça n'aurait pas de conséquence sur mon embauche.

Sydney était soulagée de l'entendre.

— Tu commences quand ?

— Dans une semaine. Ça me laisse un peu de temps pour m'organiser et souffler un peu.

Sydney était particulièrement heureuse que Sabrina ait retrouvé du travail, d'autant plus qu'elle avait dépensé la majeure partie de ses économies pour payer les honoraires de son avocat et ses frais de justice.

La chance tournait peu à peu pour elles. Sabrina avait un nouveau poste, dans une maison de haute couture plus prestigieuse encore. Ed voulait que Sydney monte une société avec lui, si sa famille acceptait de le soutenir financièrement. Et si tout se passait bien, Steve Weinstein pourrait lui épargner la prison.

La vie de Sydney était toujours suspendue à un fil, et elle devait faire face à des poursuites pénales, mais au moins de belles choses s'annonçaient aussi. Dehors, la lumière de l'aube zébrait doucement le ciel. Le jour ne s'était pas encore levé, mais Sydney avait retrouvé espoir. C'était un début.

9

Ed revint de Hong Kong une semaine avant Noël. Dès son atterrissage, il appela Sydney avec de bonnes nouvelles.

— C'est bon ! Ils ont dit oui !

— Quelle merveilleuse nouvelle ! s'extasia-t-elle.

Après une longue discussion avec son père et ses oncles, sa famille avait accepté de financer son projet dans l'industrie de la mode, convaincue par son palmarès excellent, ses précédents postes dans des sociétés stables et prestigieuses, ses connaissances du milieu, et ses capacités à rassembler une équipe de stylistes talentueux. Il leur avait également présenté le CV et les références de Sydney. Maintenant qu'il avait le feu vert, il voulait s'atteler à la tâche dès que possible. Son objectif était de monter son premier défilé pour la Fashion Week de septembre, neuf mois plus tard.

L'idée était de visiter le local à Chelsea avec elle dans les prochains jours, et de le louer immédiatement si elle était tout aussi séduite que lui. Il pensait que ce serait le cocon parfait pour leur affaire naissante. Sa vie prenait un tournant palpitant. Pour la première fois, il ne travaillait plus pour quelqu'un d'autre et avait la liberté de faire ce qu'il voulait. Il n'avait pas d'investisseurs à satisfaire, seulement sa famille.

— Tu as le temps d'aller jeter un coup d'œil au local demain, avec moi ?

Ravie, elle s'empressa d'accepter.

Il envoya un mail à l'agent immobilier ce soir-là, et convint d'un rendez-vous à dix heures le lendemain. Quand Sydney arriva sur les lieux, il fut soulagé de constater qu'elle avait bien meilleure mine et qu'elle semblait plus détendue qu'avant son départ, quand l'épreuve des quatre jours de prison se lisait encore sur ses traits.

Le lieu était parfait. Ils examinèrent l'espace avec soin, pour visualiser l'aménagement, et l'agent immobilier promit de lui faire parvenir le bail dans l'après-midi.

— Il ne reste plus qu'à faire un tour chez IKEA pour acheter des meubles, suggéra Sydney avec enthousiasme.

Le local était fraîchement repeint, et il n'y avait pas de travaux à entreprendre. Il était prêt pour l'emménagement. Ed voulait lancer le processus de recrutement au plus vite. Il avait déjà réfléchi à son équipe. Sydney et lui seraient à la direction artistique, mais il leur fallait des assistants designers, de préférence frais émoulus de l'école, pas trop chers et encore malléables, et capables d'apporter des idées jeunes et innovantes.

Le lendemain, ils achetèrent des bureaux, des tables, des chaises, des fauteuils de travail confortables, des caissons de rangement, des étagères, et une petite cuisine d'appoint. Ils avaient loué un camion et déchargèrent eux-mêmes l'essentiel. Quelqu'un devait venir monter les meubles. À la fin de la journée, ils se posèrent enfin pour admirer le résultat final. Il ne manquait que les ordinateurs, qu'Ed devait acheter plus tard. Sur le point de partir en quête d'un petit sapin de Noël pour son appartement, Sydney demanda :

— Qu'est-ce que tu as prévu pour le réveillon ?

— Pas grand-chose. Je n'ai pas eu le temps d'y penser.

— Dîner chez moi avec mes filles, ça te tente ? Rien de trop guindé.

Sophie avait déjà prévenu que son petit ami se joindrait probablement à la fête, s'il était d'humeur, mais il y avait de la place pour six à table, en se serrant un peu et sans trop écarter les coudes.

— Ça me ferait très plaisir, répondit Ed avec un grand sourire.

Une fois décoré, le petit sapin mangeait tout de même un bon coin du salon, mais l'ambiance festive était au rendez-vous. Sydney se refusait à penser à l'arbre de quatre mètres de haut qui trônait à chaque Noël dans l'immense séjour de la maison du Connecticut, ou à la guirlande de fleurs blanches qui encadrait la porte d'entrée, avec sa couronne de l'avent assortie. Cette année, elle devait se contenter d'un modèle miniature avec des clochettes et des pommes de pin, accrochée à sa porte. Heureusement, le sapin, même petit, dégageait un parfum de Noël. Les décorations étaient rouge et or, avec de minuscules oursons et des figurines de Casse-Noisette. Le tout était plein de vie et de chaleur.

Un coup de fil Steve Weinstein lui apprit la date de sa prochaine convocation au tribunal. Avril. Ce qui leur laissait quelques mois pour chercher des preuves contre Paul Zeller. L'enquête judiciaire se poursuivrait pendant cette période. Sydney décida de l'inviter à son réveillon, lui aussi. À 38 ans, Steve n'était pas marié, n'avait pas d'enfants, et elle était certaine qu'il s'entendrait bien avec ses filles.

— D'habitude, je rentre à Boston pour les fêtes, lui dit-il, touché. Mais cette année, mon frère et ma sœur passent Noël chez leurs conjoints, et mes parents sont en Floride, où ils envisagent de prendre leur retraite.

La soirée promettait d'être amicale et chaleureuse. Il appréciait déjà cette nouvelle cliente et il était ravi d'apprendre à la connaître.

— Ma famille est juive, précisa-t-il. Mais nous ne sommes pas pratiquants, et nous fêtons Noël, histoire de cumuler les avantages.

— Moi aussi, j'adore Noël. C'est le premier que nous passons sans mon mari, dit-elle avec un soupir nostalgique.

Elle essayait de ne pas s'appesantir sur cette pensée, mais les souvenirs la hantaient, surtout la nuit – qui était devenue un moment redouté. Ses inquiétudes revenaient en force au soleil couchant.

— Le père de vos enfants ?

Il était curieux d'en savoir plus et percevait un chagrin qu'elle était trop discrète pour mentionner.

— Non, lui est mort il y a vingt ans, un peu après notre divorce. Il avait déménagé au Texas avec sa nouvelle femme, et les filles ne l'ont plus beaucoup vu après ça. De mon côté, j'ai épousé un homme merveilleux il y a seize ans. Il est mort dans un accident cet été. Ç'a été un grand bouleversement dans ma vie.

À un point tel qu'elle ne voulait pas s'étendre sur le sujet.

— Il y a eu quelques complications avec la succession, résuma-t-elle.

Deux belles-filles malveillantes et cupides, et une veuve laissée-pour-compte. Il lui arrivait encore d'être en colère contre Andrew. S'il avait assumé ses responsabilités, tout aurait été différent. Elle n'aurait pas eu à retravailler, ne risquerait pas la prison. D'un autre côté, elle n'aurait pas rencontré Ed Chin et ne vivrait pas les instants palpitants du lancement d'une entreprise avec lui. Elle essayait autant que possible de voir le verre à moitié plein, sauf dans ces rares heures sombres où elle craignait plus que tout de manquer d'argent et d'échouer derrière les barreaux.

— L'année a été difficile, reconnut-elle. On ne sait jamais ce qui peut arriver dans la vie. C'est bien ce que ces six derniers mois m'ont enseigné.

— C'est aussi vrai des bonnes choses. L'avenir nous réserve de belles surprises, et on ne sait jamais qui le destin va mettre sur notre chemin. Votre fille sera au dîner ? Nous avons eu une conversation intéressante quand vous étiez... retenue.

Il essayait de trouver un euphémisme pour désigner son emprisonnement, sachant à quel point l'épisode l'avait bouleversée et combien elle craignait pour la suite.

L'éventualité de la prison était terrifiante. Une ou deux fois, elle avait remis en question le bien-fondé de son entreprise nouvelle. Elle ne voulait ni laisser son associé en plan ni rater la chance qu'il lui offrait.

Elle aborda le sujet avec Ed plus tard au téléphone. Il avait passé la soirée à lui envoyer des SMS chaque fois qu'il pensait à une idée ou un nom pour leur société. Pour le moment, ils penchaient pour Sydney Chin. C'était atypique, et elle aimait l'esprit asiatique, en hommage à la famille de Hong Kong qui rendait cette nouvelle aventure possible. Elle leur était reconnaissante de l'inclure dans le projet.

— Et si je dois aller en prison ? Tu y as pensé ?

Steve l'avait prévenue que c'était une possibilité, si les choses se passaient mal au procès. Il partait du principe qu'il y en aurait un. Paul Zeller était un homme puissant, qui avait su couvrir ses arrières. Dès le début des événements, il avait distillé les mensonges, y compris dans la presse. Steve avait parlé avec le procureur fédéral, qui avait été très clair : l'accusation ne lui ferait aucun cadeau, et ils voulaient lui soutirer tout ce qu'elle savait sur Paul Zeller.

— Tu ne peux pas passer l'année à redouter le pire, la sermonna Ed. Tu dois continuer à vivre. Je ne pense pas qu'ils te jugeront coupable, mais si c'est le cas, alors on avisera. Ce n'est pas la peur ni ce connard qui m'empêcheront de saisir ma chance de construire quelque chose de sérieux. J'ai attendu ce moment toute ma vie. Et je veux le partager avec toi.

Après avoir travaillé avec elle, il éprouvait un profond respect pour Sydney. Et cela faisait sept ans qu'il rêvait de pouvoir créer sa marque, depuis son diplôme.

— Est-ce que ta famille est au courant pour ma mise en examen ?

— Je leur ai tout raconté. Ils sont désolés pour toi, mais ça ne les inquiète pas. Ils ont vérifié les références de ton avocat, d'ailleurs, et il a excellente réputation.

— Je l'aime bien. J'ai foi en son intelligence, en plus, il a l'air d'avoir bon fond. Il sera là au réveillon, au fait.

Soudain, une idée traversa l'esprit de Sydney. Ed ne parlait pas beaucoup de sa vie personnelle, il était seul la plupart du temps et travaillait beaucoup. Mais peut-être aimerait-il amener quelqu'un à ce dîner ? Elle lui posa la question.

— C'est gentil de proposer. Je vois quelqu'un de temps en temps, mais pas de grande histoire d'amour dans ma vie. Je n'ai pas de temps pour ça. Je suis trop occupé par ma carrière pour m'investir sérieusement dans une relation amoureuse. Dans quelques années, peut-être, quand notre marque aura décollé, mais pas maintenant. C'est sympa, en tout cas.

— On croirait entendre Sabrina. Elle tient exactement le même discours. Officiellement, Sophie a un petit ami, mais ils se voient à peine, et il est très excentrique. La mode n'est pas le milieu le plus favorable à une histoire d'amour. Personne n'a l'énergie ni le temps de s'y consacrer.

— Comment tu as réussi à conjuguer ta carrière de styliste avec ta relation avec Andrew ?

Cela faisait un moment qu'il se posait la question.

— C'était une course contre la montre pour jongler entre le boulot, lui, et deux petites filles. Il m'a convaincue d'arrêter de travailler quand on s'est mariés. Il voulait que j'aie plus de temps pour voyager avec lui. Et ça m'a donné la chance d'être plus présente pour mes enfants. Le travail m'a manqué pendant quelques années, mais j'étais quand même satisfaite de ma décision. Les moments passés avec lui et mes filles sont inestimables. La vie de famille est très différente avec un métier à temps plein. Difficile de se couper en deux pour assurer à la maison et faire du bon travail à la fois.

— Si tu pouvais t'arranger pour ne pas recommencer…, dit-il, subitement inquiet. Je veux dire, te remarier et arrêter de bosser avec moi.

— Ne te bile pas. Je n'ai aucune intention de me remarier et je n'ai plus d'enfants en bas âge. Quant à mes filles, c'est à peine si elles ont du temps pour me voir. Elles travaillent aussi dur que nous, et Sabrina est totalement accro à son job. Elle aime son métier plus qu'elle n'a jamais aimé un homme.

— Pareil pour moi.

— Jamais je ne lâcherais de nouveau ma carrière pour un homme.

D'ailleurs, elle ne pouvait plus s'imaginer avec un autre. Avec Andrew, ç'avait été le mariage parfait. Ce n'était que maintenant qu'il était mort et que toute son existence s'en ressentait que ses souvenirs se teintaient d'amertume. Andrew et elle s'étaient rarement disputés, avaient été tendres l'un envers l'autre, avaient partagé de nombreux centres d'intérêt, et il s'était montré merveilleux envers ses filles. Mais vu la façon dont tout s'était terminé, elle ne voulait plus jamais se retrouver dépendante de quiconque.

— Bien, garde ça en tête, lui conseilla Ed. Et si le prince charmant vient toquer à la porte après le lancement de notre marque, dis-lui que tu es une femme d'affaires, et que tu as l'intention de le rester.

— Promis.

Ils se souhaitèrent bonne nuit, avec la certitude d'échanger constamment dans les prochains mois. Ils avaient beaucoup de décisions à prendre, et elle avait déjà des idées pour leur défilé de la rentrée. Elle envisageait une dominante de blanc, puisque les vêtements de cette collection arriveraient en boutique l'été suivant.

Le soir du réveillon, les invités arrivèrent à dix-neuf heures trente. Sydney leur laissa le choix entre un grog et un lait de poule relevé au rhum, comme le voulait la tradition familiale. L'appartement avait fière allure avec ses décorations, et les bougies dispersées un peu partout le rendaient très chaleureux. Sydney portait une longue jupe en tartan et un pull rouge d'un précédent réveillon dont elle n'avait pas eu le cœur se séparer. Ses cheveux lisses tombaient dans son dos. Sabrina avait choisi une petite robe de cocktail noire de sa propre collection, qui mettait en valeur ses longues jambes sensuelles. Ses cheveux sombres et brillants étaient coiffés comme ceux de sa mère. Avec ses lèvres rouge vif et ses talons hauts, elle était magnifique. Première arrivée, avec deux bouteilles de bon vin français, elle serra sa mère dans ses bras. Son nouveau poste la rendait d'humeur festive. Elle n'avait commencé qu'une semaine plus tôt, mais elle adorait déjà cette nouvelle entreprise. Finalement, la réaction impulsive de son ancien patron s'était révélée une bénédiction. Elle avait rebondi à toute vitesse, et contribuait déjà à la collection pour la Fashion Week de février. Elle travaillait d'arrache-pied et n'avait jamais été si heureuse.

— Qui d'autre vient, ce soir ? demanda-t-elle en suivant sa mère.

Une bonne odeur de dinde s'échappait du four et elle jeta un coup d'œil aux légumes sur la cuisinière. Sydney s'était affairée toute la journée en suivant les recettes de son unique livre de cuisine, et le résultat était prometteur. Tous leurs plats préférés étaient là. La vaisselle fournie avec l'appartement n'était pas belle, mais elle s'était débrouillée pour dresser une jolie table, à l'aide de bougeoirs, de quelques angelots dorés et de pommes de pin. L'appartement avait un parfum de fêtes.

— Je t'ai dit que j'avais invité Ed Chin. Sophie vient avec Grayson – un vrai miracle de Noël.

Elles éclatèrent de rire. Grayson était phobique des dîners en famille et de l'engagement, et il détestait notoirement les fêtes de fin d'année, mais devant les supplications de Sophie, il avait fini par céder. C'était un graphiste talentueux, à la personnalité excentrique. Il avait perdu ses parents très jeune, avait grandi en foyer et avait beaucoup déménagé. Très amoureux, le couple ne voulait ni mariage, ni enfants, ni projets sur le long terme. Sophie était assez jeune pour ne pas se soucier des limites d'une telle relation, mais Sydney doutait que leur histoire aille bien loin. Ils étaient ensemble depuis un an, et chaque fois que Grayson estimait que la relation devenait trop sérieuse, il arrêtait de voir Sophie pendant un temps, avant de revenir vers elle une fois que les choses s'étaient tassées. Sydney et Sabrina étaient surprises qu'elle reste avec lui, mais Sophie leur assurait qu'il avait un bon fond, et elle voyait en lui des qualités invisibles aux autres – c'était un vrai porc-épic.

— J'ai aussi invité mon avocat. Il n'avait rien de prévu. Au fait, Sabrina…

Elle lança un regard grave à sa fille.

— … je veux que tu saches combien je te suis reconnaissante de t'être occupée de la caution et d'avoir payé son avance sur honoraires. J'ai l'intention de te rembourser dès que possible.

S'il le fallait, elle vendrait ses bijoux. Elle n'en avait pas beaucoup et elle avait espéré les garder le plus longtemps possible, en cas de coup dur. Malheureusement, le coup dur s'était présenté plus tôt que prévu.

— Je n'ai pas besoin de cet argent dans l'immédiat, maman, mais tu crois que Weinstein fera l'affaire ?

Sabrina avait apprécié leurs échanges et Steve Weinstein lui semblait compétent mais elle voulait être sûre.

— Je pense qu'il est très bien, et la famille d'Ed a vérifié sa réputation.

Ce qui ne signifiait pas qu'il parviendrait à la sortir de ce pétrin. Il y avait des variables à prendre en compte, comme Steve le lui avait dit, car une fois le dossier porté devant la cour, le verdict final était imprévisible. Ce n'était ni une victoire courue d'avance, ni un cas désespéré. Et avec un peu de chance, on trouverait des preuves contre Paul Zeller avant le procès.

Elles en discutaient encore quand Ed sonna. Il se dirigea tout de suite vers Sabrina, heureux de la revoir. Après les félicitations d'usage pour son nouveau poste, la conversation s'emballa. Il admira sa robe, qu'elle avait elle-même dessinée. D'un chic incontestable, Ed portait un jean, un col roulé noir sous une veste en cachemire noir et des mocassins en daim. Il devait son style affirmé et sa garde-robe à un tailleur qu'il allait voir à chaque passage à Hong Kong. Ils parlaient de la nouvelle entreprise de Sabrina et de toutes les personnes qu'il y connaissait quand Sophie et Grayson arrivèrent.

Toute vêtue de noir, Sophie était en minijupe de cuir, avec un pull, des collants et des cuissardes en daim à talons hauts. Elle avait l'air jeune, sexy, et bien plus décontractée que sa sœur. Son style, de manière générale, était moins sophistiqué et elle portait ses cheveux détachés pour laisser libres les longues boucles de son enfance. Sa silhouette était aussi plus voluptueuse que celle de sa sœur.

À 30 ans, Grayson, avec ses cheveux châtains et sa barbe de cinq jours, portait encore le sweat-shirt de la Rhode Island School of Design dont il était diplômé depuis huit ans, avec un jean et des baskets montantes trouées et usées jusqu'à la corde. Visiblement nerveux, il balaya la pièce du regard sans parler à personne, et accepta prudemment une tasse de lait de poule.

— Je ne fête pas Noël, d'habitude, mais Sophie a insisté, expliqua-t-il à Sydney qui lui souriait chaleureusement et embrassait sa cadette.

— Je suis contente que tu sois venu, dit Sydney.

Elle parvint à rester impassible devant sa moustache blanchie par le lait de poule mousseux.

Puis on sonna à nouveau. Steve était chargé d'un énorme carton à pâtisserie et d'une bouteille de vin californien. Ses offrandes furent acceptées avec joie, et quand Sydney jeta un coup d'œil dans la boîte, elle vit une magnifique bûche. En plus du Christmas Pudding prévu, ils auraient donc un autre dessert typique de Noël. La conversation atteignit un niveau confortable, sauf pour Grayson, qui restait à l'écart à observer les autres. Il semblait – au mieux – extrêmement mal à l'aise, et Sophie expliqua qu'il était timide. Faisant référence au sweat-shirt de Grayson, Ed confessa qu'il avait toujours voulu aller dans cette école, mais n'avait pas été accepté et s'était rabattu sur Londres. Grayson se détendit un peu après ça, et Sydney s'amusa de la coïncidence : des six personnes dans la pièce, cinq étaient designers (graphiste ou stylistes), et quatre travaillaient dans la mode.

— Vous êtes le seul adulte sain d'esprit, n'étant ni dans la mode ni dans le design, dit-elle à Steve.

Sydney aimait l'idée de se compter parmi les designers à nouveau. Le stylisme donnait une structure et un sens à sa vie – en plus de lui permettre de se nourrir et de payer son loyer depuis cinq mois.

— C'est très intimidant, admit-il. J'ai changé quatre fois de chemise et deux fois de veste avant de trouver une tenue appropriée. Un dîner avec des créateurs de mode... La pression est à son comble !

Au bout du compte, il s'était décidé pour une chemise bleue, une veste en tweed, un jean, et des richelieus en daim marron très élégantes.

— Vous vous en êtes bien sorti.

Sydney était impressionnée par son allure. Il était bien plus séduisant qu'elle ne l'avait remarqué au tribunal – où elle avait eu des préoccupations plus sérieuses que la tenue de son avocat.

Ils passèrent à table à vingt et une heures, quand la dinde fut prête. À la droite de Sydney, Steve ouvrit une bouteille et fit le tour des verres dans l'ordre : Sabrina, Ed, Sophie, et enfin Grayson. La conversation était animée, sans doute aidée par l'excellent vin de Sabrina, que Steve complimenta.

La bûche rencontra un franc succès, comme le Christmas Pudding que Sydney arrosa de brandy pour le flamber sous leurs yeux. On parla des Noëls de leur enfance. Les récits de Sophie et Sabrina émurent Sydney. Ed raconta que sa famille avait toujours fêté Noël en plus du nouvel an chinois, et organisait à chaque fois de grandes soirées.

— Dans ma famille, on a le sens de la fête !

— Chez moi, on célébrait Hanoukka de manière très libre, expliqua Steve, mais j'avais droit à un sapin, pour faire comme mes amis. Je me souviens qu'à l'école tout le monde m'enviait parce que Hanoukka dure huit jours, alors que moi j'aurais voulu recevoir tous mes cadeaux le même jour. C'est quand même plus drôle. J'en profite pour vous dire que je suis très content de me trouver parmi vous ce soir. Ma famille est dispersée cette année et, sans vous, j'aurais passé le réveillon tout seul à déprimer chez moi. Alors, merci, Sydney, de m'avoir invité, et merci à vous tous pour votre accueil.

Radieux, il leva son verre.

— Moi, je suis athée, annonça Grayson. Je ne crois pas à Noël.

Un grand silence s'abattit sur la tablée pendant un instant, puis il reprit :

— Mais je passe une bonne soirée, merci à vous.

Tout le monde poussa un soupir de soulagement, et il leva son verre à son tour.

Après le dîner, Sophie proposa un jeu de mimes. Le vin avait eu raison de la timidité de Grayson et il s'en sortit haut la main. Il devinait presque toujours avant les autres et ses mimes étaient hilarants. Même si elle n'aurait jamais imaginé pareille compagnie, ce Noël comptait parmi les meilleurs de Sydney, et ce malgré l'absence d'Andrew. L'atmosphère était chaleureuse, conviviale : une belle soirée entre des amis heureux d'être réunis.

Sydney remarqua que quand elle n'était pas absorbée par ses conversations sur la mode avec Ed, Sabrina bavardait beaucoup avec Steve. Ed et Sydney parlèrent un peu de leur nouvelle marque. Personne n'eut le mauvais goût d'évoquer les conséquences potentielles de ses déboires récents avec la justice, ni le poids du procès à venir. Le temps d'une soirée, ils avaient mis les ennuis de côté. Sydney se contenta d'apprécier la compagnie de chacun. Personne ne fit mine de bouger avant une heure du matin, et c'est Sabrina qui initia le mouvement de départ. Steve proposa de la raccompagner, puisque c'était sur son chemin. Ils firent leurs adieux à contrecœur, suivi des autres, sauf Ed qui s'attarda un peu.

— C'était une très bonne soirée, dit-il en sirotant une dernière gorgée de vin. Et mon petit doigt me dit que tu as ouvert la voie à quelque chose, ce soir…

Il lui lança un regard taquin, devinant qu'elle l'avait fait exprès.

— Steve et Sabrina ?

Il hocha la tête, et ils se mirent à pouffer.

— Je me disais que ça pouvait marcher. En tout cas, je l'espérais. Je l'apprécie. Quant à ce pauvre Grayson, il avait l'air près de s'évanouir en arrivant, mais il s'en est finalement bien sorti. Je crois que le lait de poule a aidé. C'est un gentil garçon et un très bon graphiste. Mais il n'a pas eu une enfance facile, et les traumatismes sont encore là.

— Je le trouve très sympa. D'ailleurs, je ne pense que du bien d'eux tous. Tes filles sont fantastiques. J'aurais pu discuter avec elles toute la nuit.

— Ce sont des femmes bien. Je suis très fière d'elles.

Il proposa de l'aider avec le rangement et la vaisselle, mais elle avait l'intention de s'occuper de tout ça le lendemain, et il s'en alla quelques minutes plus tard. Après son départ, elle s'assit sur son canapé pour penser à ce réveillon. Tout avait été parfait. Même Grayson avait partagé la bonne humeur générale. Ils avaient réussi à mélanger leurs traditions, entre chrétiens, juifs, bouddhistes et athées, pour partager une soirée conviviale : l'essence même de Noël. Elle espérait que, où qu'il soit désormais, Andrew était en paix, lui aussi.

10

Le matin de Noël, Sydney se leva tôt pour ranger et faire la vaisselle, savourant les souvenirs chaleureux de la veille. Elle récurait le plat qui avait accueilli la dinde quand elle se rendit compte qu'elle n'avait pas reçu de cartes ni de coups de fil de ses anciennes amies pour les fêtes. Elles ne lui manquaient pas. Elle ne savait pas non plus ce qu'était devenue Veronica depuis leur dernière conversation. Sydney était totalement absorbée par sa nouvelle vie.

Depuis que la rumeur de sa pauvreté s'était répandue, et que son arrestation avait été rapportée dans la presse, personne ne s'était enquis de son moral, ni ne l'avait invitée aux soirées pourtant nombreuses en cette période de Noël. De son côté, Sydney n'avait pas repris contact non plus et aurait trouvé gênant de le faire. En vérité, elle avait peur de parler à tout le monde, et ne voulait certainement pas discuter de sa situation avec ses anciennes amies qui n'avaient prouvé ni leur loyauté ni leur compassion. Ces six derniers mois, elle avait l'impression qu'on l'avait oubliée. C'était une vraie déception de constater à quel point seul l'argent avait compté à leurs yeux. Elle comprenait maintenant que ces femmes n'avaient accordé de la valeur qu'au train de vie qu'elle partageait avec Andrew, mais de toute évidence pas à son amitié.

Alors qu'elle rangeait le dernier plat dans le lave-vaisselle, elle reçut un coup de fil de Steve, qui se confondit en remerciements pour la soirée.

— Merci à vous pour ce délicieux vin et cette magnifique bûche, répondit-elle avec chaleur.

— Vous avez rendu cette soirée magique pour nous tous. Je voulais vous poser une question, c'est un petit peu délicat... D'ordinaire, ce n'est pas un sujet que j'aborde dans un cadre professionnel... Ça vous ennuierait si j'appelais Sabrina ? Je n'ai pas pour habitude de sortir avec les filles de mes clients, mais dans ce cas précis, j'aimerais faire une exception, si vous me le permettez. C'est une femme incroyable. On voit de qui elle tient, d'ailleurs – à part pour ses cheveux bruns.

Sa nervosité était palpable et Sydney s'efforça de prendre un ton naturel tout en souriant d'une oreille à l'autre. Steve était parfait pour sa fille, et elle espérait que Sabrina l'appréciait tout autant.

— Ça ne me pose aucun problème. Je me disais bien que vous aviez l'air de vous entendre. En revanche, je crains qu'elle ne soit très occupée. Sans compter qu'à chaque Fashion Week, elle devient invisible.

— Je pense que ça ne posera pas de problème. J'ai moi-même du pain sur la planche.

Il avait l'intention de l'inviter à déjeuner, pour commencer en douceur.

— Elle n'est pas en couple, dites-moi ? Je ne voudrais pas froisser qui que ce soit.

— Si, elle est mariée à son boulot. C'est une passion qui l'accapare vingt-quatre heures sur vingt-quatre, sept jours sur sept.

Il éclata de rire.

— J'aime les femmes qui ont de l'ambition. Ça me permet de moins culpabiliser quand je travaille trop.

Sydney lui renouvela sa bénédiction. Avant de raccrocher, Steve lui dit qu'il faudrait se revoir dans les semaines à venir pour parler du détective privé.

— Est-ce que ça ne va pas être abominablement cher ? demanda Sydney.

Elle craignait de voir s'amonceler les factures qu'elle ne pouvait pas payer, et Sabrina avait déjà trop contribué.

— Ce n'est pas donné, concéda-t-il. Mais c'est une chance de trouver l'élément décisif qui permettra d'obtenir un non-lieu, ou de gagner un procès.

— Dans ce cas, j'imagine que ça vaut le coup.

Rendez-vous fut pris en janvier, et Steve lui souhaita un joyeux Noël. Elle se demandait combien de temps il lui faudrait pour inviter Sabrina à sortir, et s'il avait prévu d'attendre le nouvel an pour ne pas se montrer trop empressé.

Sabrina appela sa mère une demi-heure plus tard, l'air agréablement surprise.

— Tu ne devineras jamais qui vient de m'appeler.

— Voyons voir, Brad Pitt ? Harrison Ford ? Leonardo DiCaprio ?

Sabrina éclata de rire.

— Comme d'habitude, évidemment. Mais après eux, j'ai eu Steve Weinstein au téléphone. Il m'a invitée à déjeuner dimanche. Et il m'a demandé si j'avais des projets pour le nouvel an. Je suppose qu'il vient de rompre et qu'il ne sait pas quoi faire de sa peau. J'avais l'intention de travailler ce soir-là, mais il suggère un resto suivi d'un ciné. Ça me semble un bon début pour quelqu'un que je ne connais pas vraiment. Qu'est-ce que tu fais, toi, pour le réveillon ?

Sabrina s'inquiétait pour sa mère, qui ne semblait pas avoir une vie sociale très active ces derniers temps. Les deux filles en étaient conscientes. C'était un changement radical par rapport à sa vie avec Andrew. À l'époque, l'emploi du temps du couple était rythmé par les invitations à dîner dans le Connecticut, les soirées cocktails à New York, les galas de bienfaisance ou les restaurants en tête à tête. Toute cette époque paraissait révolue, et Sabrina était certaine que ces mondanités manquaient à sa mère.

— J'ai prévu de rester chez moi avec un bon bouquin. Et peut-être de travailler un peu. Mais toi, à 27 ans, tu es trop jeune pour m'imiter. Tu devrais sortir avec Steve.

— J'ai accepté, confirma Sabrina, ravie. Il est intelligent, intéressant et de très bonne compagnie. J'ai l'impression que c'est quelqu'un de bien.

Sydney croisait les doigts pour qu'il soit également un avocat brillant.

— C'est aussi l'impression que j'en ai. Au fait, j'ai trouvé que Grayson s'en sortait bien hier soir.

— Ce pauvre garçon, il est tellement stressé. On dirait qu'il suffit de prononcer un mot de travers pour qu'il s'enfuie en courant. Mais il était très drôle pendant le jeu de mimes. Et tu avais raison au sujet d'Ed Chin. Ce mec est adorable. J'étais un peu méfiante avant de le rencontrer à cause de cette boîte de merde, mais en réalité c'est quelqu'un de bien. Il a eu raison de démissionner. Zeller va entraîner tout le monde dans sa chute, comme il l'a fait avec toi.

Sydney n'était plus en position de la contredire.

— Bref, en tout cas, amuse-toi bien avec Steve. Mais ne va pas trop le distraire, j'aimerais quand même qu'il gagne mon procès.

C'était comme si sa mésaventure appartenait au passé. Tout était revenu à la normale, et les quatre jours en prison avaient tout l'air d'un mauvais rêve.

Mais tôt ou tard, elle savait que la procédure judiciaire reviendrait sournoisement la hanter, et qu'elle allait devoir y faire face.

★★★

Comme prévu, Sydney resta chez elle pour la Saint-Sylvestre, avec au programme un marathon de vieux films et un peu de boulot. Elle n'aurait pas voulu le passer autrement cette année, pas si tôt après la mort d'Andrew, ni après tant d'épreuves. Il y aurait d'autres réveillons.

À minuit, Ed l'appela depuis la soirée à laquelle il avait été convié. Sophie l'imita très rapidement pour lui souhaiter la bonne année et lui apprit que Grayson était déjà couché. Ils avaient eux aussi choisi de rester à la maison, et elle avait regardé la boule géante tomber sur Times Square à la télé – une soirée un peu trop pantouflarde pour des jeunes, de l'avis de Sydney.

Le lendemain, Sabrina lui raconta sa soirée avec Steve. Ils s'étaient retrouvés dans un restaurant de Greenwich Village et, au lieu du cinéma, ils étaient allés faire du patin à glace au Rockefeller Center sous le sapin mythique. Puis ils avaient passé des heures à faire plus ample connaissance autour d'une bouteille de champagne. Un réveillon parfait.

Après le 1er janvier, Ed et Sydney se mirent à plancher sérieusement sur leur marque, pour définir l'esprit de leur ligne. Ils voulaient se distinguer grâce à des beaux tissus, un design intéressant, des textures subtiles, et un look structuré – sérieux sans être austère – avec par moments des touches de douceur. L'idée était de concevoir des vêtements qui feraient envie à toutes les femmes et à des prix abordables mais pas bas de gamme comme ceux de Lady Louise.

Quand vint la deuxième semaine de janvier, elle retrouva Steve Weinstein pour suivre l'avancée de son dossier, comme convenu. Il lui parla du détective qu'il voulait embaucher, et à qui il avait déjà fait appel. Il jugeait également utile de louer les services de quelqu'un à Pékin pour interroger le fabricant. Steve était prêt à soulever toutes les roches pour trouver son anguille. Les preuves de l'implication de Paul Zeller étaient forcément quelque part. Avocat et détective étaient tombés d'accord sur une somme et Steve proposait d'avancer les frais, ce qui fut un véritable soulagement pour Sydney. Avec cette histoire, l'argent filait comme de l'eau entre ses doigts, et elle voulait éviter d'ouvrir en grand les vannes pour ne pas se noyer dans les dettes.

Ils n'évoquèrent pas Sabrina. Sydney ne voulait pas mélanger ses affaires avec la vie sentimentale de sa fille, mais elle était très curieuse de savoir s'ils s'étaient revus. Avec la Fashion Week de New York qui se profilait, Sabrina devait crouler sous le travail. Sophie était tout aussi accaparée par sa collection, et venait de remporter le prix du meilleur design dans sa catégorie, confirmant ainsi que la mode junior était sa niche. Sa fraîcheur et son dynamisme conféraient à sa ligne un esprit ludique rare sur un marché pour adolescentes inondé par la vulgarité.

Une semaine plus tard, Sydney et Steve se rendirent au bureau du procureur fédéral chargé du dossier pour un interrogatoire poussé. L'accusation se comportait comme si elle en savait davantage qu'elle ne l'affirmait sur les intentions de son ancien employeur et lui mettait une pression folle. Mais Sydney soutint avec sincérité qu'elle était innocente. Paul Zeller n'avait jamais parlé ni de marchandise volée ni d'activité illégale. Elle répéta qu'elle avait cru que les sacs étaient de très bonnes copies. Le procureur fédéral ne cacha pas son agacement. Un grand jury avait été convoqué et, sur la base des preuves présentées dans le dossier de l'accusation, la mise en examen avait été confirmée et on devait procéder à l'instruction de l'affaire. Cela signifiait un procès.

En février, Sydney se rendit au défilé de Sabrina ainsi qu'à la présentation de Sophie. Les défilés étaient toujours spectaculaires, avec des mannequins splendides et des vêtements sensationnels de grands créateurs. Sydney adorait y assister. Par passion et pour admirer le travail de sa fille. Avec Ed, ils commentèrent les tenues en détail à mesure que les top-models déambulaient sur le podium. Soudain, elle lui donna un coup de coude.

— Quoi ? s'étonna-t-il.

Si c'était pour lui signifier qu'elle aimait la robe qui venait de passer, il ne comprenait pas. La pièce était chic mais n'avait rien d'exceptionnel.

Sydney était du même avis. Ce n'était pas la robe qu'elle regardait, mais le premier rang de l'autre côté du podium, presque face à eux. Elle venait seulement de remarquer Steve, et elle adressa un sourire complice à Ed. Il ne les avait pas vus, et les deux amis le retrouvèrent à la fin du défilé. L'avocat semblait légèrement mal à l'aise, comme si on venait de le surprendre dans un endroit compromettant.

— C'est la première fois que j'assiste à un défilé, avoua-t-il. Sabrina m'a invité.

— C'est une chouette expérience, dit Sydney. Les défilés sont toujours extravagants et coûtent une fortune à produire. Le spectacle compte autant que les vêtements.

— J'aime bien ce qu'elle fait.

— Nous aussi, approuva Ed.

Sydney suivit Ed qui souhaitait saluer des connaissances, et Steve se rendit en coulisses pour féliciter Sabrina. Sydney s'en garda bien, connaissant le chaos qui y régnait et ne voulant pas affronter la foule. Elle appellerait sa fille plus tard.

Un chapiteau avait été dressé dans Central Park pour l'occasion. Toutes les plus grandes rédactions de magazines étaient représentées. Au premier rang, Anna Wintour était assise à côté de Grace Coddington, la directrice artistique de *Vogue*, dont la chevelure d'un roux flamboyant n'était pas sans rappeler celle de Sophie. En se pressant vers la sortie, bousculée par la foule, Sydney se retrouva nez à nez avec sa belle-fille. C'était bien la dernière personne qu'elle avait envie de croiser, mais il n'y avait pas moyen de l'éviter.

— Kyra, c'est un plaisir, dit froidement Sydney.

Elle s'efforçait de rester polie, par respect pour la mémoire d'Andrew. Sa présence n'était pas une surprise, car Kyra était une habituée de la Fashion Week où elle commandait ses tenues pour la saison suivante.

— Ils t'ont laissée sortir de prison pour aller voir le défilé de ta fille ? demanda Kyra.

Sydney en resta bouche bée un instant. La remarque vicieuse lui avait fait l'effet d'un coup de poing en plein plexus solaire, qui lui avait coupé le souffle. Son sens de la repartie s'étant envolé, elle détourna simplement la tête et trouva le soulagement dans la dispersion progressive de la foule qui lui permit d'enfin rejoindre la sortie.

Dehors, il pleuvait depuis le matin. Alors qu'elle marchait prestement sur le sentier, Ed lui demanda :

— Qu'est-ce que cette fille t'a dit ? Tu es devenue pâle comme un linge d'un coup.

— C'était mon insupportable belle-fille. Elle a fait une allusion déplacée à mon arrestation.

— Tu aurais dû l'envoyer balader. Avec moi, elle aurait eu droit à un coup de parapluie. Quelle connasse.

— En effet.

Kyra lui avait gâché sa journée.

En arrivant à leur studio à Chelsea, Ed, désolé pour son amie, déclara :

— Ne les laisse pas te casser le moral. Souviens-toi de qui tu es. Ça, personne ne peut te l'enlever.

Elle savait qu'il avait raison. Mais depuis la mort d'Andrew, elle avait été dépossédée de sa maison, de sa confiance en elle et de sa foi en la nature humaine. C'était tellement difficile de ne pas se laisser affecter par tous ces changements.

En avril, Ed et Sydney organisèrent une petite présentation privée réservée à une élite triée sur le volet pour dévoiler en avant-première quelques pièces de leur future collection qui serait révélée à la Fashion Week de septembre. Parmi les invités comptaient les rédactrices en chef les plus influentes, quelques acheteurs incontournables, et de rares journalistes de la presse mode. Sydney appréhendait l'événement, craignant que de mauvais retours aient des conséquences sur le lancement officiel, mais Ed était confiant. La soirée aurait lieu dans leur studio de Chelsea, et on y servirait du champagne et des petits-fours. Leurs mannequins préférés porteraient les vêtements. Le mot d'ordre était l'innovation, et Sydney avait pu s'y consacrer entièrement puisque, à son grand soulagement, sa comparution avait été ajournée à mai.

Les parents et l'un des oncles d'Ed firent le voyage depuis Hong Kong pour témoigner de leur soutien, et Sydney fut ravie de les revoir et de leur présenter ses filles. Pour elle, comme pour Ed, la famille était présente. La présentation était composée de dix looks, et Sydney avait travaillé sans relâche avec les mannequins, les modistes et les couturières pour que tout soit parfait. Ni elle ni Ed ne dormirent de la nuit pour mettre la touche finale.

— Prête ? lui demanda Ed juste avant l'arrivée des invités VIP.

Elle hocha la tête, le souffle court. La situation était terrifiante. Ils avaient combiné leurs talents, suivi leur rêve, et présentaient maintenant leur bébé au monde.

Soixante personnalités influentes de la mode devaient être présentes. Un service de voituriers avait été mis en place. Des serveurs circulaient avec des flûtes de champagne, et dans un coin, une table proposait du caviar américain. Le nombre de convives se révéla plus élevé que prévu. Deux des rédactrices en chef avaient amené des amis, plusieurs journalistes avaient appelé pour demander à être ajoutés à la liste, et les Chin étaient venus avec leur banquier de Hong Kong, un Anglais du nom de Robert Townsend, qui se trouvait à New York pour affaires. Ed fit rapidement les présentations, mais Sydney était trop stressée pour lui prêter attention, et elle retourna vite en coulisses auprès des mannequins qui trépignaient d'impatience, conscientes de l'enjeu.

Le cœur de Sydney battait la chamade quand les invités s'assirent en même temps que démarrait la musique. L'éclairage était parfait, le son idéal grâce au matériel loué pour l'occasion, et tout le monde fut subjugué dès l'entrée de la première mannequin.

Tous les yeux étaient braqués sur les filles, alors que l'élite de l'industrie de la mode évaluait la qualité de cette nouvelle marque qui avait vu le jour en quatre mois.

Les mannequins défilaient selon une rythmique bien réglée, et quand la dernière fit son apparition dans une robe de soirée à couper le souffle qui contrastait avec la sobriété du reste de la collection prêt-à-porter, tout le monde se leva dans un tonnerre d'applaudissements.

— Fantastique... Magnifique... Absolument incroyable...

Les louanges pleuvaient dans la salle quand on ralluma les lumières, et les rédactrices de *Vogue* sortirent le sourire aux lèvres. Elles avaient été très encourageantes, comme souvent avec les jeunes créateurs – une catégorie à laquelle pouvait prétendre Sydney puisque la marque était nouvelle et qu'elle avait été absente du milieu si longtemps. Son bref passage chez Lady Louise n'avait été qu'un gagne-pain, la collection qui devait y porter son nom n'avait pas eu le temps de sortir avant son arrestation.

Ed vint la serrer dans ses bras quand elle émergea des coulisses. La salle était bondée et le champagne coulait à flots – des caisses de Cristal offertes par les parents d'Ed.

— Je ne suis pas un fin connaisseur en matière de mode, mais j'ai trouvé que c'était un beau défilé, déclara Robert Townsend.

Sydney avait encore les jambes en coton. Elle avait mis tout son cœur et toute son âme dans cette présentation et avait travaillé d'arrache-pied avec Ed pendant des mois. Certaines pièces devaient être montrées lors de la Fashion Week, mais pour l'essentiel, elles avaient pour simple but de donner un avant-goût de l'alliance de leurs talents.

— Vous devez être très fière, dit Townsend.

— Surtout soulagée. J'étais morte de peur, confiat-elle avec sincérité. Chaque défilé est une première, expliqua-t-elle devant sa mine surprise.

Elle accepta une flûte qu'un serveur lui proposait, et leva les yeux vers lui.

Robert Townsend lui sembla grand. La cinquantaine, avec une épaisse chevelure brune à la coupe impeccable grisonnant aux tempes, il avait les yeux d'un bleu profond, presque comme les siens.

Sydney était toute vêtue de noir, jean, tee-shirt, et ballerines en daim. Ed et elle avaient choisi de s'habiller de la même façon pour le salut au public final.

— À Hong Kong, nous sommes très fiers d'Ed, remarqua Bob Townsend avec un sourire chaleureux. Notre seul regret est de ne pas le voir plus souvent. D'autant qu'il sera bien trop occupé désormais, du moins pour un moment.

— On va dévoiler la collection entière, ici, à New York, en septembre. Mais on pourrait organiser quelque chose à Hong Kong.

Elle pensait à un événement caritatif, ou à un hommage à la ville natale de son associé.

— Dans ce cas, il faudra que vous veniez nous voir.

— J'y ai séjourné l'an dernier, avec Ed. C'est une ville incroyable.

— N'est-ce pas ?

Robert regarda attentivement la belle femme qui lui faisait face, et son regard surprenant, empreint de profondeur et de tristesse. Il devinait que la vie n'avait pas toujours été tendre avec elle, malgré ses manières pleines de grâce et de chaleur. Alors il s'ouvrit :

— J'ai grandi à Londres et j'ai eu le coup de foudre pour Hong Kong dès ma première visite. J'ai vécu dans plusieurs villes en Asie : Shanghai, Tokyo... mais mon cœur est à Hong Kong.

Elle sourit.

— Je n'imagine pas vivre ailleurs, poursuivit-il. Je voyage beaucoup, et je suis toujours heureux d'y rentrer.

Les parents de Ed se joignirent à eux, et ils bavardèrent quelques minutes avant qu'elle se tourne vers d'autres invités. Quand le dernier s'en alla après les dernières félicitations, il était presque vingt et une heures. Ed devait dîner avec sa famille au 21 et lui proposa de l'accompagner, mais elle refusa, sous prétexte qu'elle était exténuée et ne ressemblait plus à rien.

— Moi non plus, et alors ? protesta Ed avec un air radieux. Nous sommes des stars à présent.

Sa grandiloquence les fit rire, car ils savaient tous deux que la soirée aurait pu facilement tourner au fiasco. Steve et Sabrina les avaient quittés pour une autre soirée, et Sophie était retournée travailler. Ed insista. Il refusait de laisser Sydney passer la soirée seule après leur exploit. Elle finit par céder et ils prirent un taxi jusqu'au restaurant. Pendant le trajet, ils commencèrent enfin à se détendre. Sydney avait si peu mangé et dormi ces dernières vingt-quatre heures qu'elle ressentait l'ivresse d'une seule flûte de champagne.

— Si je m'endors à table, n'hésite pas à me donner un coup de pied, dit-elle. Je pourrais dormir pendant une semaine.

— Moi aussi.

La pression était retombée après la réussite de cette soirée.

— Je t'ai vue bavarder avec Bob Townsend. C'est un type bien, qui n'a rien à voir avec la plupart des banquiers. Il était marié à une célèbre écrivaine chinoise, et ils ont divorcé il y a des années. Elle a déménagé à Londres et l'a laissé avec quatre enfants. Ensuite il s'est remarié à une actrice chinoise, mais ça n'a pas duré. Il n'est pas aussi sérieux qu'il en a l'air.

— En effet, à t'entendre, on dirait plutôt un don Juan.

Un bâillement lui échappa. Elle peinait à rester éveillée.

— Pas exactement. Et je sais de quoi je parle, j'ai grandi avec ses enfants. Si j'étais hétéro, j'épouserais sa fille aînée sans hésiter, plaisanta-t-il. Son fils est écrivain. Ils sont tous bourrés de talent et ils ont la fibre entrepreneuriale. Lui est un grand collectionneur d'art, une des plus grosses fortunes de Hong Kong. Il vient souvent à New York.

— J'ai cru comprendre, oui.

Ils étaient arrivés au restaurant. Les parents d'Ed y avaient privatisé une salle et avaient invité plusieurs amis à se joindre à eux. Chacun applaudit et félicita les créateurs à leur entrée. Sydney avait l'impression d'avoir remporté un oscar ou un CFDA Fashion Award. Leur première présentation avait sans conteste été un succès.

Le menu avait été précommandé, avec toutes les spécialités du 21. Cela faisait un moment que Sydney n'y avait pas mangé et elle avait oublié à quel point elle aimait ce restaurant. L'atmosphère était détendue et conviviale. Quand ils s'assirent aux places qui leur étaient assignées, elle se retrouva à côté de Bob Townsend. Maintenant qu'elle en savait davantage à son sujet, elle le trouvait intrigant.

— Ed me dit que votre fils est écrivain, dit-elle en attendant que le dîner soit servi.

— En tout cas, il essaie, répondit Bob avec un sourire. Il vient de terminer son premier roman. J'ai aussi une fille peintre à Shanghai. Ma plus jeune est en école de médecine en Angleterre, et ma fille aînée est cheffe dans l'un des meilleurs restaurants de gastronomie française à Hong Kong. Elle est diplômée du Cordon-Bleu, à Paris.

La fierté se lisait sur son visage, et il était clair qu'il aimait ses enfants. Leur lien devait être privilégié, s'il les avait élevés seul.

— C'est un sacré panel de talents.

À en juger par cette diversité de vocations, il avait dû les encourager à suivre leur rêve, quel qu'il soit. Aux yeux de Sydney, c'était admirable.

— Ce sont vos filles que j'ai aperçues au défilé ? L'une d'elles était votre portrait craché. Vous pourriez être sœurs.

Il parlait forcément de Sabrina, car avec sa crinière de boucles rousses et ses traits doux, Sophie était très différente.

— Oui, elles étaient là. Toutes les deux sont stylistes. J'imagine qu'avec moi, elles baignent dans la mode depuis toujours. Toutes petites déjà, je les emmenais aux défilés haute couture à Paris. J'étais styliste à l'époque, avant mon second mariage.

— Et ensuite ?

Ed avait parlé d'elle en termes élogieux, et Bob s'intéressait à ce qu'elle avait à dire, ainsi qu'à la femme derrière la créatrice de talent, dont il percevait l'histoire complexe.

— Je me suis longtemps arrêtée. Je ne suis revenue dans le milieu que l'an dernier.

— Vous êtes divorcée ?

— Veuve.

Sydney essayait de rester factuelle et de ne pas sombrer dans le pathos. Elle commençait seulement à s'habituer à ce mot, et le prononcer lui semblait encore étrange. Elle avait toujours l'impression de parler de quelqu'un d'autre quand ce terme franchissait ses lèvres. Comment pouvait-elle être veuve à 49 ans ? Et pourtant, c'était bien le cas.

— Je suis désolé.

Comme Sydney ne disait rien, il poursuivit :

— C'est une bonne chose que vous ayez repris le travail. J'ai divorcé quand les enfants étaient très jeunes, et leur mère a quitté Hong Kong. Ils passaient les étés et les fêtes avec elle, et vivaient avec moi le reste du temps. Pendant longtemps, je me suis apitoyé sur mon sort, mais il a bien fallu reprendre du poil de la bête. On a vécu à Tokyo pendant cinq ans, puis deux ans à Shanghai. Après quoi, on est retournés un an en Angleterre, pour enfin rentrer à Hong Kong. Tous ces déménagements les ont ouverts sur l'extérieur, et moi aussi. L'inconvénient, bien sûr, c'est que maintenant ils ont l'impression que le monde leur appartient, et ils sont dispersés sur tous les continents. Mais bon, deux sont rentrés à Hong Kong. Mes aînés. Les deux plus jeunes ont la bougeotte. Ça doit être de famille. J'aurais adoré passer un an à Paris quand ils étaient plus jeunes, mais je n'ai pas eu de missions là-bas. Mon travail m'emmène à Londres, en Asie, et à New York, ce qui est déjà une belle combinaison. Je viens ici toutes les six semaines, parfois une fois par mois.

Grâce aux fortunes immenses de ses clients chinois, Robert Townsend était une personnalité importante dans le milieu de la finance internationale.

— Mon mari aussi était banquier d'investissement, mais pas au niveau international. On passait beaucoup de temps à Paris. J'adore cette ville. Je suis en train de vendre notre appartement là-bas.

Elle essayait de ne pas laisser la tristesse percer dans sa voix.

— Quel dommage. Vous n'envisagez plus d'y retourner ? demanda-t-il prudemment, soucieux de ne pas se montrer indiscret.

— Trop de souvenirs.

Il hocha la tête pour lui signifier qu'il avait compris la concision de sa réponse et n'insista pas. Mais il se demandait si son avis n'évoluerait pas avec le temps.

— La plupart des gens ne le voient pas sous cet angle, mais je crois que nos vies sont faites de chapitres, dit-il doucement. On veut tous croire que les mêmes personnages resteront dans l'histoire pour toujours. Pourtant, c'est rarement ainsi que ça se passe. Certains personnages quittent le roman, d'autres y entrent. C'est ce qui rend la vie si excitante et surprenante, vous ne trouvez pas ?

— Je n'ai jamais vu les choses sous cet angle. J'imagine que j'ai toujours cru que l'histoire resterait la même pour toujours. C'est plus facile comme ça.

— Malheureusement, le choix ne dépend pas de nous. C'est le destin qui s'en charge, dit-il avec un sourire plein de sagesse avant d'expliquer : J'ai 54 ans et j'ai été marié deux fois, à des femmes extrêmement intéressantes et originales. Je ne l'avais pas prévu, mais avec le recul, je me dis que je me serais peut-être ennuyé si mon histoire n'avait pas pris un tournant si radical de temps en temps.

— Moi aussi, j'ai connu deux époux. Mon premier mariage n'était pas fait pour durer éternellement. Le deuxième, si.

Elle se raccrochait encore aux souvenirs de son couple avec Andrew, même s'il lui restait si peu de choses de ce qu'ils avaient partagé et qu'elle avait l'impression de ne plus être la même personne.

— Apparemment pas, puisque vous en êtes là. Je suis conscient que c'est facile à dire, pour moi. Certains changements sont plus difficiles à accepter que d'autres. Et il semblerait que je n'apprenne qu'en faisant des erreurs, plaisanta-t-il. Ce sont mes enfants qui me remettent dans le droit chemin. Chaque fois que je tombe dans l'auto-apitoiement, ils me rappellent combien j'en ai profité, me donnent un coup de pied aux fesses et m'enjoignent d'aller de l'avant. En général, ils ont raison. Et quand je me laisse aller à pleurer sur ce que j'ai perdu, je me secoue en me disant que les choses sont plus belles dans le rétroviseur qu'elles ne l'étaient en vrai. C'est valable pour moi, en tout cas.

Cette réflexion valait aussi pour elle. Elle avait aimé Andrew, mais le chaos dans lequel il l'avait laissée avait terni certains de ses souvenirs.

Bob changea de sujet :

— Alors, quels sont vos projets maintenant ? Le succès dans votre entreprise avec Edward, bien sûr. Je pense que j'en ai eu un aperçu ce soir. Un bel avenir vous attend.

Il avait affirmé cela avec aplomb, et elle aimait cette attitude positive et pleine d'assurance.

— Je suis tellement contente que nous ayons lancé la marque. C'est une chance incroyable pour moi. Je suis heureuse de retrouver la mode et de créer avec lui.

— Et sur le plan artistique, on peut dire que vous formez un beau duo.

— J'adore cette collaboration. On se complète. Son travail adoucit le mien, et de mon côté j'apporte un peu de force.

Tout était une question de matières, de structure, et de style. Ed ne pouvait pas résister à un tissu fluide ou à un drapé flottant. Sydney, elle, aimait les formes plus rigides et les lignes nettes. Pour l'instant, ils étaient parvenus à conjuguer leurs deux univers.

— Est-ce que vous voudriez avoir votre propre marque ? La vôtre, s'entend, pas une collaboration.

Leurs assiettes venaient d'arriver. Bob avait choisi le filet mignon, et Sydney le steak tartare, parmi une présélection qui comprenait aussi du homard et une entrée végétarienne.

— Ce n'est pas dans mes projets. J'ai l'intention de travailler avec Ed pendant très, très longtemps. Ce n'est que le tout début.

Il hocha la tête, et elle pensa à ce qu'il lui avait dit plus tôt, sur les chapitres de la vie. Mais ce n'était pas une nouvelle page pour elle, c'était une tout autre histoire, avec Ed comme associé.

— Combien de temps restez-vous à New York ?

— Quelques jours. Une semaine tout au plus. Je dois me rendre à San Francisco pour rencontrer des investisseurs en capital-risque. Ensuite, retour à Hong Kong. Mais je reviendrai d'ici un mois ou deux.

Sydney était également assise à côté de Philip Chin, l'oncle qui l'avait recommandée auprès de Steve Weinstein, et elle le remercia à voix basse, alors que Bob Townsend reportait son attention sur la personne à sa gauche.

— J'espère que tout se résoudra comme de juste, dit Philip. Toute cette histoire est un vrai sac de nœuds.

— Oui, c'est le moins qu'on puisse dire. J'y travaille encore, dit-elle avant de changer de sujet.

La soirée se termina aux alentours de minuit. Après avoir remercié les Chin et dit à Bob qu'elle avait apprécié leur conversation, Sydney s'engouffra dans un taxi. Une fois arrivée à l'appartement, elle eut à peine la force de rejoindre sa chambre pour s'allonger sur le lit et s'endormit instantanément, tout habillée. La soirée avait été parfaite. C'était officiel : la maison Sydney Chin était née.

11

Le lendemain, Bob Townsend appela Sydney au bureau pour l'inviter à déjeuner le jour même. Après une hésitation, elle le remercia et lui demanda si elle pouvait le rappeler.

Ed venait d'entrer dans son bureau et remarqua l'air nerveux de Sydney quand elle raccrocha.

— C'était Bob Townsend, expliqua-t-elle. Il veut m'inviter à déjeuner.

— Et alors ? Quel est le problème ?

Ed n'y voyait que des raisons de se réjouir. Bob était quelqu'un qu'il appréciait beaucoup.

— Je pense que c'est une mauvaise idée. Je suis sûre qu'il ne m'a proposé ça que par amitié, mais s'il éprouve le moindre intérêt pour moi, je ne peux pas accepter.

— Il va falloir que tu m'expliques pourquoi. Tu as 49 ans. Est-ce qu'on est censés te mettre à l'eau sur une barge et y mettre le feu en l'honneur de ton mari mort ? La tradition est un peu passée de mode, non ? Allez, on vient de lancer une marque qui décolle, et c'est un homme bien. Pourquoi tu ne t'accorderais pas un peu le temps de vivre au lieu de travailler non-stop ?

— Là n'est pas la question.

Bien sûr, le fait de toujours se sentir mariée à Andrew avait son importance, mais ce n'était pas le seul obstacle.

— Dans six mois, je pourrais me retrouver en prison. Je n'ai pas le droit d'entraîner quelqu'un d'autre dans ma chute.

— Super, et moi dans tout ça ? répliqua Ed avec bonne humeur. On dirige une entreprise ensemble, je te rappelle. Et, à mon avis, tu ne crois pas vraiment à cette histoire de prison. Si c'était le cas, tu ne te serais pas lancée dans cette aventure de Sydney Chin.

— Je n'ai pas su te dire non. Mais d'après Steve, l'incarcération reste à envisager. Je ne crois pas que ce soit le bon moment pour fréquenter quelqu'un. Et je ne veux pas avoir à m'expliquer. C'est tellement sordide et sinistre. « Recel de vol ». On dirait une délinquante.

Ed secoua la tête.

— Dans ce cas, ne lui dis rien, si tu n'en as pas envie. Mais merde, c'est qu'un déjeuner ! Il faut bien que tu manges, même si tu n'as pas l'air de faire ça très souvent. Vas-y et puis c'est tout. C'est un ordre. Il ne va pas te demander en mariage, et tu ne vas pas lui briser le cœur en le plantant là pour aller croupir en taule. Il veut juste partager un repas avec toi. Ça me semble relativement civilisé. Tu vas passer un bon moment, j'en suis sûr. En tout cas, moi, je ne m'ennuie jamais avec lui.

Ed retourna dans son bureau et elle réfléchit encore quelques minutes, avant de décider qu'il avait raison, qu'elle se compliquait sans doute la vie pour pas grand-chose. Alors elle rappela Bob et accepta de le retrouver dans le West Village. Ce matin-là, elle ne s'était pas habillée avec un rendez-vous galant en tête, et elle portait un jean, un pull en cachemire rose, un blazer bleu marine, et des ballerines, qui lui donnaient une allure jeune et décontractée.

Bob était déjà installé quand elle arriva. L'air enchanté de la voir, il se leva pour la saluer. Ses manières courtoises avaient quelque chose de très britannique – tout comme celles de la famille d'Ed, dont tous les membres avaient fréquenté des écoles anglaises. C'était une chose qu'elle aimait beaucoup chez eux : le respect de la politesse et de la bienséance. Bob était tout aussi séduisant et bien habillé que la veille dans son costume et sa cravate Hermès.

— Merci d'avoir accepté cette invitation au pied levé, dit-il alors qu'ils s'asseyaient. J'espérais vous revoir. J'ai vraiment apprécié cette soirée en votre compagnie hier. D'ailleurs, pardonnez-moi si j'ai pu vous froisser. Je ne sais pas ce que c'est que de perdre la personne que l'on aime. C'est certainement atroce. Je n'ai jamais fait que divorcer, et on y trouve toujours une forme de soulagement. Aucun mariage n'est parfait. Mais la mort confère un vernis de perfection à nos proches. Peut-être est-ce le cas avec votre mari. Ou bien peut-être était-il véritablement parfait.

Il avait peur de l'avoir blessée par ses propos, mais elle était simplement contente de le voir.

— Notre mariage était très heureux. Mais non, Andrew n'était pas parfait. Il ne l'est toujours pas, avec le recul. J'ai découvert après coup qu'il a fait des choses qui me rendent la vie très difficile.

Elle n'avait pas de mal à parler franchement, tant il était facile de s'ouvrir à lui.

Bob supposa que son mari avait laissé derrière lui une maîtresse dont elle n'avait découvert l'existence qu'après le décès et qui lui faisait peut-être vivre un enfer à présent. Ce genre de nouvelles avait de quoi briser un cœur. Peut-être même était-il mort dans les bras d'une autre. On avait déjà vu plus insolite pour ternir l'image d'un mari défunt.

— J'imagine que vous parlez d'une femme, avança-t-il prudemment.

Elle sourit et poussa un soupir.

— Deux, à vrai dire.

Bob haussa un sourcil. Décidément, il ne s'était pas privé, songea-t-il. Leurs assiettes arrivèrent, et Sydney expliqua :

— Nous étions mariés depuis seize ans, et notre contrat prénuptial était clair et net. Le régime de la séparation des biens garantissait que tout ce qu'il payait de sa poche lui appartenait. Il a tout payé. Notre maison, nos œuvres d'art, notre train de vie. C'était un homme très généreux. Malheureusement, il n'a jamais pensé à mettre à jour son testament, ni à modifier notre contrat de mariage. Il était jeune, en bonne santé. À 56 ans, il devait penser qu'il avait tout le temps devant lui, ce qui est parfaitement normal. Mais il a eu cet accident de moto, et il est mort sur le coup. Le dernier testament en vigueur était celui rédigé avant notre rencontre. Ses filles, des jumelles qui m'ont haïe dès le premier instant où elles ont posé les yeux sur moi, ont hérité de tout, ma maison, la collection d'art, tout. Elles m'ont donné trente jours pour quitter la place. J'ai eu le droit de garder mes vêtements, ce qu'il restait sur notre compte joint, et un pied-à-terre à Paris qu'il m'avait offert et que j'essaie maintenant de vendre. En un claquement de doigts, je me suis retrouvée complètement démunie, avec à peine de quoi payer un loyer. Jamais il n'aurait voulu qu'une chose pareille m'arrive, mais il n'a rien fait pour m'en préserver. Ses filles étaient aux anges en apprenant que je n'avais rien. Voilà l'histoire. Andrew aurait dû prendre ses dispositions et rédiger un nouveau testament. Son erreur monumentale a changé ma vie pour toujours. Mais j'ai un boulot, j'ai rencontré Ed, qui m'a littéralement sauvée, et maintenant nous dirigeons une entreprise ensemble. J'imagine que les choses finissent par s'arranger, comme vous le disiez.

Elle ne semblait ni amère ni en colère, ce que Bob trouva incroyable, car ces deux émotions auraient été légitimes. Il ne pouvait pas concevoir combien ces derniers mois avaient dû être éprouvants pour elle, sans un sou vaillant, mise à la porte de chez elle, et privée de tout.

— Il n'était pas possible de négocier la maison avec ses filles ?

— Elles m'auraient brûlée sur le bûcher si elles avaient pu. Elles m'ont toujours détestée, avec le soutien de leur mère. Pour être honnête, il m'arrive parfois d'être en colère. Mes sentiments sur la situation sont très partagés.

— Les miens ne le seraient pas, trancha-t-il alors qu'ils mangeaient leur salade. J'aurais envie de les étriper. D'ailleurs, je me propose de le faire pour vous. Quel genre de personne vous laisse trente jours avant de vous expulser de votre propre maison ? C'est barbare. Elles ont quel âge ?

— Trente-trois ans. Mais ce sont des gamines extrêmement malveillantes et pourries gâtées.

— C'est le moins qu'on puisse dire. Je crois que le qualificatif que vous cherchez est « petites garces ».

Il la regardait avec admiration en mesurant ce qu'elle avait dû affronter depuis la mort de son mari, et à quel point cette période avait dû lui briser le cœur et la terrifier.

— Est-ce que le calme est revenu après la tempête ?

C'était une jolie métaphore, et elle sourit.

— J'ai eu peur du naufrage à un moment, mais le navire est toujours à flot. Je gère, et si la marque est un succès, alors tout ira bien. Je travaille de nouveau. C'est un très grand chamboulement par rapport à ma vie de femme mariée. Comme vous le dites, rien ne dure éternellement. Jamais je n'aurais imaginé une chose pareille.

— Heureusement, vous êtes encore assez jeune pour redresser la barre.

— Oui. Et voilà. Je vous ai tout dit de ma triste histoire.

Ils parlèrent de choses et d'autres, et le temps fila. Bob n'avait vraiment pas envie de la quitter, mais il avait rendez-vous à Wall Street, et au bout de deux heures, il demanda l'addition. Il brûlait de lui avouer son admiration pour sa résilience, son courage, et son énergie gardée entière et intacte. Mais par peur de la mettre mal à l'aise, il se tut.

Elle le remercia pour le déjeuner et ils se quittèrent devant le restaurant. Il promit de l'appeler à son prochain passage à New York. Puis elle retourna au bureau, et lui prit un taxi pour rejoindre Wall Street. Ed, qui guettait le retour de Sydney, l'intercepta aussitôt.

— Alors ? Comment ça s'est passé ?

Il aimait bien l'idée de ses deux amis ensemble. La veille, le couple Bob et Sydney lui avait soudain paru très séduisant.

— C'était parfait, dit-elle avec détachement. Il m'a demandé de l'épouser. J'ai accepté. Nos avocats sont en train de rédiger le contrat de mariage. Ils devraient nous l'envoyer d'ici la fin de la journée.

L'espace d'un instant, la stupeur se peignit sur le visage d'Ed. Puis il éclata de rire.

— Tu lui as parlé de la procédure judiciaire ?

— Non. Je lui ai dit que j'avais tout perdu au profit de mes belles-filles à la mort d'Andrew. Je me suis dit que ça faisait déjà assez Cosette pour un premier rendez-vous. Je lui parlerai de la prison à perpétuité la prochaine fois, s'il y en a une. Tu avais raison, j'ai passé un bon moment. C'est vraiment un homme bien. Je déjeunerai volontiers avec lui à nouveau, s'il me le propose.

— Je suis sûr qu'il le fera.

Ed savait qu'il n'y avait pas une once d'apitoiement chez elle. C'était un des traits merveilleux de sa personnalité : elle savait rebondir. Sydney était une battante.

Elle retourna à son poste et envoya un mail à Bob pour le remercier. La perspective d'un nouvel ami était réjouissante.

★★★

La comparution d'avril ayant été repoussée à nouveau, Sydney fut convoquée au tribunal en mai. Ce n'était qu'une formalité, mais elle la ramena à la réalité de la situation. Le reste du temps, elle était trop occupée à vivre sa vie et à lancer sa marque pour y penser. Mais maintenant, elle était bien obligée d'affronter l'éventualité de la prison en cas de défaite. Il était difficile de deviner l'issue à l'avance. Le détective privé n'avait rien découvert d'incriminant sur Paul Zeller. Ce dernier avait bien couvert ses arrières. À l'audition, on l'avait interrogée à nouveau sur les activités de Paul, et elle avait répété qu'elle ne savait rien. Elle n'était pas dans ses confidences, ne le connaissait pas si bien, et l'avait à peine vu une fois avant d'accepter le poste. Mais le procureur ne semblait pas la croire.

Dans une petite salle de conférences du tribunal, après l'audience, elle discutait avec Steve Weinstein de la suite des événements, quand l'assistant du procureur fédéral passa la tête par l'entrebâillement et demanda une concertation. L'avocat sortit pour lui parler, et revint au bout de vingt minutes. Avec un regard grave, il s'assit en face de Sydney.

— Ils veulent vous proposer un accord. Ça signifie que l'affaire ne les intéresse plus, mais qu'ils ne veulent pas abandonner les charges pour autant. Un procès coûterait cher à tout le monde, et impliquerait un énorme investissement en termes de travail, et ils préféreraient passer un accord avec vous pour éviter cela.

— Quel genre d'accord ? demanda-t-elle, méfiante.

— Ils offrent de vous laisser la possibilité de plaider coupable avec des charges moins lourdes. Elles restent à déterminer de leur côté, mais il s'agirait d'un délit majeur. Peut-être pour vol aggravé, quelque chose de moins lourd sur le plan pénal que le recel de biens volés. Et ils vous proposent de réduire la peine à un an de prison. En échange, ils veulent que vous plaidiez coupable et leur disiez tout ce que vous savez sur Zeller.

Devant son air ébahi, il précisa :

— Vous pourriez probablement sortir au bout de neuf mois.

— Mais je leur ai déjà raconté tout ce que je sais sur lui ! Et vous êtes en train de me dire que je plaiderais coupable pour vol, ce qui signifie avoir un casier judiciaire et en plus passer entre neuf et douze mois en prison ? C'est quoi, cet accord ?

— Il est loin d'être idéal, concéda-t-il, mais je n'ai pas réussi à obtenir mieux. Ils sont bien décidés à faire de vous un exemple. Si on poursuit jusqu'au procès, ça pourrait être encore pire. Si le jury vous déclare coupable, le juge pourrait vous condamner à une peine bien plus lourde.

— Mais je ne suis pas coupable, protesta-t-elle avec désespoir.

— Malheureusement, ce n'est pas toujours ce qui compte. Notre problème, c'est que pour eux vous avez été prise la main dans le sac, et que votre signature est partout. Personne ne peut prouver que vous n'étiez pas de mèche avec le fabricant chinois. Et à part le témoignage d'Ed, nous n'avons pas de preuve concrète que vous avez agi sous les ordres de Zeller. D'autant qu'Ed n'était pas présent lors de vos conversations. Avec les preuves qu'ils ont contre vous, et les accusations de Zeller, un procès pourrait se terminer de façon dramatique. Évidemment, vous pourriez aussi être acquittée. Mais si le jury s'en tient aux preuves, c'est peu probable. Cet accord a le mérite de limiter les dommages. Je sais que ça vous paraît terrible, mais en cas de défaite, j'ai peur d'une condamnation à cinq ans de prison, voire pire.

— Vous pensez qu'on va perdre ?

La panique perçait dans sa voix. Elle ne voulait pas plaider coupable en étant innocente, et entacher son casier judiciaire pour un crime qu'elle n'avait pas commis.

— Tout est possible. À partir du moment où on va au procès, je ne peux rien garantir. Le jury est imprévisible. Et le juge peut l'être aussi.

— Qu'est-ce que vous feriez à ma place ? demanda-t-elle en le sondant du regard.

— Honnêtement ? Écoutez, je suis joueur. Je refuserais leur accord pour le moment et j'attendrais de voir s'ils m'en offrent un meilleur à l'approche du procès. L'option qu'ils nous proposent n'est pas satisfaisante. Je crois qu'ils cherchent juste à nous montrer à quel point ils seront intransigeants. Si j'étais vous, j'attendrais un peu et je relancerais le détective privé. Si on déterre quelque chose sur Zeller, peu importe ce que c'est, ça vaudra le coup.

Elle était d'accord avec ça, et il retourna voir l'assistant du procureur pour refuser la négociation de peine. Dans la salle de conférences, Sydney l'attendit, rongée par l'anxiété. L'idée d'aller en prison même une seule année était accablante.

Cinq minutes plus tard, Steve était de retour.

— Très bien, on en a terminé pour aujourd'hui.

Il rassembla ses affaires et ils quittèrent le tribunal ensemble. Sydney avait le cœur lourd, et ne le cachait pas.

Elle rentra directement chez elle avec l'espoir d'avoir pris la bonne décision tout en imaginant ce que serait sa vie si elle devait être incarcérée. Elle vivait déjà un cauchemar, et elle devait encore affronter un procès avec pour seul crime à son actif sa naïveté. Avec le recul, elle se disait que la qualité du cuir des sacs aurait dû lui mettre la puce à l'oreille, mais à l'époque, elle faisait pleinement confiance à Paul et à ses fournisseurs. Maintenant, elle se sentait plus bête que coupable et elle était terrifiée par l'avenir.

Elle était toujours aussi déprimée le lendemain quand elle arriva au bureau et raconta à Ed ce qui s'était passé.

— Il me semble que tu as pris la bonne décision en refusant de plaider coupable, la rassura-t-il. Pourquoi irais-tu en prison pour un crime que tu n'as pas commis ?

— C'est ce que je pense aussi.

Ses filles en convinrent elles aussi. Elles l'avaient appelée la veille au soir. Sabrina avait eu les détails par Steve, qu'elle voyait depuis Noël. Les deux étaient très occupés, mais parvenaient à dégager du temps pour se retrouver et leur relation s'épanouissait.

Deux jours après l'audition, Sydney reçut un appel de Bob Townsend. Il était à New York pour quelques jours et voulait l'inviter à déjeuner à nouveau. Cette fois, elle déclina sans hésiter.

— Non, vraiment, je ne peux pas, se justifia-t-elle auprès d'Ed. Si ça se passe mal pour moi, c'est la prison. Hors de question de partager ce fardeau avec quelqu'un d'autre. Je ne veux pas apprendre à le connaître, ni lui ni un autre homme, tant que je ne serai pas acquittée.

— Alors tu veux mettre ta vie entre parenthèses en attendant ? C'est ça qui te paraît juste ?

Cette pensée l'attristait profondément pour elle.

— C'est plus juste pour lui en tout cas. Je n'ai pas le droit de faire peser mes problèmes sur les autres.

— Je me sens bien impliqué, moi. Et pourtant, je ne m'en plains pas. Peut-être que tu devrais simplement lui dire la vérité et le laisser décider si oui ou non il veut que vous vous voyiez. Je parie sur un oui. Rien ne t'oblige à être seule pour porter ce poids, Syd.

La date du procès avait été fixée à septembre, pile pendant la Fashion Week. C'était l'ironie ultime, mais Steve ne voulait pas demander un report. Du moins, pas tout de suite. Elle n'avait aucune idée de comment elle allait pouvoir gérer à la fois sa défense et le lancement de sa première collection, mais elle n'avait pas vraiment d'autre choix.

Bob la rappela cet après-midi-là pour suggérer un dîner puisque le déjeuner ne semblait pas pratique pour elle. En réalité, elle était libre comme l'air. Son refus initial était lié à une épée de Damoclès dont il ne soupçonnait pas l'existence. Elle avait l'intention de tout lui avouer, comme le lui avait conseillé Ed, mais redoutait cette confession.

Sydney invita Bob à prendre un verre chez elle, avant d'aller dans un restaurant français de son quartier. Incapable de trancher s'il valait mieux lui parler au début ou à la fin du repas, elle décida d'aviser sur le moment.

Quand Bob découvrit son appartement, la stupeur se peignit sur son visage, et elle décida de miser sur l'humour en le faisant entrer dans son « placard à balais », comme elle le surnommait avec dérision. Sydney savait que dans la vie de tous les jours son allure donnait une très bonne idée du luxe de sa vie passée sans qu'elle ait besoin d'entrer dans les détails. Ses vêtements, son bracelet en or massif, le sac Kelly de chez Hermès, ses manières... Même dans ce minuscule appartement, où les biens qui lui restaient étaient empilés dans des cartons, les cadres étaient suspendus avec goût. Malgré toute la grâce avec laquelle elle acceptait la situation, Bob était en colère pour elle.

Elle lui servit un whisky soda et ils s'installèrent sur le canapé pour bavarder. Il lui raconta que depuis leur dernière rencontre il avait voyagé à Dubaï, en Arabie saoudite, et à Shanghai pour voir sa fille, avant de passer un peu de temps chez lui à Hong Kong. Elle lui parla de l'évolution de sa société. Après cet échange, il la regarda longuement. Il avait un pressentiment inexplicable.

— Je sens bien que quelque chose vous retient, Sydney. Vous voulez m'en parler ? Et me dire pourquoi vous rechignez toujours à me voir ?

Il y avait forcément une raison. Elle hésita un moment avant de lui répondre.

— Je ne vous ai pas tout dit sur ce qui m'est arrivé depuis la mort de mon mari. J'avais désespérément besoin d'un travail, alors j'ai accepté une occasion qui s'est présentée, malgré les mises en garde de mes filles. Tout n'est pas à regretter, car c'est là que j'ai rencontré Ed. Le P-DG a commencé par se monter extrêmement généreux avec moi. Il m'a offert un poste alors que je n'avais pas dessiné depuis presque vingt ans. Il disait vouloir m'accorder ma propre ligne signature, ce qui semblait fantastique. Dans la mode, c'est quelque chose. À cette place, Ed m'a beaucoup appris du marché tel qu'il est aujourd'hui. Il m'a même emmenée en Chine. En somme, c'était une occasion à ne pas rater. Mais la société s'occupait essentiellement de contrefaçons, avec la pire des réputations dans le milieu. L'entreprise n'est pas noble, mais il y a effectivement un marché pour, et leurs produits se vendent comme des petits pains. Malheureusement, j'ai appris à mes dépens que leurs pratiques n'étaient pas toujours légales. Un jour, le P-DG m'a montré des prototypes de sacs exceptionnels, dans un cuir de la meilleure qualité. Ils avaient un air familier, sans pour autant être des copies conformes, et on pouvait les acheter à un prix défiant toute concurrence et les revendre pour une bouchée de pain. Il m'a confié la charge des importations et m'a promis une ligne signature et un pourcentage sur les profits, ce qui aurait alléché n'importe qui. C'est ainsi qu'il m'a envoyée en Chine pour acheter les sacs. J'ai signé le bon de commande, les documents d'exportation, d'achat, et les formulaires de douane. J'ai fait venir les produits, et il m'a envoyée les chercher au bureau des douanes à l'aéroport de New York, pour les valider auprès de notre commissionnaire.

« Je vous épargne les détails sordides, mais il s'est avéré que les deux cents sacs à main étaient volés. Il s'agissait de Prada authentiques, légèrement modifiés par l'usine en Chine. Une fausse doublure avait été réalisée pour dissimuler la marque. C'était bel et bien de la marchandise volée, et je n'en avais aucune idée. Quand je suis allée les réceptionner à la douane, on m'a tout de suite arrêtée. Comme mon nom et ma signature étaient sur tous les documents, j'ai été mise en examen pour trafic de marchandise volée. Mon employeur soutient qu'il ne savait rien, a même laissé entendre que j'étais de mèche avec le fabricant chinois. Mon procès aura lieu en septembre et, si je ne peux pas prouver mon innocence, je risque de me retrouver derrière les barreaux. Il y a deux jours, le bureau du procureur m'a proposé un accord, mais ça implique de plaider coupable et d'accepter un an en prison pour un crime que je n'ai pas commis. Je suis innocente, alors j'ai refusé.

Les larmes lui brûlaient les yeux, mais elle ne détacha pas une seule fois son regard de celui de Bob.

— On a embauché un détective pour déterrer des preuves de la culpabilité de mon employeur, en vain. Alors il se pourrait vraiment que j'écope d'une peine d'emprisonnement de cinq à dix ans si le jury me déclare coupable. Je ne veux pas vous entraîner dans cette histoire, m'attirer votre pitié, ou commencer une relation que je ne pourrais pas continuer avant de retrouver la liberté, à 60 ans. Tant que cette affaire ne sera pas réglée, je ne peux pas fréquenter quelqu'un. Je ne peux pas vous faire ça. C'est pour cette raison qu'Ed a quitté l'entreprise pour laquelle nous travaillions, quand il a su ce qu'on m'y avait fait subir. Et c'est aussi pour ça, et grâce aux Chin, que nous avons lancé notre société. Philip Chin m'a très gentiment trouvé un avocat. Voilà. Maintenant vous savez tout.

Bob resta silencieux un long moment, la regardant en réfléchissant à ce qu'elle lui avait confié. Il ne savait absolument pas comment exprimer ce qu'il ressentait, alors il lui prit la main.

Sydney vit un doux sourire éclairer son visage, mais ses pensées demeuraient un mystère.

— Sydney, je vous promets que si vous allez en prison, je vous apporterai des oranges et un cake avec une lime à ongles cachée à l'intérieur. C'est l'histoire la plus abominable que j'aie jamais entendue, et l'homme pour qui vous travailliez mériterait la pendaison ou en tout cas le fouet. Je ne peux pas croire que votre innocence ne sera pas une évidence pour le jury, ou que vous ne trouverez pas les preuves pour l'incriminer, lui. Mais je tiens à ce que vous sachiez que quoi qu'il arrive, mon opinion sur vous ne changera pas. Je ne crois pas une seule seconde à votre culpabilité. Ça me rend malade de penser à ce que vous traversez, au martyre qui est le vôtre. Mais je n'ai pas l'intention d'attendre dix ans pour vous inviter à dîner. Et advienne que pourra. Vous ne pouvez pas cesser de vivre à cause de cette histoire, et vous devez vous accrocher à la foi en une forme de justice.

Elle hocha la tête, les yeux remplis de larmes.

— C'est ce que j'essaie de faire. Mais j'ai peur, parfois. Les quatre jours que j'ai passés en prison ont été les plus terrifiants de toute ma vie. Je n'arrive même pas à imaginer ce à quoi ressemblerait un an d'incarcération, alors dix…

Elle étouffa un sanglot.

— Je suis sûr que ça n'arrivera pas, dit-il. Mais il faut que vous remettiez les choses en perspective. Dans le monde, des gens sont victimes de plus grandes injustices. Il y a des prisonniers de guerre, des détenus dans des camps. Vous parviendrez à surmonter cette épreuve. S'il le faut, vous trouverez la force d'y faire face. Mais ça ne sera pas nécessaire. Dans cette histoire, le bien vaincra. J'en suis fermement convaincu.

Bob ne pouvait imaginer ce qu'elle avait enduré en moins d'un an. À cette pensée, il passa un bras autour d'elle et l'attira contre lui.

— Ne nous inquiétons pas de ça maintenant. Continuez à travailler sur votre marque et créez votre collection. Faites ce que vous dit l'avocat. Et on avisera au moment du procès. Vous êtes entourée par des gens qui vous aiment.

À part pour ses belles-filles, dont l'attitude n'avait rien eu d'aimant, de juste, ni d'équitable.

— J'ai déçu tout le monde, dit Sydney d'une voix brisée. On en parle partout dans la presse mode et sur Internet. Ils veulent faire de moi un exemple. Vous vous rendez compte de ce que vont endurer mes enfants si je vais en prison ?

— Elles survivront, mais je suis sûr que ça n'arrivera pas. Vous allez devoir vivre au jour le jour, jusqu'à ce que cette histoire soit derrière vous. Sydney, je veux que vous sachiez que je vous trouve extrêmement courageuse. Merci de vous être confiée à moi.

Une telle révélation demandait de la bravoure, et il admirait son honnêteté.

— Ça ne me semblait pas correct de vous le cacher, mais je ne voulais pas que vous me détestiez pour cette raison non plus.

— Je ne vous déteste pas. En ce qui concerne votre ancien employeur, en revanche, c'est une autre histoire. Quel salopard, de vous piéger ainsi. S'il y a une justice dans ce monde, il va finir plus bas que terre. Son univers tout entier pourrait bien s'effondrer.

C'était une perspective agréable, mais peu susceptible de se produire pour l'instant. L'empire de Paul Zeller était intact, tandis que Sydney risquait la prison.

Ils se rendirent à pied au bistrot français, main dans la main, en poursuivant leur conversation.

— Entre la mort de votre mari, vos belles-filles, et ce monstre pour qui vous avez travaillé, j'ai du mal à concevoir comment vous n'êtes pas devenue folle cette année.

— C'est aussi une question que je me pose. Mais de bonnes choses me sont arrivées. Ed, notre marque... mes filles... un bon avocat... Et puis, je vous ai rencontré.

Elle lui sourit et il l'enlaça.

— Tout va s'arranger, Sydney. Je ne sais pas comment, mais je le sais.

— J'espère que vous avez raison, dit-elle d'une voix sombre.

Intérieurement, il tremblait pour elle à la perspective de la voir incarcérée. C'était tout bonnement impossible. Il souhaitait de tout son être que cela ne se produise pas.

Ils arrivèrent au restaurant et s'installèrent à table. À la grande surprise de Sydney, malgré la gravité de sa confession, ils passèrent une très agréable soirée à rire, à bavarder, et ne mentionnèrent plus le procès.

12

C'était le premier week-end de chaleur de l'été. Dans l'air brûlant qui enveloppait ce dimanche de juin, Sydney rattrapait son retard dans ses lectures. Une pile de *Women's Wear Daily* attendait d'être épluchée, ainsi que le *Sunday Times*, le *Wall Street Journal*, et le *New York Post*. Elle n'aurait pas le temps de lire tous ces journaux, mais elle se devait au moins de rester à jour du *Women's Wear Daily* pour le travail, et elle repêcha l'édition du *New York Post* pour le plaisir, allant directement à la rubrique *Page Six* pour les potins. Elle balaya les articles du regard, en quête d'un nom familier, et s'arrêta au milieu de la page, fascinée.

Kellie Wells Madison, l'héritière de la fortune de son père Andrew Wells, du fonds d'investissement du même nom, s'est vu demander le divorce par son mari, Geoff Madison. Grand mondain, Madison a récemment été aperçu en compagnie de deux actrices célèbres, et le tout frais divorcé a quitté le foyer conjugal il y a six semaines, selon une source proche du couple. En démarrant la procédure de divorce, il aurait réclamé une somme de 100 millions de dollars à sa femme, ainsi qu'une pension alimentaire. Avec un riche patrimoine immobilier (Kellie et sa sœur jumelle Kyra possèdent la maison familiale), mais désormais dépourvue de liquidités, Kellie a décidé de mettre en vente son domaine du Connecticut pour la modique somme de 70 millions de dollars, pour rendre à sa sœur sa part de l'héritage et satisfaire les demandes de Geoff... Et serait-ce le doux son des cloches qui nous parvient ? Mais oui ! C'est bien un nouveau mariage qui se profile. Navrés, Kellie. Espérons que quelqu'un rachètera vite la maison !

Sydney relut l'article trois fois pour s'assurer qu'elle avait bien compris. Chaque fois, son estomac se retourna. Sa maison chérie, qu'ils avaient meublée et décorée avec amour, était en vente. D'abord, les jumelles l'avaient mise à la porte, et maintenant elles revendaient, un an après la mort de leur père, pour payer ce gigolo cupide et volage que Kellie avait eu la bêtise d'épouser. Elle savait qu'Andrew en aurait été malade, lui aussi.

Elle appela aussitôt Sabrina. Cette dernière passait le week-end dans les Hamptons avec Steve mais, en voyant le nom de sa mère s'afficher, elle décrocha aussitôt.

— Je viens de lire la dernière édition de *Page Six*. Va voir si tu la trouves sur Internet. Kellie vend la maison. Geoff lui a demandé le divorce, et elle a besoin d'argent. Il réclame cent millions de dollars et une pension alimentaire, et apparemment il est sur le point de se remarier. Cet homme est un pro.

Sabrina ne savait pas comment réagir à la nouvelle. Quoi qu'il arrive, sa mère, qui adorait cette maison, serait bouleversée. Mais en un sens, elle estimait que les jumelles ne méritaient pas de garder le domaine, et elle était ravie que Geoff ait largué Kellie.

— C'est bien fait pour elle, jubila-t-elle. Mais je suis désolée pour la maison.

— Moi aussi. Andrew en aurait eu le cœur brisé. J'ai du mal à croire qu'elles en obtiendront cette somme, poursuivit Sydney.

— Ça dépend qui se porte acquéreur. Les oligarques russes ou les nouvelles fortunes chinoises seront prêts à y mettre le prix. Regarde le bon côté des choses : même après la vente, si elles en tirent ce qu'elles veulent, Kellie devra toujours entre soixante et soixante-dix millions de dollars à Geoff. Et ça, c'est sans compter l'humiliation d'être quittée pour une autre.

Elles savaient toutes les deux que Kyra se fichait que la maison soit vendue. Elle détestait la campagne et préférait certainement l'argent.

— J'imagine que Sophie avait raison. C'est le karma. Veronica a dit qu'elles ont dépensé une fortune dans les rénovations.

Des travaux pourtant inutiles. La maison était impeccable quand Sydney l'avait laissée à Kellie.

— Essaie de ne pas y penser, conseilla Sabrina. Tu n'y peux rien.

Quelques minutes plus tard, Sabrina appela sa sœur pour lui raconter. Elle faisait bronzette en maillot de bain sur le toit de son immeuble, avec Grayson. Il détestait la plage comme la campagne, et se sentait plus en sécurité en ville. Sophie n'en crut pas ses yeux quand Sabrina lui envoya le lien sur son iPhone.

— Comment le vit maman ? demanda-t-elle, inquiète.

— Elle avait l'air triste. C'est un tel gâchis. Elles la foutent à la porte en prétendant vouloir y habiter, lui rendent la vie impossible, tout ça pour finalement vendre un an plus tard. Et Geoff, quel sale con. Enfin, bien fait pour Kellie.

— Elle doit être à deux doigts de péter un câble. Tu es où, au fait ?

— Sag Harbor, avec Steve.

— Dis-lui bonjour de ma part.

Elle aurait aimé réussir à convaincre Grayson d'aller dans les Hamptons. Ils avaient dîné quelques fois avec Steve et Sabrina, ce qui restait rare à cause de la phobie sociale de Grayson. Sophie essayait de l'aider à dépasser ça, mais ce n'était pas toujours facile d'être en couple avec quelqu'un d'aussi traumatisé par son enfance. Parfois, elle avait davantage l'impression d'être sa psy que sa petite amie. Et ils passaient à côté de tant d'occasions de s'amuser ! Cela faisait des mois que Sophie ignorait les conseils de Sabrina, se refusant à rompre par empathie pour Grayson, ne voulant pas le blesser. Mais sa sœur et Steve lui faisaient voir tout ce qui manquait à sa propre relation.

Sydney mit les pages people du *New York Post* de côté pour les montrer à ses filles plus tard, et s'attaqua aux *Women's Wear Daily* qu'elle avait négligés toute la semaine. Comme par hasard, en pleine lecture, elle fut interrompue par un appel de Veronica.

— Comment tu vas, ma chère ? Ça fait une semaine que je me dis qu'il faut que je t'appelle.

Sydney jeta un coup d'œil à la date du *New York Post* sur sa table basse et répliqua :

— Tiens donc. Depuis jeudi, j'imagine ?

— Pourquoi ? Il s'est passé quelque chose, jeudi ? Est-ce que tu as enfin résolu cette histoire de sacs à main volés ?

Le ton faussement innocent trahissait son avidité pour les détails croustillants.

— C'est réglé, mentit Sydney.

Elle n'avait pas l'intention de lui apprendre qu'il y aurait un procès. Veronica était la pire des commères.

— J'ai lancé une nouvelle marque avec un ami, il y a six mois.

— Oh, mais c'est génial !

Sydney savait pertinemment que cet enthousiasme était feint.

— C'est merveilleux que tu sois retournée dans la mode. De qui s'agit-il ?

— Tu ne le connais pas. Il vient de Hong Kong.

Les oreilles de Veronica se dressèrent. Asie, ça signifiait fortuné.

— Je me disais que tu aurais envie de savoir que ta maison est à vendre. Pour soixante-dix millions de dollars. À mon avis, tes belles-filles n'obtiendront jamais ce prix-là.

— Oui, il paraît. Ce n'est pas impossible, il suffit de trouver le bon acheteur.

— Non, elles ont tout saccagé avec les travaux de rénovation. Au fait, Geoff a demandé le divorce.

— Ça aussi, je le sais. Je l'ai lu dans le *New York Post*. J'imagine que toi aussi. Qu'est-ce qu'on ferait sans *Page Six* pour nous tenir informées ?

— Je me disais juste que tu aimerais être tenue au courant. Je sais à quel point tu aimais cette maison.

— J'y tiens toujours. Ah, et dis-moi une chose. Est-ce que tu espérais me consoler ou me blesser en m'annonçant que la maison est à vendre ?

Veronica sembla soudain sur la défensive.

— Je me disais que tu voudrais savoir, c'est tout.

— Tu sais quoi ? On n'a qu'à passer un marché. Si quelque chose d'abominable m'arrive et que je suis vraiment déprimée, je te téléphone. Comme ça, tu pourras le clamer sur les toits. Plus besoin de m'annoncer les mauvaises nouvelles, parce que je les lis dans le journal, comme toi. Est-ce que ça te va ? Pas la peine de me rappeler, Veronica. Je ne pense pas que nous ayons grand-chose de plus à nous dire, pas vrai ?

Elle sentit son cœur s'alléger en prononçant ces paroles.

— Je ne comprends pas pourquoi tu prends la mouche comme ça. Je me disais juste que tu préférerais l'apprendre de la bouche d'une amie, au lieu de le lire dans le journal.

— En théorie, tu as raison. Je préférerais l'apprendre d'une amie. Mais je ne pense pas que tu entres dans cette catégorie, ces derniers temps. Je me trompe ? À quand remonte la dernière fois que tu m'as appelée juste pour dire bonjour et pour me demander comment je vais ? Moi, je ne m'en souviens pas. Je n'ai pas besoin d'un rapport détaillé des mauvaises nouvelles pour que tu puisses te repaître de mon malheur et faire semblant de compatir. Pour être honnête, ça commence à être lassant. Je suis plus intéressée par les bonnes nouvelles, ces derniers temps. Peut-être que tu devrais essayer d'appeler Kellie. Elle a certainement beaucoup à raconter sur Geoff et le divorce. Ma vie est relativement ennuyeuse en ce moment. Personne n'est mort. Je ne suis pas en plein divorce. Ma nouvelle entreprise se porte comme un charme. Je vais peut-être même commencer à bien gagner ma vie. Alors tu peux arrêter. J'ai dépassé tout ça. Merci d'avoir appelé.

Sans attendre de réponse, elle raccrocha avec satisfaction. Son seul regret était de ne pas l'avoir fait plus tôt. Au moins, si elle allait en prison en septembre, Veronica ne le découvrirait pas à la suite d'un coup de fil, pour ensuite répandre la rumeur. Sydney se rassit sur son canapé, un sourire conquérant aux lèvres. Elle n'avait pas l'intention de laisser une femme comme

Veronica lui saper le moral. Elle en avait fini avec ce genre de personnes.

Sydney avait eu 50 ans. Elle avait refusé de fêter son anniversaire car, à l'approche du procès, elle n'était pas d'humeur festive, mais elle avait laissé ses filles l'inviter au restaurant. Elle était bien plus heureuse entourée de sa famille que de soi-disant amies.

Sydney retourna à sa lecture, allongée sur son lit, et quand l'après-midi toucha à sa fin, elle avait terminé tous les *Women's Wear Daily*. Il régnait une chaleur étouffante dans l'appartement. Le téléphone sonna. C'était Bob Townsend, qui l'appelait de Hong Kong, comme toutes les semaines. Cette fois-ci, il lui annonça qu'il revenait bientôt à New York et voulait savoir si elle serait disponible. Comme Ed, elle n'avait pas prévu de partir en vacances cet été-là. Il y avait trop de travail avant septembre.

Bob devait passer rendre visite à des amis dans le sud de la France avant ça, puis à sa fille en Angleterre.

— Tu as des nouvelles de Steve ? demanda-t-il.

— Rien. Je pense que Paul a bien couvert ses traces.

— Tout n'est pas joué. Attends de voir la suite.

Il avait encore foi en l'existence de preuves pour l'innocenter. Aux yeux de Sydney, c'était prendre ses désirs pour des réalités. Mais la force de conviction de Bob l'aidait à garder espoir.

Quand elle lui parla de la vente de la maison, il comprit que la nouvelle l'attristait profondément. Elle y avait habité si longtemps et, la connaissant, elle l'avait certainement décorée avec goût.

— À dans quelques semaines, alors, conclut-il avant de raccrocher.

Elle pensa encore à lui pendant un long moment après son appel. Se lancer dans une relation n'avait pas beaucoup de sens. Il vivait à Hong Kong, et elle à New York. Néanmoins, c'était tentant. Aucun homme ne lui avait autant plu depuis Andrew. Bob se montrait très tendre avec elle. Il lui avait dit plusieurs fois qu'il voulait qu'elle rencontre ses enfants – une perspective qui ne l'enthousiasmait pas. Avec Kellie et Kyra, elle était revenue de son envie de nouer une relation avec les enfants des autres, peu importe leur âge, même s'ils étaient bien plus civilisés et gentils, même s'ils ressemblaient à leur père.

Elle œuvra sur ses croquis ce soir-là et retourna au studio le lendemain matin. La température polaire du bureau climatisé était un délice qui l'encourageait à y travailler jour et nuit.

13

Par un concours mystérieux du destin, les étoiles et les planètes s'alignèrent dans la vie de Sydney en septembre. Le procès devait débuter pendant la Fashion Week qui allait voir leur premier défilé dans un lieu incontournable. Trente-huit mannequins devaient porter leurs créations. La veille, ils donneraient une soirée de lancement.

Et le matin suivant le défilé, Sydney serait jugée pour recel et tentative d'importer de la marchandise volée sur le territoire américain.

Pour compliquer le tout, Ed s'était lancé dans une relation amoureuse avec un élève de dernière année à Parsons qui avait fait son stage chez eux cet été-là et allait les aider en coulisses pour le défilé. Sydney avait beau avoir embauché une assistante, toutes ces choses auxquelles penser lui donnaient le vertige.

On apportait la touche finale à la collection. Les broderies réalisées par la Maison Lesage à Paris – la référence en haute couture – n'étaient pas encore arrivées. Un tissu pour leur robe de soirée, le clou du spectacle, était coincé à la douane pendant que la couturière et la modéliste rongeaient leur frein.

Bob s'était arrangé pour atterrir à New York trois jours avant le défilé. Il avait l'intention de passer une semaine à Manhattan, ou plus en fonction de l'issue du procès. Si Sydney avait besoin de lui plus longtemps, il resterait. Tous deux étaient devenus très proches depuis leur rencontre en avril, mais elle n'avait pas encore passé de nuit avec lui, et il n'avait pas insisté. La peur d'aller en prison l'empêchait de s'engager plus. Elle ne s'attendait pas à ce qu'il lui soit fidèle ou loyal si elle était incarcérée.

Il avait réservé une chambre dans un hôtel en bordure de Central Park, et avait invité Sydney à dîner le soir même de son arrivée. Ils sortaient tout juste du restaurant quand elle reçut un appel de Steve.

— Il faut que je vous voie demain matin. À partir de quelle heure pouvez-vous passer à mon cabinet ?

— Dites-moi quand vous souhaitez que j'y sois et je m'arrangerai. Est-ce qu'il y a un problème ?

— Non, pas du tout. Huit heures, ça vous va ?

Ils avaient déjà passé en revue le dossier de Sydney et elle était bien préparée. Elle s'y était prise en avance, pour anticiper sur la frénésie de la Fashion Week, pendant laquelle elle n'aurait pas une minute à elle. Elle prévint Bob qui la raccompagnait jusque chez elle. Le décalage horaire commençait à se faire sentir pour lui. Sydney, qui tenait le coup grâce à l'adrénaline, était tout aussi exténuée mais elle était contente qu'il soit là. Elle en était arrivée à se reposer sur lui bien plus qu'elle ne l'aurait voulu, et elle lui était reconnaissante pour son soutien.

— Est-ce qu'il a dit pourquoi il voulait te voir ?

Il avait pris garde à adopter un ton neutre pour ne pas nourrir ses inquiétudes.

— Non. Pour une préparation de dernière minute, j'imagine.

— Tu veux que je vienne avec toi ? Avec le décalage horaire, je serai debout à l'aube, de toute façon.

— Je m'en voudrais de te tirer du lit si tôt.

Pourtant, elle était tentée par sa proposition. Bob avait loué une voiture avec chauffeur pour la semaine, pensant que ça pourrait être utile à Sydney, et il l'encouragea à en faire usage. Il cherchait toujours à lui faciliter la vie. Quand ils arrivèrent devant son immeuble, il déposa un baiser sur sa joue. Il la regarda passer la porte, puis remonta en voiture et se laissa conduire jusqu'à son hôtel, somnolant à moitié. Sydney essayait de rester concentrée sur la collection et le défilé, pour ne pas songer au procès qui suivrait. Ils avaient fait le maximum, sans parvenir à mettre au jour aucune preuve. Elle avait dépensé une fortune en honoraires de détective privé pour rien. Bob ne cessait de lui rappeler que la vérité était sa meilleure défense, et qu'elle avait l'honnêteté et l'innocence de son côté. Elle espérait qu'il ait raison.

Bob vint la chercher à sept heures trente pile le lendemain matin, impeccable comme toujours, fraîchement rasé, et portant un de ses magnifiques costumes sur mesure. Sydney était vêtue d'une robe en lin noir, parfaitement adaptée à la chaleur de l'été indien. Ils bavardèrent paisiblement pendant le trajet vers le Lower East Side et arrivèrent au cabinet de Steve à huit heures tapantes. Elle tenta de déchiffrer son expression en entrant dans son bureau, mais il ne dévoila rien avant qu'ils soient installés, puis, une fois Sydney assise, il mit fin au suspense concernant la raison de leur présence.

— On a obtenu le témoignage du fabricant et des copies de plusieurs mails de Zeller prouvant qu'il savait qu'il s'agissait de marchandise volée. Il savait que les sacs étaient des Prada, et on a les traces d'une discussion sur la méthode pour dissimuler le nom de la marque et modifier les lanières. Il avait besoin de quelqu'un pour endosser la responsabilité à sa place, disponible immédiatement, et vous étiez parfaite pour ce rôle. C'est pour ça qu'il vous a choisie, on en a la preuve à présent.

Son sourire radieux se communiqua à Bob. Sydney, elle, le regardait sans y croire. L'élément salvateur était arrivé à la dernière minute, quelques jours seulement avant le procès. Bob avait raison depuis le début.

— Pourquoi le fabricant a-t-il soudain décidé de parler ?

— Zeller l'a entubé sur un autre deal il y a quelques semaines, alors qu'il avait déjà refusé de payer pour la cargaison confisquée par la douane. Le type est furax. Il a perdu beaucoup d'argent avec la première histoire, et encore plus avec la seconde. Zeller continue d'importer de la marchandise volée. Cette fois, il l'envoie à un intermédiaire. On peut le prouver aussi. La nouvelle personne dont il se sert n'est probablement pas au courant de ses méfaits.

— Alors ça y est, je suis blanchie ? C'est terminé ?

Sydney était folle de joie, mais Steve reprit une expression grave.

— Il faut encore que le juge valide la preuve. J'ai rendez-vous avec l'assistant du procureur fédéral cet après-midi, pour lui montrer ce qu'on a trouvé. Leur accusation devrait retomber comme un soufflé après ça.

Steve avait l'air confiant, mais il ne voulait pas lui faire de promesses si vite. Les juges étaient imprévisibles, et le procureur ne serait pas ravi d'abandonner le dossier après y avoir consacré autant de temps. Mais il y avait de quoi mettre Zeller en examen. C'était lui, le véritable coupable, pas Sydney.

— Je vous appelle après le rendez-vous. Où serez-vous ?

— Au bureau, à courir dans tous les sens comme une dingue.

Elle avait reçu un SMS la veille. Le tissu italien qu'ils attendaient avait été restitué par la douane, et les couturières devaient s'atteler à la tâche au plus vite. On attendait les broderies parisiennes à midi.

— Eh bien, c'est en tout cas une bonne nouvelle, conclut Bob.

Steve leur lut la déclaration du fabricant et les mails. Sydney n'avait aucune question. Zeller savait depuis le début, et le témoignage comme les messages étaient incriminants. Steve était certain que Zeller avait tout effacé de son ordinateur, mais les techniciens des fédéraux n'auraient aucun problème à les retrouver sur un disque dur.

L'atmosphère sur le chemin du retour était bien plus légère et enjouée.

— Tu devrais être tirée d'affaire d'ici ce soir, dit Bob avec optimisme.

Sydney était sûre qu'il avait raison. À présent, elle pouvait se concentrer entièrement sur le défilé sans se préoccuper du procès.

Mais quand Steve appela Sydney dans l'après-midi, il n'était pas porteur de bonnes nouvelles.

— Le procureur reconnaît que le témoignage et les mails sont suffisants pour incriminer Zeller, mais pas pour prouver que vous ne saviez rien. Zeller leur a déjà donné une déposition pour s'absoudre en affirmant que vous saviez que les sacs étaient volés. C'est sa parole contre la vôtre.

— Merde alors ! Qu'est-ce qu'on peut faire d'autre ?

— Ils vont transmettre les preuves au juge et revenir vers nous. Je vous tiens au courant dès que j'ai du nouveau.

Il ne donna pas de nouvelles ce soir-là. Bob était très contrarié quand elle lui rapporta leur échange. L'accusation avait décidé d'aller jusqu'au bout. Le procès devait avoir lieu trois jours plus tard.

Sydney et Ed travaillèrent jusqu'à deux heures du matin. Elle n'eut pas le temps de prendre une pause pour dîner ou voir Bob. Ils étaient encore en plein essayage, et les couturières effectuaient les dernières retouches sur les mannequins. Bob lui dit de ne pas s'inquiéter pour lui et de faire ce qu'elle avait à faire.

Le lendemain fut plus chargé encore, d'autant que la soirée de lancement avait lieu ce jour-là. Ils avaient privatisé une salle dans un nouveau restaurant branché et attendaient une centaine d'invités, la crème du monde de la mode. Les invitations s'arrachaient et Sydney vérifia tout dans les moindres détails jusqu'à la dernière minute pour s'assurer que tout était parfait. Puis elle se dépêcha de rentrer se changer. Steve l'appela alors qu'elle sortait en trombe de chez elle.

— Le procès est maintenu, annonça-t-il d'une voix découragée. Ils vont présenter les preuves contre Zeller devant un grand jury. Le juge ne veut pas délivrer de mandat d'arrêt tant qu'elles n'ont pas été approuvées.

Les procédures judiciaires étaient lentes et complexes. Mais il ne restait que trente-six heures avant le début du procès.

— Il n'existe pas de preuve de votre ignorance, lui rappela-t-il. Et votre signature se trouve sur les documents d'importation. Zeller est impliqué à présent, grâce aux nouvelles preuves. Mais vous l'êtes encore aussi. C'est au jury de trancher.

À ces mots, les yeux de Sydney se remplirent de larmes. Elle raccrocha quelques instants plus tard.

Sydney arriva à la soirée juste avant les premiers invités. Elle aperçut les Chin. Ed arriva peu de temps après, dans un costume noir à la coupe impeccable qu'il portait avec un tee-shirt noir, des baskets en croco noires, et ses longs cheveux noués en catogan. Il était très séduisant, tout comme Bob, dans son costume bleu nuit à fines rayures accompagné d'une pochette blanche, avec sa chemise immaculée et sa cravate Hermès bleu marine. Sydney portait une robe de cocktail noire de sa propre création. La soirée fut un succès immédiat. Le champagne coulait à flots et tout le monde leur souhaita bonne chance. La rédaction de *Vogue* leur avait fait parvenir une immense orchidée dans l'après-midi. Au bout de plusieurs heures, elle trouva enfin une minute pour rapporter à Bob les conclusions de Steve. Il en fut contrarié, mais personne ne pouvait plus rien faire. Il restait convaincu que le juge classerait l'affaire au moment du procès et qu'il tenait à respecter la procédure pour la forme. Et au moins, Paul Zeller serait écroué une fois que le grand jury aurait examiné les preuves. La soirée, qui était censée n'être qu'un cocktail, s'éternisa. Ed, Bob et Sydney se résolurent à partir à minuit avant les derniers invités. Ed et Sydney retournèrent à l'atelier pour fignoler les détails jusqu'au bout de la nuit, et Bob rentra dormir à son hôtel.

— Tu es sûre que ça va aller ? Tu dois être épuisée.

La sollicitude de Bob était attendrissante, mais Sydney éclata de rire.

— C'est le principe de la Fashion Week !

Ses filles étaient dans le même état. Elles n'avaient même pas eu le temps de se passer un coup de fil dans la semaine, et s'étaient contentées de quelques SMS envoyés entre deux essayages et trois réunions.

Sydney rentra enfin chez elle à quatre heures du matin, et Ed une heure plus tard. Ils étaient tous les deux de retour à l'atelier, échevelés mais déterminés, à huit heures. Sydney n'avait jamais rencontré de styliste aussi travailleur que lui. Leur rêve était en train de se réaliser. Il avait fallu dix mois de stress pour lui faire voir le jour, plus qu'il n'en faut pour donner la vie. Mais Sydney avait l'impression que tout se mettait en place comme ils l'avaient espéré. Les mannequins enfin habillées, à dix-huit heures, étaient magnifiques. Le défilé devait commencer à dix-neuf heures, et Ed voulait démarrer à l'heure, ce qui n'arrivait que rarement pendant la Fashion Week. À dix-neuf heures quinze précises, le premier mannequin inaugura le podium. Bob, assis au premier rang à côté des parents d'Ed, n'avait jamais vu de si hauts talons. Deux rangs plus loin, Sabrina et Sophie observaient le spectacle avec fierté.

Chaque mannequin ou presque récoltait les applaudissements du public, et une véritable ovation s'éleva quand une célèbre top-model fit son apparition surprise, portant la dernière robe. Elle déambula sur le podium avec sensualité et afficha sa moue pour la presse dans la fabuleuse robe de satin émeraude dont le tissu était arrivé si tard. La collection tout entière était magnifique, et quarante minutes après le début du défilé, toutes les mannequins revinrent ensemble sur le podium. Ed et Sydney émergèrent des coulisses pour saluer rapidement la foule. Ils avaient tous les deux l'air épuisé mais victorieux. Sydney Chin était née, en fanfare.

De retour en coulisses, Ed et Sydney furent assaillis par la foule. Bob finit par les retrouver, Sabrina et Sophie sur ses talons. Il avait déjà rencontré les filles, et elles l'aimaient beaucoup. Mais Sydney insistait : ils n'étaient pas ensemble, simplement amis. Des amis qui parlaient ou s'envoyaient des messages nuit et jour, et qui passaient tout le temps qu'ils pouvaient en compagnie l'un de l'autre.

Sydney s'attarda encore plusieurs heures, le temps de tout voir remballé. Elle voulait s'assurer que rien n'avait été oublié. Les tenues devaient être rapportées à l'atelier dans la nuit pour y être suspendues à des portants. Une dizaine de mannequins seraient présentes le lendemain, quand les acheteurs viendraient passer commande, et la collection resterait exposée pendant une semaine. Mais Sydney ne serait pas là pour le voir. Elle serait au tribunal. Ses filles seraient là avec elle, ainsi que Bob et Ed. Sydney était moins paniquée depuis que les preuves contre Paul Zeller avaient été déterrées – ce dont ce dernier n'avait pas encore connaissance. Il était sur la sellette mais ne le saurait qu'une fois que le grand jury aurait prononcé la mise en examen, que le juge aurait délivré le mandat, et que la police se présenterait à son domicile pour l'arrêter. Pour le moment, il se croyait en sécurité.

Quand Bob et Sydney arrivèrent au tribunal le lendemain matin, Steve les y attendait, la mine sombre.

— Ils campent sur leurs positions, dit-il. Ils veulent toujours que vous leur donniez plus d'informations sur Zeller.

Sydney était dévastée alors que Steve poursuivait :

— Ils soutiennent que rien ne prouve que vous n'étiez pas la complice de Zeller, ni que vous n'aviez pas conclu un accord avec le fabricant de votre côté, et que votre signature sur les documents est suffisante pour justifier un procès, voire une incarcération.

Sydney était au bord des larmes quand Steve la conduisit jusqu'au banc de l'accusé, derrière la longue table où il siégeait. La salle d'audience avait tout d'un décor de cinéma, et quand le juge, un vieil homme aigre, fit son entrée, l'huissier de justice appela à se lever.

Sydney n'avait pas eu le temps de savourer son succès de la veille. Le procès démarrait, elle risquait la prison. Elle voulut jeter un coup d'œil par-dessus son épaule pour chercher le soutien de Bob, mais Steve lui souffla de s'en abstenir. Le juge annonça qu'il était temps de sélectionner le jury. Quarante jurés convoqués au hasard furent introduits dans la salle et invités à s'asseoir. Au final, douze jurés seraient choisis, ainsi que deux remplaçants au cas où. L'avocat de la défense et le procureur avaient tous les deux le droit de récuser des jurés, sans se justifier.

Sydney n'arrivait toujours pas à croire que le procès se poursuivait. Tout semblait si irréel. Elle avait cette même impression d'évoluer sous l'eau, comme après la mort d'Andrew.

Pendant trois heures, les jurés potentiels furent conduits à la barre, interrogés, et parfois excusés. Puis le juge décréta une pause de deux heures pour le déjeuner. Sydney était sur le point de quitter la salle d'audience avec Steve quand le procureur fédéral demanda à parler à l'avocat. Steve ordonna à Sydney de l'attendre sur le banc. Il voyait venir ce qui se tramait, mais ne voulait pas lui donner de faux espoirs. L'accusation s'était entêtée jusque-là.

Sabrina et Sophie la rejoignirent alors que la salle se vidait, accompagnées de Bob et Ed. Ils étaient assis ensemble au premier rang.

— Qu'est-ce qui se passe ? chuchota Sophie.

— Je n'en ai aucune idée, répondit Sydney à voix basse.

Steve s'absenta pendant presque une heure, durant laquelle aucun d'eux ne bougea. Enfin, il revint, l'air grave, et proposa de sortir pour discuter.

Tous se rassemblèrent dans un coin de couloir pendant qu'il expliquait :

— Bon, on touche au but. Ils veulent passer un accord, mais pas abandonner les charges. Leur argument, c'est que vous auriez pu être complice, et qu'on ne peut pas prouver que vous ne l'étiez pas. Zeller vous a jetée aux lions dès le début. Le procureur est formel : c'est vous qui êtes allée récupérer les sacs à la douane, et chaque document porte votre signature, ce qui est une preuve solide contre vous. C'est pour ça qu'ils n'abandonneront pas. Mais ils veulent vous proposer un accord pour un plaider-coupable.

— Avec une peine de prison à la clé ? demanda Sydney.

Elle était de nouveau terrifiée, et Bob serra sa main dans la sienne.

— Ils veulent que vous plaidiez coupable pour un délit mineur, peut-être pour parjure sur les documents que vous avez signés. En arguant du fait que les formulaires ne déclarent pas que la marchandise était volée – ce qui va de soi. Dans tous les cas, ils vont dégoter un délit mineur à vous attribuer, et pour lequel vous pourrez plaider coupable. Rien de très grave pour votre casier judiciaire. Ils veulent continuer à faire pression sur vous pour obtenir plus d'informations sur les activités illégales de Zeller. Pas de peine de prison. J'ai refusé. Ils demandent six mois d'assignation à domicile avec bracelet électronique, et deux ans de mise à l'épreuve. Voilà, c'est l'accord. En résumé, cela signifie que vous plaideriez coupable pour avoir menti sur les formulaires de douane, et pas pour avoir importé de la marchandise volée. Ils n'accepteront d'abandonner totalement les charges que si vous pouvez leur en dire plus sur les trafics de Zeller. Sans ça, ils persisteront à faire de vous un exemple.

C'était la meilleure offre qu'ils pouvaient espérer.

— Six mois d'assignation à domicile ? Et comment suis-je censée leur fournir des informations que je n'ai pas ? Je n'ai jamais rien su de ses activités illégales, et ça n'a pas changé !

Si Sydney avait l'air désespérée, Bob, au contraire, était soulagé. Elle n'avait pas encore eu le temps de digérer l'information. Six mois d'assignation à domicile et la requalification en délit mineur étaient une bénédiction.

— Comment je vais pouvoir continuer à travailler si je suis enfermée dans mon appartement ?

Sa panique était l'effet du stress et de l'émotion suscités par tous ces rebondissements.

Ed intervint :

— On va t'installer tout le matériel nécessaire et nous échangerons via Skype. Ton assistante fera les allers-retours à l'atelier avec les dessins. On t'apportera les tissus et tu pourras voir les essayages des mannequins. Ce n'est pas si dramatique. On peut faire avec. Il n'y en a que pour six mois. C'est nettement préférable à cinq ans de prison.

Steve approuva.

— C'est une bonne proposition, Sydney. Plaider coupable pour un délit mineur limite les dégâts. Il n'y aura pas de conséquences ultérieures. Vous pourrez même le faire effacer du casier judiciaire dans quelques années. Je préférerais vous voir coincée chez vous avec un bracelet électronique plutôt que dans une prison fédérale. Aller au bout du procès, c'est courir ce risque. Vous ne savez pas quels jurés vous allez obtenir, et s'ils se montreront compatissants. Zeller va plonger pour ce qu'il a fait, c'est certain. Il écopera d'une peine de prison et il essaiera de vous entraîner dans sa chute si vous poursuivez le procès. Je ne peux pas vous forcer à accepter l'accord. Mais en tant qu'avocat, je vous le recommande fortement. Ce n'est qu'une petite réprimande. Dans certains cas, ils laissent même les gens aller au travail pendant l'assignation à résidence. Aujourd'hui, ce juge était intransigeant, très vieille école, et je n'ai pas réussi à obtenir ça pour vous. Mais même coincée chez vous pour six mois, je pense que c'est une bonne option et que vous devriez accepter.

Sydney avait espéré s'en sortir blanche comme neige, surtout depuis qu'ils avaient trouvé les preuves contre Zeller. Elle resta silencieuse un moment pour réfléchir, puis sonda du regard ses filles, Ed et Bob.

— Accepte, maman, dit Sabrina. Il ne pourra rien t'arriver dans ton appartement. Alors que tu pourrais te faire tuer en prison. Et chez toi, on pourra venir te voir librement.

— Je n'aurai pas le droit de sortir ? demanda-t-elle à Steve.

— Seulement pour des raisons médicales, pour aller chez le médecin ou à l'hôpital, ou pour le décès d'un membre de la famille.

L'appartement était bien trop petit pour y passer six mois, mais ça restait mieux qu'une cellule. Elle regarda Steve et hocha la tête. Cette période allait être frustrante, mais ni effrayante ni dangereuse. Si elle devait être condamnée, c'était la meilleure peine qu'elle puisse espérer – même si ça lui semblait injuste.

— C'est d'accord, acquiesça-t-elle d'un ton grave.

Tous posèrent une main compatissante sur son épaule ou son bras. Sophie pleurait et la serra fort contre elle.

— Je t'aime, maman, dit-elle entre deux sanglots de soulagement.

— Tout va bien, tu évites la prison, commenta Sabrina calmement.

— On va installer des ordinateurs dernier cri dans ton appartement et deux écrans géants connectés pour voir le direct de l'atelier. Tu vas adorer ! dit Ed en provoquant les rires. Et tu pourras même t'en servir pour regarder des films le soir.

Sydney sourit.

— Merci, Steve, dit-elle sobrement.

Elle mesurait ce à quoi elle avait échappé de peu. La réduction des charges à un délit mineur était une immense victoire. Steve s'était battu avec acharnement pour l'obtenir. C'était une affaire sans importance pour l'accusation, mais ils auraient pu obtenir une condamnation bien plus lourde.

— Très bien, je vais le leur dire. Attendez-moi ici.

— Ça commence à partir de quand ?

— Probablement tout de suite. Je peux essayer de vous obtenir quelques jours, s'il y a des aspects professionnels à régler. Mais après ça, vous ne serez plus autorisée à quitter votre appartement.

Elle hocha la tête, puis se tourna vers les autres.

— Vous avez intérêt à venir me voir.

Ils en firent tous la promesse.

Steve s'en alla dire au procureur qu'elle était prête à plaider coupable. Il revint bien plus vite cette fois, le sourire aux lèvres.

— On a un accord. Il faut que vous veniez avec moi pour signer. Ils ont accepté de vous laisser commencer à purger votre peine à partir de lundi, quand tout le reste de la paperasse sera rempli.

Se tournant vers les autres, il déclara :

— Vous n'êtes pas obligés de nous attendre. Ça peut prendre un moment.

Ed décida de partir avec Sabrina et Sophie, et Bob de rester. Sydney promit à Ed qu'elle le retrouverait à l'atelier dès qu'elle en aurait terminé au tribunal. Elle avait une envie soudaine de sortir et de marcher tant qu'elle en avait la possibilité. Elle n'imaginait pas rester enfermée dans un petit appartement pour six mois, sans pouvoir se déplacer ni prendre l'air, mais elle était bien consciente de sa chance. Elle l'avait échappé belle.

Elle suivit Steve dans une antichambre, Bob sur les talons. Le procureur fédéral les y attendait et lui dit qu'elle avait pris une sage décision.

Il fallut une demi-heure pour signer les papiers. Après avoir remercié Steve à nouveau, elle sortit du palais de justice avec Bob. Dehors, il passa la main dans son dos, l'attira dans ses bras, et l'embrassa fougueusement. Quand ils se séparèrent, elle remarqua des larmes dans ses yeux.

— Je ne sais pas ce que j'aurais fait si tu étais allée en prison.

Il n'avait pas d'autres mots.

Main dans la main, ils se dirigèrent vers la voiture de location.

— Au moins, comme ça, je saurai toujours où tu es, plaisanta-t-il. Et je viendrai te voir aussi souvent que possible.

Ça faisait loin, depuis Hong Kong, mais elle le croyait. Alors que la voiture remontait Manhattan, elle songea à sa chance. Ce jour-là, les étoiles s'étaient alignées en sa faveur.

14

Bob et Sydney s'arrêtèrent en cours de route pour déjeuner. La tension s'effaçait doucement sur le visage de la styliste. Il avait fallu dix mois pour que le cauchemar se résolve, presque un an. Et pendant tout ce temps, elle avait vécu au quotidien avec la peur d'aller en prison.

— Jamais je n'aurais cru que quelque chose d'aussi horrible pourrait m'arriver, confia-t-elle à table.

Cette expérience, ainsi que la mort d'Andrew, lui avait enseigné que la vie pouvait basculer en un clin d'œil, sans avertissement. Du jour au lendemain, tout ce qu'on prend pour acquis et ce sur quoi on compte peut nous être enlevé. La liberté, la santé, les proches, l'argent, la tranquillité d'esprit. Une pensée terrifiante.

— C'est fini, à présent. Ou en tout cas, ça le sera bientôt. On trouvera bien de quoi s'occuper une fois dans l'appartement, dit-il d'un ton taquin.

Elle éclata de rire.

— Ça va être étrange, d'être confinée comme ça.

Mais pas aussi terrible que la prison, et elle le savait.

Après le déjeuner, ils se rendirent à l'atelier, et elle fut abasourdie par la foule d'acheteurs qui s'y pressaient pour placer les commandes de la collection présentée la veille. Ed rayonnait, et Sydney l'imita pour un temps. Bob retourna à son hôtel pour passer quelques coups de fil. Enfin, Sydney regagna son bureau pour préparer ses cartons avec le matériel de dessin dont elle aurait besoin. Ed promit de lui envoyer leur service technique dès le lundi pour installer un système informatique avec un immense écran connecté au même modèle à l'atelier. Désormais, elle aurait besoin de plus qu'un iPad et d'un ordinateur portable à la maison. Elle essayait de ne rien oublier, et Ed la prit dans ses bras. Il était soulagé qu'elle ne soit pas envoyée en prison et n'ait pas eu à subir un procès.

— J'ai eu peur pour toi, admit-il.

Tous deux se souvenaient de la fois où elle avait failli faire une tentative de suicide, même s'ils n'en avaient jamais reparlé. C'était un souvenir qui lui faisait encore froid dans le dos. Il espérait que les temps les plus difficiles étaient derrière elle.

— Ça va me manquer, de ne plus te voir tous les jours. Cela dit, je te verrai sur l'écran géant, dit-il en riant.

— Viens me rendre visite, surtout. Ça va me faire bizarre de ne plus pouvoir sortir, mais au moins, je serai productive.

Ils allaient devoir commencer à travailler sur la nouvelle collection très vite, et elle avait déjà des idées dont elle voulait discuter avec lui.

Bob revint la chercher à dix-huit heures, et Sydney quitta l'atelier le cœur lourd. Ils s'arrêtèrent dans un supermarché sur le chemin du retour. Elle voulait acheter des bricoles avant son assignation, faire des courses le samedi, et se promener une dernière fois dans Central Park pour profiter de sa liberté au maximum avant d'être coupée du monde.

— J'espère qu'ils vont coffrer Zeller, dit Bob en arrivant à l'appartement.

Ils étaient passés chercher à manger au *deli* du coin. Elle était trop fatiguée pour sortir dîner. Elle s'effondra sur le canapé à côté de lui, et posa la tête sur son épaule.

— Merci d'être là avec moi, dit-elle d'une voix douce.

Il se pencha pour l'embrasser avec plus de ferveur que jamais, et elle lui rendit son baiser avec autant de passion. Ils avaient attendu longtemps ce moment, et elle n'avait plus peur de devoir le quitter pour aller en prison. Elle se sentait libre d'écouter son cœur.

Sans dire un mot, il commença à la déshabiller. Quelques minutes plus tard, ils se précipitèrent dans la chambre en riant, où elle l'attira dans le lit avec elle. Rien ne pouvait plus les arrêter. Leur désir l'un pour l'autre les submergeait, insatiable. Quand enfin ils se reposèrent, enlacés, ils peinèrent à retrouver leur souffle.

— Ça valait la peine d'attendre, dit-il, émerveillé par la puissance de leurs étreintes.

Elle tourna la tête vers lui et sourit.

— J'avais tellement envie de toi, mais je pensais que ce n'était pas une bonne idée d'aller de l'avant tant qu'on ne savait pas ce qui allait se passer.

— Je t'aime, Sydney. Je suis content que nous ayons traversé cette épreuve ensemble. Pour rien au monde je n'aurais voulu te laisser l'affronter seule.

— Et moi, je suis contente que tu aies été là.

Sa présence avait rendu ces derniers mois bien plus supportables. Un temps de deuil respectable s'était écoulé depuis la mort d'Andrew. Cela faisait quatorze mois, et sa vie avec lui semblait très lointaine à présent. Tous les repères de leur histoire avaient disparu : leur maison, l'appartement à Paris, la collection d'art. Les objets qu'ils avaient aimés appartenaient maintenant aux jumelles. Sydney se demandait ce qu'il adviendrait du contenu de la propriété au moment de la vente.

Mais ça n'avait plus d'importance. Elle n'avait pas besoin d'objets pour se remémorer leur mariage. Elle avait les souvenirs. Et maintenant elle avait Bob, à qui son cœur appartenait.

Ils restèrent longtemps au lit, firent l'amour à nouveau, puis somnolèrent dans les bras l'un de l'autre. Il était presque minuit quand ils se levèrent pour aller grignoter dans la cuisine.

La voix chargée d'émotion, il déclara :

— Je ne peux plus imaginer ma vie sans toi.

— Moi non plus.

Cette idée l'effrayait. Et s'il venait à mourir, comme Andrew ? Elle ne pourrait pas supporter de le perdre, lui aussi, ou n'importe qui d'autre. Mais s'ils restaient ensemble jusqu'à un âge avancé, l'un d'eux partirait en premier et laisserait l'autre le cœur brisé. C'était inévitable, mais trop douloureux pour l'envisager.

— J'aurais aimé pouvoir rester à New York.

Les affaires l'appelaient à Hong Kong. Sydney pensait déjà y retourner avec Ed pour voir Bob. Mais il lui faudrait attendre. Elle serait prisonnière de son appartement pour les six prochains mois.

— Ça va passer vite, dit-il pour la rassurer

Elle espérait que le temps lui donnerait raison.

Lui lançant un regard prudent, il ajouta :

— J'aimerais que tu rencontres mes enfants.

Elle hésita.

— Tu sais, je ne suis pas très populaire auprès des enfants des autres, à en juger par ma relation avec mes belles-filles.

Il éclata de rire.

— J'ai plutôt l'impression qu'elles sont folles. N'importe qui voudrait t'avoir pour belle-mère.

— La preuve que non.

Elle sourit tristement en se remémorant la haine que Kellie et Kyra avaient témoignée à son égard. Il n'y avait eu que très peu de bons moments avec elles.

— Mes enfants n'aimaient pas ma deuxième femme, admit-il. Mais ils étaient jeunes, et elle-même était immature. Elle réclamait toute mon attention, et elle était jalouse d'eux. Je savais que ça ne durerait pas, mais j'étais fou amoureux. Le mariage n'a tenu que six mois. Elle a fini par épouser une star du cinéma chinois. Je n'ai aucune idée de ce qu'elle est devenue. C'était il y a longtemps. Depuis, les enfants se sont montrés très tolérants avec les femmes que j'ai fréquentées. Ils vont t'adorer.

S'il semblait sûr de lui, elle n'était pas pour autant convaincue. Elle l'aimait, certes, mais les jumelles l'avaient vaccinée contre les enfants des autres.

— Ça n'a pas dû être facile d'élever quatre enfants seul.

— Ç'a été beaucoup de joie et de fous rires. Et maintenant, c'est à nous deux de nous amuser. Il y a tant de choses que je veux faire avec toi.

Ils s'installèrent au comptoir de la cuisine et mangèrent ce qu'ils avaient acheté au *deli*.

— J'espère que je ne vais pas prendre dix kilos à rester assise dans mon appartement, s'inquiéta soudain Sydney.

— Je ne vois pas comment, répondit Bob dans un grand rire. Et ça ne te ferait pas de mal de te remplumer un peu.

Elle était presque trop mince, comme Sabrina. C'était leur morphologie, mais aucune des deux ne mangeait beaucoup non plus. Sans compter que Sydney était rongée par le stress depuis un an.

Ils s'installèrent dans le salon pour bavarder, puis retournèrent au lit vers deux heures du matin et s'assoupirent doucement en pleine conversation sur l'oreiller. Quand ils se réveillèrent le lendemain, la pièce baignait dans la lumière du soleil. C'était une journée magnifique, et Sydney voulait sortir se promener tant qu'elle en avait le droit. En préparant le café, elle observa la pièce d'un air préoccupé.

— Tu crois que j'aurais la place pour un tapis de course ?

Il éclata de rire.

— Oui, si tu le suspends au plafond !

Il n'y avait pas un centimètre carré d'espace disponible dans le salon ou dans la chambre.

— Mais il va bien falloir que je fasse du sport !

— Tu n'auras qu'à courir sur place.

Tous ces détails n'étaient rien, comparés à ce qu'elle aurait enduré en prison.

Ils prient un bain ensemble, et une heure plus tard, habillés de manière décontractée pour cette douce journée d'automne, ils quittèrent l'appartement pour se diriger vers Central Park. Tout semblait plus beau à Sydney à présent. Le monde était devenu plus accueillant en une nuit. C'était l'aboutissement d'une année terrible, mais elle avait l'impression que le printemps s'épanouissait dans son cœur. Bob était tout aussi amoureux.

Ils se baladèrent ensuite le long de Madison Avenue en faisant du lèche-vitrines et, en passant devant une bijouterie, Bob insista pour entrer. Elle ne voulait pas qu'il lui achète quoi que ce soit d'extravagant ou d'onéreux, mais il savait exactement ce qu'il voulait. Il choisit une bague plate en or blanc pavée de diamants. La dépense n'était pas grand-chose pour lui, et il la demanda à la taille de Sydney, pour la lui glisser au doigt. Elle était magnifique.

— Ne panique pas, dit-il. Ce n'est pas une bague de fiançailles. Juste une bague de « je t'aime ». Puisque tu vas devoir porter un bracelet abominable à la cheville pendant six mois, autant compenser avec quelque chose de joli au doigt. Et cet anneau-là ne t'emprisonne pas. Je veux juste qu'il t'aide à te souvenir que je t'aime quand je ne suis pas là.

Il avait parfaitement compris sa peur de dépendre d'un homme à nouveau. Le résultat avait été désastreux à la mort d'Andrew. Elle voulait s'épargner des déceptions futures, mais Bob avait une façon rassurante de l'aimer, et il savait trouver les mots justes. Elle admirait encore sa bague en quittant la bijouterie.

— Je l'adore, déclara-t-elle, rayonnante.

Ils marchèrent beaucoup, se perdirent dans les allées de chez Barneys pour les dernières affaires qu'elle souhaitait acquérir, et rentrèrent à pied à l'appartement. Pour le dîner, ils étaient invités chez sa fille.

Sabrina avait commandé des sushis, et Steve avait préparé des pâtes et une salade. Sophie était là aussi, sans Grayson. Elle prétexta une surcharge de travail. Les autres invités compensèrent cette absence. Bob s'amusa beaucoup en leur compagnie. Lui et Steve s'entendirent très bien, et il adorait les filles de Sydney, qui se montrèrent chaleureuses et accueillantes. Elles lui étaient reconnaissantes d'être présent pour leur mère. Les deux remarquèrent la nouvelle bague dès qu'elle passa la porte. Quand elles se retrouvèrent toutes les trois dans la cuisine, Sophie chuchota :

— Qu'est-ce que c'est que ça ? Une bague de fiançailles ?

Sydney secoua la tête. Elle se souviendrait toujours de ce bijou comme de celui que Bob lui avait offert après leur première nuit d'amour. C'était une bague de déclaration, ce qui la rendait encore plus belle à ses yeux. Sa vie avait été privée de luxe depuis un moment. Elle ne cessa de la regarder toute la soirée, en souriant à Bob.

Le dimanche, ils se rendirent à l'église. Elle avait beaucoup de raisons d'être reconnaissante. Puis ils allèrent au cinéma, pour s'y embrasser comme des ados et grignoter du pop-corn, et se dépêchèrent de rentrer à l'appartement pour faire l'amour à nouveau.

— Je crois que je suis accro, dit-il après coup.

— Tant mieux. J'ai l'intention de te manquer.

Elle fit courir sa langue le long de sa nuque pour le faire frissonner de plaisir, et ils firent l'amour encore. Il décollait pour Hong Kong le lendemain matin, et elle voulait qu'ils se souviennent de leur dernière nuit, car ils ne savaient pas quand ils se reverraient. Bob avait déjà transféré toutes ses valises de l'hôtel à son appartement pour pouvoir se rendre directement à l'aéroport.

Elle se leva à six heures et prépara le petit déjeuner pendant qu'il prenait une douche. Avant de quitter l'appartement, il serra contre lui son corps nu, plongea son regard dans le sien, et lui dit qu'il l'aimait.

— Je serai bientôt de retour, promit-il.

Elle le croyait.

Elle lui fit signe depuis la fenêtre, pour le voir monter dans la voiture et s'éloigner. Puis son regard se posa sur sa bague. Cinq minutes plus tard, il l'appelait déjà.

— Tu me manques.

— Toi aussi, répondit-elle d'une voix pleine de tendresse.

Il l'appela à nouveau avant de décoller, et après ça elle se rendit dans le Lower East Side pour retrouver Steve au tribunal où on devait lui poser son bracelet. Elle fut soulagée d'apprendre que l'appartement de Sabrina ne risquait plus rien, puisque le dossier était clos. Sydney lui devait encore cinq mille dollars versés pour la libération sous caution, et vingt-cinq mille pour l'avance sur les honoraires de Steve. À ce dernier elle devait aussi les frais de détective privé qu'il ne lui avait pas encore facturés, ainsi que vingt-cinq mille dollars pour ses heures et l'accord passé avec le bureau du procureur. En tout, elle lui devait environ trente-cinq mille dollars et trente mille à Sabrina. Elle avait hâte de pouvoir tout leur rembourser, mais ne le pouvait pas encore. Il fallait qu'elle vende l'appartement à Paris. Personne ne l'avait encore acheté, mais le loyer qu'elle percevait l'aidait au quotidien. Ed lui versait un salaire généreux qui suffisait à son train de vie. Ses finances étaient moins catastrophiques qu'elles l'avaient été, même s'il lui restait encore toutes les dépenses liées au procès.

On lui posa le bracelet électronique à la cheville et on le verrouilla. Il était composé d'une bande résistante à l'eau et d'un boîtier qui fonctionnait avec le même principe qu'un GPS et traçait tous ses déplacements. Elle devait appeler le service de surveillance en rentrant chez elle pour le faire activer. À partir de là, on saurait exactement où elle se trouvait à chaque instant, et une alarme se déclencherait si elle quittait l'appartement.

Elle serait surveillée vingt-quatre heures sur vingt-quatre. L'objet était hideux et encombrant, mais on lui affirma qu'elle finirait par s'y habituer. Et puisque c'était son joker pour éviter la prison, elle ne s'en plaignit pas.

Le service technique envoyé par Ed arriva à l'appartement à peu près en même temps qu'elle, et à dix-sept heures, tout était installé. Elle éclata de rire en voyant Ed sur écran géant, ce à quoi il rétorqua qu'il la voyait parfaitement, lui aussi.

Ce soir-là, elle réaménagea son séjour pour le transformer en espace de travail et en studio de design. Ed lui avait fait livrer un grand plan de travail, et elle avait décidé de transformer sa table à manger en bureau. Il faudrait réarranger un peu l'espace si elle invitait du monde à dîner, mais elle avait tout ce dont elle avait besoin pour travailler, et elle pouvait manger au comptoir de la cuisine ou même sur la table basse quand elle était seule. L'appartement lui semblait bien vide sans Bob. L'avoir avec elle pendant une semaine avait été merveilleux.

Sophie lui avait parlé d'une professeure de danse classique qui pouvait lui donner des cours via Skype, et Sydney organisa trois cours par semaine depuis son salon. Elle avait décidé de profiter de ces six mois pour prendre soin de sa santé. Puisqu'elle ne pouvait pas sortir pour marcher, elle préparerait des repas sains, reprendrait la danse et mettrait ces mois à profit au lieu de les vivre comme une incarcération. Elle pourrait par ailleurs se concentrer sur son travail puisqu'elle aurait plus de temps en ne sortant pas.

***

La nouvelle la plus enthousiasmante lui fut annoncée par Ed : les commandes pour leur collection dépassaient leurs attentes, et ils avaient encore rendez-vous avec de nombreux acheteurs pour les deux semaines suivantes. Les affaires allaient bon train, les Chin étaient ravis. Elle lui manquait à l'atelier, il l'appelait maintenant son « associée virtuelle », mais il avait l'intention de passer bientôt chez elle pour travailler sur les nouveaux designs.

Sydney avait manqué les défilés de Sabrina et Sophie, mais avait pu les regarder sur Vogue.com. En réalité, il n'y avait presque rien qu'elle ne puisse faire depuis son appartement, à part s'aérer. Elle avait même une liste de services de livraison à domicile, y compris de restaurants.

Steve prit de ses nouvelles quelques jours plus tard. Elle lui raconta qu'elle croulait sous le travail, ce qui ne l'étonna pas. Sydney était de nature positive. Ce n'était que tard le soir, après avoir passé la journée enfermée, qu'elle regardait par la fenêtre en rêvant de sortir. Mais elle savait qu'en enfreignant les règles elle purgerait sa peine en prison.

Steve l'informa qu'un agent fédéral viendrait la voir pour recueillir sa déposition sur Paul Zeller. Quand il arriva accompagné d'un sténographe judiciaire, Sydney lui rapporta les faits comme ils s'étaient déroulés et lui raconta tout ce qu'elle savait. Elle n'en entendit plus parler par la suite. Une semaine plus tard, Paul n'avait toujours pas été arrêté. Sydney trouvait cela étrange, étant donné toutes les preuves contre lui, mais Steve lui expliqua que les découvertes du grand jury étaient gardées secrètes, et qu'on ne pouvait rien savoir de la procédure tant que l'arrestation n'avait pas eu lieu. Elle espérait que ce moment viendrait bientôt. Quelles que soient les conséquences qui en découleraient, il les méritait. C'était certain.

15

Devant un bureau qui disparaissait sous les feuilles de calculs, Paul était plongé dans les rapports d'achats et les factures d'usinage quand son assistante lui annonça dans l'interphone qu'on demandait à le voir. Elle ne précisa pas qui, car les quatre agents du FBI qui venaient de débarquer le lui avaient interdit. Elle resta silencieuse alors qu'ils entraient dans le bureau pour lui déclarer qu'il était en état d'arrestation pour blanchiment d'argent et importation de marchandise volée. Avant même qu'il ait eu le temps d'objecter, ils lui lurent ses droits et lui passèrent les menottes. Paul les regarda, incrédule.

— C'est ridicule ! C'est cette garce qui vous a envoyés, c'est ça ? C'est elle la coupable, pas moi. Vous commettez une grave erreur.

Les agents restèrent impassibles devant ses vociférations et lui demandèrent de sortir du bureau. Il tenta de porter un coup à l'agent le plus proche, usant des menottes comme arme, mais d'un simple mouvement ils le neutralisèrent et Paul se retrouva à terre, le souffle coupé.

— Allez, relevez-vous, ordonna l'agent responsable. On y va.

Paul se redressa tant bien que mal, sa dignité froissée.

— Je veux appeler mon avocat, dit-il, effrayé.

— Vous pourrez faire ça là-bas.

— Où est-ce que vous m'emmenez ? Je ne bougerai pas tant que vous ne me l'aurez pas dit !

Les quatre agents échangèrent un regard, se demandant s'ils allaient devoir le porter. Ils avaient supposé que l'homme serait courtois et docile et préféraient ne pas avoir à en venir là.

— La prison fédérale pour le moment, jusqu'à votre audience préliminaire.

Le grand jury avait déjà décidé de la mise en examen et avait approuvé le mandat d'arrêt, qui avait été signé par le juge fédéral le matin même. Cela faisait deux semaines que Sydney était assignée à résidence.

— Je n'ai rien à voir avec ça, rien ! Vous m'entendez ? s'emporta Paul. Tout est la faute de cette bonne femme. C'est elle, la trafiquante ! Je n'avais aucune idée de ce qu'elle achetait.

— Ce n'est pas à nous qu'il faut le dire, monsieur. Il faudra voir avec le juge.

— Appelez mon avocat ! beugla-t-il à son assistante par la porte ouverte. Dites-lui qu'on m'a arrêté, et qu'on m'emmène à la prison fédérale.

— Est-ce qu'on va devoir vous entraver les chevilles aussi ? C'est comme vous voulez. Moi, je m'en fiche. Vous garderez peut-être un semblant de dignité devant vos employés si vous sortez la tête haute.

Ils lui offraient une dernière chance avant de le ficeler comme un poulet et Paul saisit le message. À contrecœur, il suivit l'agent responsable hors du bureau, encadré par les trois autres. Plusieurs personnes avaient entendu le raffut. Deux avaient sorti leur iPhone pour filmer la scène, d'autres prenaient des photos pour Instagram et Twitter.

— Arrêtez ça ! Confisquez leurs portables !

Les agents l'ignorèrent et l'escortèrent jusqu'à la sortie avant de le pousser dans une des voitures du FBI qui les attendaient. Paul s'était remis à leur crier des obscénités.

Les employés ne perdirent pas une miette du spectacle, et quelques minutes plus tard, les deux voitures du FBI s'éloignaient. En quelques secondes, la scène s'était répandue sur Internet. Le lendemain, l'histoire faisait la une du *New York Post* et du *New York Times*, relayée par le *Women's Wear Daily*. Sydney vit l'arrestation aux informations ce jour-là et regarda les vidéos sur YouTube. Elle appela ensuite ses filles. Elle éprouvait une grande satisfaction à savoir Bernstein en prison, alors que dans le confort de son propre appartement, avec un café bien chaud, elle travaillait comme d'habitude. Elle avait trouvé sa routine.

Les articles détaillaient les charges qui pesaient sur Paul, et mentionnaient Sydney. Mais les quelques lignes à son sujet étaient simples et sobres. Elles disaient seulement qu'elle était assignée à résidence pour une courte période pour un délit mineur. C'était tout. Sydney s'émerveilla à nouveau de la négociation de peine avantageuse que Steve avait menée pour elle. Les révélations sur Paul étaient choquantes. D'autres preuves avaient été découvertes, montrant qu'il importait et revendait de la marchandise volée depuis des années. Les charges étaient plus lourdes, la sentence allait l'être aussi. Il pouvait écoper d'une peine allant de dix à vingt ans de prison. C'était une affaire sérieuse.

Steve l'appela le jour même.

— Il est en prison, et la caution s'annonce très élevée.

Maintenant que Paul était entre les mains de la justice, ils n'avaient pas l'intention de le lâcher – à raison. Encore une fois, c'était le karma.

La semaine suivante, un nouvel article annonçait que l'entreprise était à vendre et que sa femme demandait le divorce. Le grand ménage. Sydney savait que le procès n'aurait pas lieu avant un moment, mais tôt ou tard, Paul paierait pour ce qu'il avait fait. Bob était tout aussi heureux de l'apprendre. Les gentils avaient gagné.

Sydney lisait le journal avec plus d'attention qu'avant. Elle ne voulait rien manquer de ce qui se passait dans le monde. Les potins étaient également une bonne distraction. Elle adorait lire *Page Six*, la rubrique people du *New York Post*, et y apprit une semaine plus tard que le mari de Kellie, Geoff Madison, avait revu ses ambitions à la hausse et exigeait maintenant toute la maison, et pas seulement la moitié qui revenait à sa femme. Il avait apparemment l'intention de la vendre pour son compte. Trois jours plus tard, elle repéra un malheureux petit encart rapportant que Kyra, surprise en état d'ivresse manifeste dans une boîte de nuit, avait été mise en examen pour détention de stupéfiants avec intention de cession, ce qui signifiait qu'elle en avait sur elle une certaine quantité. Elle aussi avait de sérieux ennuis. Avec leurs fortunes récemment décuplées, les deux filles étaient exploitées par leur entourage et se laissaient aller à un mode de vie décadent. Les vies de Kellie et Kyra s'effondraient, peut-être à cause de ce qu'elles lui avaient fait subir, et malgré leur héritage.

Un beau jour, presque trois semaines après son dernier séjour à New York, Bob sonna à sa porte. Après un voyage d'affaires en Suisse, il avait profité de ce que le vol était moins long que depuis Hong Kong. Dès l'instant où il la vit, il la prit dans ses bras et la fit valser, manquant de renverser quelque chose au passage, dans l'appartement qui croulait sous les meubles et le matériel. C'était un vrai chantier, mais au moins elle avait tout ce dont elle avait besoin, et elle adorait l'écran géant qui la reliait avec l'atelier. Elle avait l'impression d'y être, et pouvait interpeller Ed à tout instant pour lui montrer un nouveau croquis.

Pendant que Sydney préparait à déjeuner, Bob s'installa sur le canapé, les pieds sur la table basse, pour se détendre après son vol.

— Tu sais, tu es la seule détenue à qui je rends visite, plaisanta-t-il. D'ailleurs, tu es la première détenue dont je suis tombé amoureux.

— Très drôle.

Elle lui tendit un sandwich et des chips en souriant et il se réjouit de voir qu'elle gardait le moral.

Dès que Bob eut fini son sandwich, il l'entraîna dans sa chambre. Sydney attendait ça avec impatience depuis qu'il avait franchi le seuil. Quant à lui, elle lui avait terriblement manqué.

Puis ils paressèrent au lit, enveloppés par le bonheur de leurs ébats. Il lui raconta ce qu'il avait fait ces dernières semaines. Même en se parlant tous les jours, ils trouvaient encore des choses à se dire. La fraîcheur d'octobre s'était installée dehors, mais Sydney était bien au chaud dans son appartement, qui se transformait en havre de paix lorsque Bob y était avec elle.

Une semaine après le départ de Bob, Sydney apprit que Paul Zeller était sorti de prison en versant une caution de cinq cent mille dollars et que son procès n'aurait pas lieu avant plusieurs mois. Son entreprise avait été rachetée par un fonds d'investissement chinois. Tout s'était passé très vite. Il avait voulu vendre immédiatement, sans doute pour payer ses frais de défense et son divorce. Sydney avait perdu sa liberté à cause de ce qu'il avait fait. Lui aussi allait la perdre, tout comme il avait perdu sa femme et sa société.

Elle était toujours terrifiée en repensant à ce qui se serait passé si Ed ne lui avait pas trouvé un avocat, si le détective n'avait pas trouvé les preuves contre Paul, et si Steve n'avait pas été capable de négocier sa peine.

Après un mois de confinement, elle étouffait et se sentait comme un lion en cage. Sa liberté lui manquait, mais Ed l'aidait à rester occupée. Ils travaillaient dur sur leurs nouveaux designs et échangeaient sur leur progression respective plusieurs fois par jour. Les commandes pour la collection précédente continuaient d'affluer. Elle avait rencontré un franc succès.

En plus de leurs discussions via l'écran qui s'avérait précieux, Ed venait la voir plusieurs fois par semaine. Des coursiers lui apportaient les échantillons pour qu'elle puisse juger par elle-même des matières et des couleurs, et aucune décision n'était prise sans son accord. Ed proposa d'ajouter une ligne de maillots de bain, mais elle pensait qu'il était encore trop tôt. Ils étaient tous les deux enchantés de leur partenariat, fait d'estime et de respect.

— Comment va ta vie sentimentale, au fait ? lui demanda Sydney un vendredi après-midi.

Bob était à New York, mais en rendez-vous avec un client, et Ed était seul dans son bureau. Le week-end, l'effervescence de l'atelier lui manquait. Elle aimait voir les gens sur l'énorme écran qui couvrait tout un mur.

— Kevin est un type bien, dit-il avec un soupir.

Ed se confiait rarement. Il était extrêmement réservé et gardait pour lui les détails de sa vie amoureuse.

— Mais il est jeune, poursuivit-il.

— Il a quel âge ?

Il semblait assez mûr et de la même génération qu'Ed, même s'il était encore étudiant.

— Vingt-deux ans. Je sens la différence parfois. Pour autant, il est responsable. Il a grandi vite. Son père est mort quand il était enfant, et il a aidé sa mère à élever ses trois frères et sœurs. Il travaille depuis ses 15 ans.

— Tu comptes l'embaucher une fois qu'il sera diplômé ?

Elle était curieuse de connaître les intentions d'Ed, mais devinait qu'il n'avait pas encore pris de décision. La relation n'avait que quelques mois.

— Peut-être. J'en parlerai d'abord avec toi, évidemment. Il a un bon œil, mais il est plutôt intéressé par le côté business. Il étudie l'économie et le management de la mode, et son objectif est de travailler quelques années avant de reprendre un MBA.

— Au moins, il n'essaiera pas de rivaliser avec toi, et il comprend comment tout ça fonctionne.

Ed approuva, pensif. Après avoir retourné la situation dans sa tête, il n'était parvenu à aucune conclusion majeure. Il aimait juste passer du temps avec Kevin. Ed venait d'avoir 30 ans, et leurs huit ans d'écart le faisaient parfois douter. Mais la plupart du temps il n'y pensait pas, surtout quand ils étaient ensemble.

— Et toi ?

Il n'avait pas l'habitude non plus de lui poser ce genre de questions. Tous deux parlaient peu de leur vie privée. Leurs échanges avaient en majorité trait à la mode. Tissus, designs, couleurs, usines, employés, dates butoirs, presse, brodeuses, couturières, modélistes, et tous les détails complexes de l'industrie. Ils riaient aussi, pour soulager les tensions à la fin d'une longue journée. Sur bien des aspects, ils se ressemblaient beaucoup, malgré leur différence d'âge, leurs expériences diverses et leurs cultures respectives. Ils vivaient pour la mode, travaillaient d'arrache-pied et étaient perfectionnistes dans tout ce qu'ils entreprenaient. Ni l'un ni l'autre ne s'arrêtaient jamais tant que la tâche n'était pas accomplie. Mais Ed avait remarqué combien Sydney semblait heureuse avec Bob. Elle était moins mondaine que les conquêtes habituelles de l'homme d'affaires, et bien plus ambitieuse.

— Comment ça va avec Bob ? demanda-t-il prudemment.

La relation semblait être devenue très sérieuse d'un coup, en partie à cause de la pression du procès.

Sydney sourit.

— Incroyablement bien. Je ne m'attendais pas à ça. Je ne voulais même pas rencontrer d'autres hommes après la mort d'Andrew. Et je ne savais pas non plus ce que ça donnerait, avec les treize mille kilomètres qui nous séparent. Les relations à distance sont difficiles à entretenir.

— Cela dit, il voyage beaucoup. Et il vient plus souvent à New York qu'avant. De nos jours, on peut facilement travailler depuis n'importe où dans le monde.

— C'est vrai, rit Sydney. Cet écran géant en est la preuve.

C'était une idée de génie. Des caméras avaient été installées partout dans le studio de design, Sydney pouvait donc suivre le travail de chacun, assister aux essayages des mannequins et échanger librement avec les modélistes et les couturières. L'essentiel du travail de finition se faisait à l'atelier, sous leur supervision. La production principale, en revanche, avait lieu dans les usines chinoises de la famille Chin, ce qui était essentiel pour leurs marges. Ils avaient l'avantage extraordinaire de pouvoir bénéficier des structures familiales à un tarif préférentiel.

— Je ne suis pas sûre qu'une relation par visioconférence soit ce qu'il y a de plus romantique.

Ed éclata de rire.

— Il est fou de toi, Syd. Il me parle de toi chaque fois que je le vois. Je crois qu'il est vraiment amoureux.

— Et je l'aime aussi. Mais je ne vois pas comment ça va pouvoir fonctionner sur le long terme.

— Peut-être que ça ne vaut pas la peine de se poser la question dès maintenant. C'est ce que je me dis avec Kevin. Tu n'as pas besoin des réponses tout de suite. Attends de voir comment ça se passe.

— Au fait, tu veux venir pour Thanksgiving ? Kevin est invité, bien sûr.

— J'aimerais beaucoup. Je ne crois pas qu'il veuille rentrer dans sa famille. Et je ne peux pas l'y accompagner. Sa mère ne veut pas que ses frères et sœurs apprennent qu'il est gay. Elle pense que c'est contagieux.

Il sourit tristement. La situation ne lui était pas inconnue. Certaines familles refusaient de voir la vérité en face. Heureusement, lui avait eu la chance d'avoir des parents compréhensifs.

— Ça a l'air compliqué.

Ed hocha la tête, et Sydney regarda autour d'elle.

— C'est le bazar permanent dans mon appartement. Je ne sais pas si tu vois tout ce que j'ai accumulé partout, ça va vite devenir invivable. J'ai tout ce dont j'ai besoin pour travailler, mais impossible de faire un pas. Je pense que je vais utiliser ma table de dessin pour le dîner de Thanksgiving. Et dès que je pourrai sortir, je vais chercher un plus grand appartement. Rien d'extravagant, mais un peu plus spacieux. Surtout si Bob y passe autant de temps.

Les affaires avaient décollé en flèche, et son salaire couvrait largement ses dépenses quotidiennes, mais elle n'avait qu'un souhait : rembourser Sabrina et régler ses frais d'avocat au plus vite. C'était sa priorité.

— Son appartement à Hong Kong est fabuleux, reprit Ed. Tu vas adorer. Ça fait très célibataire, et il y a un autre appartement à l'étage du dessous pour ses enfants, quand ils sont dans le coin. Je ne crois pas qu'il soit habité en ce moment. La cheffe et l'artiste ont des goûts très simples, l'étudiante en médecine vit en Angleterre, et l'écrivain loge dans une mansarde je ne sais où. Aucun n'aime étaler ses richesses. Mais l'appartement est fantastique.

— À quoi ressemblent ses enfants ?

Pour une fois qu'ils parlaient de sujets plus intimes, elle en profitait pour poser une question qui la taraudait depuis un moment.

— Normaux, sympas, drôles. J'étais à l'école avec l'aînée, la cheffe. Il me semble que Bob s'est marié très tôt. Il m'a toujours fait l'effet d'un jeune papa, quand on était enfants. Mais peut-être que mes parents me paraissaient plus vieux parce que c'étaient les miens. En tout cas, ses enfants sont des gens bien. Il les a toujours encouragés à suivre leur voie.

Elle l'avait déjà déduit de leurs professions variées. Ce qui la préoccupait surtout, c'était leur réaction quand ils la rencontreraient. Les filles d'Andrew avaient laissé un traumatisme.

— Vous allez très bien vous entendre, dit-il pour la rassurer, car il comprenait les raisons de son inquiétude. Rien à voir avec tes belles-filles.

Ou les jumelles maléfiques, comme les appelaient Sophie et Sabrina.

— On aurait pu les surnommer Hitler et Staline. Je ne veux surtout pas m'embarquer à nouveau dans une guerre avec la famille d'un homme. Je n'ai pas besoin de ces embrouilles.

Elle avait payé le prix fort quand Andrew l'avait laissée à la merci de ses filles.

— Ses enfants sont très indépendants. Et ils ont vu défiler pas mal de femmes, dit Ed avec un sourire.

Elle rit. Bob l'avait dit lui-même : leur relation était différente.

— Je ne suis pas sûre de trouver ça rassurant.

— C'est un homme responsable, et un bon père.

Pourtant Andrew l'était aussi, ce qui n'empêchait pas ses filles de se comporter de manière abominable en suivant l'exemple de leur mère.

— Il faut que tu ailles à Hong Kong pour les rencontrer, insista-t-il.

— Mettons que pour le moment ce n'est pas à l'ordre du jour. Il n'aura qu'à leur dire que je suis en prison jusqu'au printemps prochain.

Elle commençait à voir sa situation avec humour, maintenant que le pire était passé. Ce n'était plus qu'une période difficile à surmonter.

— Et toi ? Tu as l'intention d'y emmener Kevin ?

— Un jour peut-être, mais pas dans l'immédiat. Ça rendrait les choses trop officielles, et je n'en suis pas encore là.

Même s'ils formaient un couple, ils ne vivaient pas encore ensemble.

— Il a déjà rencontré mes parents pendant la Fashion Week. Ça suffit pour le moment. Mais merci de l'avoir invité pour Thanksgiving. Je suppose que les filles seront là ?

— Bien sûr.

Sydney se demandait si Steve allait proposer à Sabrina de l'accompagner dans sa famille à Boston.

— Tu sais que c'est aussi grâce à toi qu'elle a trouvé l'amour, dit-elle. Tu n'es pas mauvais à ce jeu-là.

— Sauf quand il s'agit de moi-même, répondit-il en pouffant. Je me contente de draguer nos stagiaires.

En réalité, c'était une première pour lui. La situation devenait vite gênante en cas de rupture, si bien qu'il avait toujours pris garde de ne pas fréquenter de collègue ou de subordonné. Jusqu'à Kevin.

— Qu'est-ce que tu fais ce week-end ?

— On va voir des amis dans le Connecticut, pour la saison des couleurs. Ils se sont mariés l'an dernier et viennent d'adopter un bébé. Je ne sais pas si c'est vraiment le modèle que j'ai envie de montrer à Kevin. J'ai peur que ça nous vaccine tous les deux contre la vie domestique.

Ed avait toujours dit qu'il ne souhaitait pas particulièrement se marier et que les enfants pouvaient attendre. C'était sa première relation sérieuse depuis le suicide de son amant, des années auparavant. Il avait pris garde à ne pas s'attacher après ça. Mais Kevin, avec son innocence et sa profonde gentillesse, était passé au travers des mailles.

— Ça a l'air chouette. Je pense que quand toute cette histoire sera terminée, je vais planter une tente en plein Central Park. Je n'avais jamais réalisé à quel point l'extérieur et la ville me manqueraient.

— C'est temporaire.

— Je sais. Et je suis contente d'être ici et d'avoir échappé à l'autre option.

Elle avait envisagé d'afficher un décompte des jours restants, mais avait finalement décidé que ça ne ferait que la déprimer et rendre le temps plus long, s'il fallait attendre chaque jour de rayer une case du calendrier. Un mois s'était déjà écoulé. Tout ce qu'elle avait à faire, c'était d'en supporter cinq autres.

— Passe un bon week-end, alors.

Il était temps de mettre fin à l'appel. Ed devait rentrer chez lui pour préparer sa valise.

— Tu diras bonjour à Bob pour moi.

Au même instant, on entendit un bruit de clé dans la serrure, et Bob entra, chargé de sacs. Il avait fait les courses en rentrant, pour pouvoir préparer à manger au lieu de se faire livrer comme ils le faisaient souvent.

— Salut, Ed ! dit Bob en faisant signe vers l'écran. Comment ça va ?

— Super. On a plein de commandes. Tu restes combien de temps ?

— Une semaine, si je me débrouille bien. Sinon cinq jours. Tu veux venir dîner ce soir ?

Sydney l'embrassa et il sourit.

— J'aurais bien aimé, mais je pars pour le week-end. Lundi, si tu es encore là ?

— Ça marche. Bon week-end !

Ils se firent au revoir d'un geste de la main et se séparèrent. Bob enleva son manteau pendant que Sydney déballait les courses. Elle adorait le retrouver le soir et se blottir contre lui pour parler et se détendre en buvant un verre de vin. C'était un merveilleux contraste avec les longues soirées passées à travailler seule. Elle dormait encore moins qu'avant, et avait des horaires d'autant plus chargés qu'elle ne pouvait plus sortir. Le confinement l'avait rendue plus bosseuse, au lieu de la pousser à la paresse.

— Comment s'est passée ta journée ? demanda-t-elle en lui servant un verre de vin rouge.

Il la remercia d'un sourire.

— Bien. À part que Francesca m'a appelé. Elle a démissionné sans m'en parler, s'est noyée dans les dettes, et elle ouvre son propre restaurant. Elle avait un super poste dans le meilleur restaurant de Hong Kong, avec trois étoiles au guide Michelin. Et maintenant, elle veut ouvrir un bistrot, ce qui ne mettra pas du tout en valeur son talent, et qui est le meilleur moyen de perdre de l'argent. Je soupçonne son petit ami de l'en avoir convaincue.

Il avait l'air soucieux et frustré.

— En général, mes enfants me demandent mon avis avant de se lancer, même si au bout du compte ils font toujours ce qu'ils veulent, précisa-t-il.

— Peut-être que nous aussi, on n'en faisait qu'à notre tête à leur âge. Mes parents détestaient mon premier mari. À leurs yeux, c'était un paresseux opportuniste, et ils avaient raison. Ils sont tous les deux morts avant que j'épouse Andrew, si bien qu'ils n'ont jamais su que j'avais fini par retenir la leçon.

Mais l'année écoulée les aurait bouleversés aussi, puisqu'elle avait tout perdu et se retrouvait confinée dans son appartement avec un bracelet électronique à la cheville.

— J'imagine qu'il n'y a pas d'âge pour se tromper, dit-elle avec un soupir.

— Ta seule erreur a été la naïveté. Paul Zeller savait ce qu'il faisait. Il t'avait probablement embauchée pour ça. Il avait déjà un plan en tête, et tu es arrivée au bon moment pour lui.

Bob avait un don pour cerner les gens, bien plus qu'elle. Il avait une approche pragmatique et moins confiante.

— J'étais tellement contente de décrocher ce poste, quand tous les cabinets de recrutement me répétaient que jamais on ne m'embaucherait après une si longue absence sur le marché. Paul s'était montré si gentil dans l'avion.

— Les sales types sont presque toujours gentils, trop gentils, d'ailleurs. Sans ça, comment s'en sortiraient-ils ?

Il avait raison.

— Qu'est-ce que tu comptes faire pour ta fille ?

Elle voyait bien que c'était une source d'inquiétude pour lui.

— Je vais essayer de la dissuader, mais elle fera bien ce qu'elle veut. Je n'aime pas son copain, et elle le sait. C'est un beau parleur avec un poil dans la main. Elle travaille trop, ne rencontre jamais personne, ce qui fait d'elle la cible parfaite des types comme lui. Il est barman à mi-temps. Le reste de la semaine, il n'en fiche pas une et vit à ses crochets. Les seuls hommes qu'elle rencontre font partie de sa brigade.

Il resta songeur un moment, puis son air triste se mua en un sourire.

— J'imagine que c'est ce que je faisais, moi aussi. Je suis tombé amoureux sans voir plus loin que le bout de mon nez. Ma première épouse, Helen, était une femme brillante et j'étais ébloui par son intelligence. Je ne me suis jamais demandé si elle s'épanouirait dans le mariage ou la maternité. Et je ne crois pas qu'elle y ait réfléchi non plus. Je voulais beaucoup d'enfants, et elle a suivi. Cinq ans plus tard, elle a compris qu'elle étouffait au sein du mariage, qu'elle n'avait aucun instinct maternel, alors elle est partie. Ça n'a surpris que moi. Et je me suis remarié avec Brigid parce qu'elle avait un corps de rêve et que j'avais l'impression d'être une star quand j'étais avec elle. Il ne lui a fallu que six mois pour comprendre que je l'aimais pour les mauvaises raisons, alors que j'étais encore en train de lui acheter des bijoux et des bikinis.

Si maintenant il pouvait rire de lui-même, ça n'avait pas été le cas à l'époque. Sous le choc, il s'était senti humilié, brisé.

— Mes deux ex-femmes n'auraient pas pu être plus différentes. Helen et moi sommes bons amis à présent. Je n'ai aucune idée de ce que fait Brigid, elle a disparu du paysage. On m'a dit qu'elle tournait des navets en Inde, ce qui semble crédible. Les deux sont à l'extrême opposé.

— Comme Patrick et Andrew. Patrick n'était absolument pas fiable alors qu'Andrew était l'homme le plus responsable que j'avais jamais rencontré.

Jusqu'à son erreur monumentale. Bob estimait que si Andrew avait été aussi responsable qu'elle le disait, Sydney ne vivrait pas actuellement dans un appartement de la taille d'une cage à oiseau avec à peine de quoi boucler le mois. Il savait qu'elle en était consciente, aussi il décida de ne rien dire pour ne pas ajouter à la critique de son défunt mari.

— Je vais parler à Francesca en rentrant à Hong Kong. Si elle me laisse lui prêter l'argent, au moins elle ne croulera pas sous les dettes. Mais elle est très indépendante. En général, elle ne veut rien de moi. Quoi qu'il en soit, elle n'aurait pas dû démissionner.

— Quand Sabrina a refusé de retourner travailler dans l'entreprise qui l'avait virée à cause de moi, j'ai eu très peur. Je pensais qu'ils la coinceraient avec une clause de non-concurrence. Au bout du compte, elle a retrouvé un poste bien meilleur. Je suis sûre que Francesca retombera sur ses pieds, elle aussi. Surtout si elle ressemble à son père.

— Jamais je n'aurais cru que je m'inquiéterais autant pour eux à leur âge. C'était bien plus facile quand ils étaient enfants.

Même Dorian, qui avait eu des problèmes avec la drogue pendant une année à l'université – réglés après un passage en centre de désintoxication –, avait été plus facile à gérer.

— Il faut du courage pour faire des enfants, dit-il. J'aime les miens mais je n'aurais pas la force de recommencer. Maintenant, j'ai peur de tout faire de travers et de leur donner de mauvais conseils fondés sur mes propres erreurs et mes propres peurs. Chaque fois que mon fils sort avec une fille canon, je repense à Brigid et je lui dis de fuir. Il n'y a pas longtemps, il m'a fait remarquer que je n'approuve que ses relations avec des femmes qui ne sont pas séduisantes, et que je ne serais heureux que s'il en trouvait une très laide à moustache.

Il pouffa et regarda Sydney.

— J'y ai beaucoup réfléchi, et il a raison. Tu es la seule femme belle qui ne me fasse pas peur.

Sydney savait par Ed qu'il avait fréquenté nombre de femmes magnifiques depuis Brigid, mais ne les avait jamais prises au sérieux. À Hong Kong, on le voyait comme un mondain doublé d'un bon parti.

— Tu n'as rien à craindre de moi, dit-elle en l'embrassant. À part peut-être mes fiascos culinaires. Cela dit, je maîtrise la dinde de Thanksgiving, la dinde de Noël, et les tacos.

Il éclata de rire devant cette confession.

— Ça me va. Et j'ai la solution, dit-il en posant son verre. C'est moi qui cuisine.

— Tu ne me fais pas confiance ?

Elle feignit d'être vexée. En réalité, elle n'était pas connue pour ses compétences en la matière, et l'avait déjà prouvé à maintes reprises.

— En matière de cuisine ? Pas vraiment, non. Tu es la seule personne au monde capable de cramer des pâtes.

Elle pouffa.

— C'est pas faux. Mais attends de goûter ma dinde.

Ils préparèrent le dîner ensemble. Bob cuisina d'excellents steaks, et elle assembla la salade – la base de son alimentation, de toute façon. Si elle était mince, c'était parce qu'elle mangeait peu et surveillait constamment sa ligne, comme ses filles. La mode n'était pas tendre et le luxe était cruel. On attendait des stylistes qu'elles soient aussi fines que les mannequins, et la plupart l'étaient. Ed n'y échappait pas non plus.

Bob n'avait jamais rencontré une seule personne qui ne soit pas filiforme dans ce milieu depuis qu'il fréquentait Sydney, et cela valait pour sa fille artiste à Shanghai. La cheffe et l'étudiante en médecine, en revanche, mangeaient normalement. Bob aussi était mince, très athlétique, et se maintenait en forme. Il prétendait que c'était parce qu'il passait la majeure partie de sa vie en voyage et qu'il n'aimait pas la nourriture proposée dans les avions. En réalité, il s'entraînait avec un coach sportif à Hong Kong, et pratiquait la natation autant que possible dans son club ou dans les piscines des hôtels.

Sydney faisait beaucoup de sport à présent. La professeure de danse recommandée par Sophie était très exigeante. Elle avait plusieurs mannequins pour clientes, ainsi que des femmes qui voyageaient beaucoup. Ses séances individuelles via Skype rencontraient un grand succès, et Sydney voyait déjà les résultats. Cela lui permettait de bouger même en restant dans son appartement, cela restait moins ennuyeux que de courir sur place, et elle se sentait en meilleure forme.

Ils regardèrent un film et allèrent se coucher tôt. Bob alla faire un footing au réveil. Quand il rentra, avec des croissants et des pains au chocolat, Sydney sortait de la douche et se séchait les cheveux. En jean et pull roses, elle avait l'air d'une fleur printanière loin de la météo hivernale.

— C'est pas juste ! se plaignit-elle. Tu vas courir pendant que je reste là à engraisser et tu viens me tenter avec des croissants ! Tu dois vraiment aimer les femmes potelées.

Malgré ses reproches, elle ne se priva pas de manger un pain au chocolat avec lui, et il en rit. Il restait de bon cœur à l'appartement avec elle. Quand elle ne travaillait pas, ils jouaient au Scrabble, aux cartes, au poker menteur, et ses victoires la rendaient folle de joie. Parfois, ils se contentaient de lire côte à côte. Il lui rapportait toujours une pile de livres quand il était à New York, et elle commandait les derniers best-sellers sur Internet quand il voyageait. Ils s'ajustaient très bien à la vie de confinement. Bob lui assurait que ça ne lui posait pas de problème. Avec Sydney, tout était divertissant. Et quand il sortait, elle travaillait.

Ed vint dîner le lundi, comme promis, mais sans Kevin qui avait cours tard et un examen le lende-main. Sydney lui montra ses nouveaux croquis, et Ed fit des suggestions grandement appréciées. Ensemble, ils amélioraient le travail de l'autre, les idées fusaient. Ils avaient reçu une bonne nouvelle ce jour-là. Une chaîne de magasins en Asie avait placé une énorme commande.

— Vous devriez ouvrir une boutique à Hong Kong, suggéra Bob pendant le repas.

Sydney avait préparé des tacos, et Bob reconnut qu'ils étaient excellents. Ils mangeaient avec leur assiette sur leurs genoux parce qu'elle avait du travail en cours sur la table de dessin.

— J'y ai pensé, dit Ed très sérieusement. Je ne suis pas sûr qu'il faille commencer par une boutique à New York. De plus en plus de grands créateurs ouvrent leur boutique phare à Pékin. Mais quitte à aller jusqu'en Asie, je préférerais Hong Kong.

Sydney et lui en avaient déjà parlé, mais ils étaient d'accord pour dire qu'ils n'étaient pas prêts. Pour le moment, ils s'en sortaient très bien avec les corners des grands magasins américains, sans endosser le coût de la construction de leur propre boutique à New York. C'était dans leurs projets, mais pas immédiatement.

— Personnellement, je pense que Hong Kong est une super idée, dit Bob, tout sourire. Bien sûr, je ne suis pas totalement objectif sur la question.

Il essayait de trouver un moyen de faire voyager Sydney régulièrement, une fois qu'elle serait libre, et pas seulement pour le voir. Elle vivait pour son travail. Il ne l'attirerait pas en Asie sans ça, du moins pas aussi souvent. Ils avaient encore le temps d'y penser, et pour les cinq mois à venir, rien ne servait d'en discuter.

Ed resta jusque tard pour profiter de la conversation, et l'appela le lendemain pour la remercier de la soirée.

— Vous avez l'air bien ensemble !

— C'est le cas. Peut-être parce qu'on ne se voit pas souvent, ça aide à cultiver la romance.

— C'est une de mes grandes inquiétudes avec Kevin. Il veut qu'on s'installe ensemble, mais j'ai peur qu'on se lasse vite de l'autre. De toute façon, c'est trop tôt.

— Au fait, comment s'est passé votre week-end ?

Elle avait oublié de poser la question la veille.

— Si tu avais vu ! Ils sont complètement névrosés ! Ils seraient capables d'emmener le pauvre gosse aux urgences tous les jours pour vérifier qu'il respire. Ils ont des caméras partout dans la maison. J'étais au bord de la crise de nerfs quand on est partis. Ils pensaient que le bébé avait de la fièvre, et ils ont appelé le médecin trois fois dimanche. À mon avis, il avait juste trop chaud sous tous ses pulls et ses plaids en cachemire. En tout cas, je ne suis absolument pas prêt pour ça.

Elle rit, trouvant attendrissante l'idée d'un couple d'hommes si attentifs à leur bébé. Mais le stress des nouveaux parents était généralement insoutenable. Elle se demandait parfois si Sabrina et Sophie auraient un jour des enfants. Les filles étaient tellement obnubilées par le travail qu'il n'y avait pas la place pour un bébé dans leurs vies. L'idée ne leur avait sûrement pas encore traversé l'esprit, et elle-même n'était pas prête à être grand-mère à 50 ans. Quand Kellie avait eu des enfants, elle avait espéré que la maternité adoucirait leurs relations, en vain. Sa belle-fille était même devenue plus vache et ne laissait pas Sydney approcher ses enfants. Rien n'avait changé.

Elle parla affaires avec Ed pendant quelques minutes, puis ils calèrent une réunion plus tard dans la semaine. Bob s'envola pour Hong Kong le mercredi. Il avait des conseils d'administration et il avait hâte de retrouver sa fille pour lui sortir son idée de bistrot de la tête et l'empêcher de s'endetter.

Bob promit de revenir quatre semaines plus tard. Il avait beaucoup à faire d'ici là, mais il avait l'intention de passer Thanksgiving avec elle, car il savait à quel point cette fête comptait à ses yeux. Ils allaient se Facetimer tous les jours, mais ce n'était pas la même chose. L'appartement semblait vide et triste après son départ. Trop calme, la nuit, quand elle restait éveillée seule dans son lit.

Elle se leva pour se faire une tisane à la camomille, et s'installa sur le rebord de la fenêtre pour contempler la rue paisible. Bob était dans l'avion. Elle songea à quel point leurs vies s'étaient mêlées, en espérant que ce soit une bonne chose. C'était si simple de l'aimer. Ils allaient bien ensemble. Et ensuite ? Jusqu'où cette histoire pouvait-elle mener, alors qu'il vivait à Hong Kong et elle à New York ? Tous les deux avaient des enfants qui réclamaient de l'attention et de l'énergie, même adultes. Ils avaient leurs propres carrières exigeantes et, sur le long terme, leur relation à cheval sur deux continents demanderait du travail et de l'investissement. Mais elle l'aimait. Ils s'entendaient parfaitement. Alors qu'elle s'interrogeait sur la suite, le regard perdu par la fenêtre, il se mit à neiger. New York se parait d'une épaisse couverture blanche. Elle ne pouvait pas prévoir l'avenir et elle n'avait pas les réponses, mais elle ouvrit la fenêtre malgré le froid mordant, et tendit la main pour sentir les flocons tomber dans sa paume en pensant à l'homme dont elle était amoureuse, et au jour où elle pourrait enfin marcher dans la rue à ses côtés.

16

Sydney et Ed travaillèrent d'arrache-pied en novembre, pour parfaire les dessins de la nouvelle collection qu'ils présenteraient à la Fashion Week de février, et ils faisaient de grands progrès. Après avoir choisi ensemble les tissus, ils passèrent une commande pour ceux qui étaient fabriqués spécialement pour leur marque, avec une texture et des motifs uniques. Leur propre style distinctif se développait, et leur complicité les tirait vers le haut pour qu'ils dépassent leurs limites créatives. Ils formaient une super équipe.

Bob et elle se parlaient dès que possible. Ils pouvaient discuter de tout entre eux, du boulot, de leurs vies, de leurs peurs, de leurs rêves, de leurs enfants. Il n'avait pas réussi à décourager sa fille d'ouvrir son bistrot, ce qui le désespérait. Francesca s'entêtait dans son projet, contractait de sérieuses dettes et refusait l'aide de son père. À part ça, ses enfants se portaient tous bien, et ils rentraient le voir à Noël. Il avait toujours l'intention de rejoindre Sydney à New York pour Thanksgiving. La séparation leur pesait à tous les deux et attristait Sydney. Les nuits étaient longues et solitaires et l'appartement lui semblait étouffant. Elle était confinée depuis plus de deux mois, et les quatre mois qu'il lui restait lui semblaient ne jamais devoir finir. La météo était pourtant abominable dehors, mais ça ne changeait rien. Elle aurait donné n'importe quoi pour marcher sous la pluie, le grésil ou la neige.

La veille de Thanksgiving, elle attendit le retour de Bob avec impatience et se jeta dans ses bras à l'instant où il passa la porte. Il la serra contre lui, respirant sa chevelure soyeuse, incapable de dire un mot pendant les premières minutes.

— Sydney, tu m'as tellement manqué.

Le mois passé leur avait fait l'effet d'un millier d'années. Il avait une charge colossale de travail à Hong Kong et avait fait plusieurs voyages en Asie. Pour Sydney, la tension montait avant le prochain défilé, avec les problèmes habituels de production, de tissus, de retard – monnaie courante dans l'industrie de la mode. Ed et elle passaient des heures devant l'écran géant à chercher des solutions, et il venait chez elle presque tous les jours. Il ne restait que douze semaines avant la Fashion Week, mais certaines usines de textile et de couture seraient fermées pendant les fêtes, ce qu'il fallait prendre en compte pour les livraisons.

C'était un soulagement énorme pour Sydney et Bob de se revoir, de pouvoir se toucher, de faire l'amour, sans interruption ni décalage horaire, et sans la contrainte de leurs agendas remplis. Ils avaient l'impression de se connaître par cœur. Bob lui avait même fait visiter son appartement de Hong Kong grâce à la webcam. Les pièces étaient belles, les tableaux impressionnants, et la vue à couper le souffle. Il avait des goûts très différents de ceux d'Andrew, plus modernes, et plus proches de ceux de Sydney. Il avait hâte qu'elle vienne lui rendre visite après sa libération en mars, ce qui leur semblait à des années-lumière.

Ils veillèrent tard le soir de son arrivée, et elle se leva discrètement à six heures du matin pour commencer les préparatifs du dîner de fête. Il neigeait à nouveau. Debout dans la chambre pendant une minute, le sourire aux lèvres, elle contempla l'homme allongé dans son lit, encore nu après leur nuit d'amour. Les yeux fermés, les cheveux décoiffés, il était magnifique. Elle entendit le son grave de sa voix endormie, qui faisait remuer les papillons dans son ventre à chaque fois. Elle était plus amoureuse que jamais. Le temps passé loin l'un de l'autre ne faisait que les rapprocher.

— Ramène tes fesses sous la couette, dit-il d'une voix irrésistible, sans même ouvrir les yeux.

Elle laissa tomber sa robe de chambre au sol et se glissa dans le lit, pressant son corps contre le sien. Alors qu'il se tournait vers elle pour l'embrasser, elle sentit l'expression de son désir se dresser vers elle.

— Tu sais que je t'aime ? dit-il en ouvrant les yeux.

Ils se sourirent.

— Tu es tellement belle le matin.

Il continua de l'admirer.

— Tu dis n'importe quoi, mais je t'aime, chuchota-t-elle.

Il lui fit l'amour, puis se rendormit dans ses bras. Le voyage l'avait fatigué, mais il était heureux de la retrouver dans son lit. Il aurait parcouru une distance deux fois plus longue s'il l'avait fallu.

Il se leva à midi, parfaitement opérationnel, alors qu'elle arrosait la dinde, pieds nus dans sa robe de chambre de cachemire rose – vestige de sa vie antérieure, car elle ne pouvait plus se permettre d'en acheter une si belle. C'était sa préférée, surtout dans cet appartement plein de courants d'air, où le vent froid de l'extérieur venait la faire frissonner. Dans les bras de Bob, elle n'avait jamais froid. Même sans être coiffé ni rasé, il était très élégant dans le peignoir en soie qu'il avait apporté.

— À quelle heure arrivent les invités ? demanda-t-il en acceptant la tasse qu'elle lui tendait.

Il lui avait acheté une machine à cappuccino dernier cri puisqu'elle ne pouvait plus aller au Starbucks quotidiennement pour son latte vanille à la cannelle et au lait écrémé. Depuis, elle les faisait à la perfection.

— Ils doivent arriver vers dix-sept heures, et je pensais passer à table vers dix-huit heures trente.

Il hocha la tête. Si des amis américains à Hong Kong l'avaient déjà invité à leurs fêtes à de multiples reprises, il n'avait jamais fêté Thanksgiving aux États-Unis. Cette fois-ci, c'était du sérieux.

— On prend les mêmes et on recommence ? demanda-t-il.

— Oui. Il y aura Sabrina et Steve, commença à énumérer Sydney.

Le jeune couple faisait plaisir à voir. Ils allaient parfaitement ensemble et étaient inséparables depuis leur rencontre à l'époque de l'arrestation de Sydney. Steve avait emménagé chez Sabrina durant l'été et tout se passait à merveille. C'était le bon côté de cette épreuve pour Sabrina – et pour Sydney aussi, tant elle était heureuse de leur bonheur.

— Sophie et Grayson, nous deux, et Ed vient avec Kevin, et je crois comprendre que ce n'est pas rien. Il n'a encore jamais passé les fêtes avec quelqu'un, alors c'est une grande étape pour lui. Mais apparemment il se sent prêt, et Kevin est ravi.

L'étudiant n'avait que quelques années de moins que Sophie, si bien qu'il n'aurait pas de mal à s'intégrer, d'autant que tous avaient le design de mode en commun.

— Il y a un code vestimentaire ?

— À vrai dire, je trouve que cette tenue te va très bien, dit-elle malicieusement. Mais tu peux mettre une veste et un pantalon. Les jeunes seront en jean.

Elle n'avait jamais vu Kevin qu'en jean, tee-shirt et baskets jusque-là, au travail comme avec Ed.

— La cravate n'est pas obligatoire, précisa-t-elle.

— Je peux en mettre une si tu préfères.

Elle secoua la tête.

Sabrina porterait probablement quelque chose de très habillé, et Sophie de chic, décontracté et sexy. Sydney aurait un pantalon blanc, une blouse en soie blanche à manches larges – un choix audacieux pour cuisiner, mais tout serait prêt d'ici là. Elle avait prévu un menu traditionnel : choux de Bruxelles, épinards à la crème, carottes, patates douces et marshmallows, dinde farcie, confiture de cranberries, et petits pains. Elle s'était fait livrer deux desserts la veille : tarte aux pommes et aux noix de pécan, tarte à la citrouille avec de la glace. Ça faisait beaucoup de travail dans sa minuscule cuisine, mais elle était bien décidée à rendre cette soirée mémorable pour tous. Entre Bob, sa nouvelle société avec Ed, et le fait qu'elle avait échappé à la prison, elle avait beaucoup de raisons de rendre grâce à la vie cette année, et c'était précisément l'esprit de Thanksgiving.

Dehors il neigeait, et ils passèrent un après-midi agréable en cuisine, où elle ne lâcha pas son livre de recettes. À dix-sept heures, tout était prêt. À son pantalon immaculé et sa jolie blouse impeccable, on n'aurait jamais cru qu'elle avait passé la journée aux fourneaux. Bob ouvrit la bouteille de Château Margaux qu'il avait achetée pour aérer le vin, puisqu'il n'y avait pas de décanteur. Sydney avait laissé toute sa vaisselle en cristal dans le Connecticut, et il s'était promis de lui en racheter avant de recevoir à nouveau, probablement avant Noël. Quand les invités arrivèrent, il semblait fier d'être avec Sydney et de jouer à l'hôte averti.

Sabrina et Steve furent les premiers, frigorifiés mais ivres de bonheur. Sabrina portait des bottes de neige, puisque le sol était maintenant recouvert d'une couche de plusieurs centimètres. Sydney complimenta sa fille sur sa minirobe rouge, elle qui ne portait habituellement que du noir. Steve rayonnait, complètement amoureux. Cette vision lui fit chaud au cœur. C'était exactement le genre d'homme qu'elle avait espéré pour sa fille. Sérieux, stable, aussi bosseur qu'elle, et qui la vénérait. Elle avait les mêmes espoirs pour Sophie, mais à 25 ans, celle-ci semblait trop jeune pour se poser. Elle lui souhaitait juste d'arrêter de se consacrer aux âmes en peine comme Grayson et de trouver quelqu'un avec qui s'amuser et qui prendrait soin d'elle.

Sophie arriva peu après, seule.

— Où est Grayson ? Il est malade ?

Sophie hésita quelques secondes avant de répondre, gênée :

— Il ne viendra pas. On... on a décidé d'arrêter, il y a quelques semaines. C'est un garçon formidable, mais ses problèmes rendent le quotidien trop difficile.

Tous savaient que c'était vrai, et même si Sydney ne le dit pas, elle était soulagée. Maintenant, Sophie pourrait trouver un homme moins tourmenté. Grayson avait un bon fond, mais une relation avec lui demandait beaucoup de sacrifices.

— Je pense que tu as pris la bonne décision, dit-elle doucement.

— C'était plus la sienne que la mienne.

Sabrina était au courant, mais n'avait rien dit. Sophie voulait être sûre que la rupture était définitive avant d'en parler à sa mère. Mais elle comprenait maintenant que c'était ce qu'il y avait de mieux à faire. Leur discussion avait enlevé un poids à Grayson, il ne voulait pas de la pression d'une relation sérieuse. C'était trop pour lui, même s'il l'aimait. Elle aussi l'aimait, mais le poids de ses traumatismes et de son excentricité était devenu trop lourd à porter.

Les deux sœurs bavardèrent avec Bob et Steve, et Ed arriva quelques minutes plus tard avec Kevin. Sydney fut éblouie de voir le jeune homme si élégant. On aurait cru un mannequin dans son costume sur un pull noir, avec des bottes.

Ed vint la retrouver dans la cuisine où elle s'affairait tandis que Bob servait le vin, et elle chuchota :

— C'est toi qui l'as habillé ?

Il éclata de rire.

— Non, il est capable de faire ça tout seul. Et de se déguiser en adulte. Il a été mannequin.

— Il est magnifique.

Sydney était impressionnée. Ils formaient un très beau couple et, dans les bons vêtements, les huit ans qui les séparaient ne se voyaient plus. Les deux autres hommes étaient habillés de manière plus traditionnelle, en blazer et pantalon de flanelle gris. Sydney trouvait Bob particulièrement séduisant, avec un charme très anglais. Il avait ce style européen particulier qu'elle adorait.

Ils se mirent à table à dix-huit heures trente. Sydney avait recouvert sa table de dessin avec une nappe en lin blanc qu'elle avait commandée en ligne avec les serviettes assorties, et personne ne remarqua la vaisselle dépareillée fournie avec l'appartement, tant les assiettes étaient remplies. Sabrina lui avait prêté des bols et des plats la semaine précédente. Tous la complimentèrent. La dinde était délicieuse et tendre. Elle avait même préparé la sauce

— Je retire ce que j'ai dit, déclara Bob, émerveillé. Tu es une excellente cuisinière !

Elle savait que ce n'était pas le cas, mais elle était ravie de l'entendre car le dîner était sa grande fierté, elle y avait consacré beaucoup d'efforts et tout le monde y prenait du plaisir. Bob et Sabrina s'engagèrent dans une conversation animée. Tout le monde était plein d'attentions envers Sophie, qui semblait mélancolique sans Grayson. Elle avait tant l'habitude de prendre soin de lui ! Sydney pensait que sa vie serait bien plus simple désormais, même si elle savait qu'il allait manquer à sa fille.

Bob resservit généreusement en vin tout au long du dîner, et une fois de plus quand Sydney apporta les tartes et la glace. Une fois les verres pleins, Sabrina regarda chacun, un peu nerveuse, puis échangea un regard avec Steve. Bob remarqua leur silence et devina ce qui se tramait. Sydney était trop occupée à déposer de la glace sur chaque part de tarte pour y prêter attention. Soudain, Sabrina déclara qu'ils avaient quelque chose à leur annoncer. Sydney s'immobilisa en plein mouvement puis s'assit.

— On va se marier.

Les mots étaient sortis tout seuls, et Sabrina affichait un large sourire. Sydney resta coite. Elle aurait pu s'en douter... et pourtant. De nos jours, plus personne ne semblait se marier. Les couples emménageaient ensemble ou avaient des enfants sans passer devant l'autel. C'était son plus beau rêve pour sa fille : un mari merveilleux qui l'aimerait et prendrait soin d'elle. Sabrina était aux anges, et Steve l'embrassa. Il irradiait de bonheur et se tourna vers sa future belle-mère avec une petite moue contrite.

— Je sais que j'aurais dû vous demander sa main en premier. Mais ça s'est fait comme ça il y a quelques jours, à une soirée de fiançailles d'amis. Ça ne vous dérange pas ?

Sydney le prit dans ses bras. Elle aurait bien aimé que la tradition soit respectée, mais elle doutait qu'elle soit encore d'usage. De toute façon, ils étaient faits l'un pour l'autre.

— J'approuve de tout mon cœur, lui dit-elle, les larmes aux yeux. Vous avez ma bénédiction. Ça valait la peine d'être arrêtée et de risquer la prison, si Sabrina y gagne un mari génial.

Autour de la table, tout le monde rit et les félicita. Sabrina avait 28 ans, l'indépendance financière, une carrière en plein essor, et lui aussi. Il avait dix ans de plus qu'elle, et tout dans leur union semblait prometteur de l'avis de Sydney et Bob.

Sabrina souhaitait se marier en juin, en petit comité. C'est ce qui rappela Sydney à la réalité de ses difficultés financières. Un an et demi plus tôt, elle aurait pu lui offrir une réception somptueuse, Andrew aurait organisé un événement grandiose pour elle, probablement dans la maison du Connecticut. À présent, le défi consisterait à faire simple, avec peu d'invités et un budget restreint. Sydney était triste de penser qu'elle privait sa fille du mariage de ses rêves. Quand elle était enfant, Sabrina parlait toujours d'un grand mariage princier, et maintenant elle n'avait plus cette possibilité. Sydney ne voulait pas laisser sa fille payer pour son mariage. Il lui faudrait trouver une solution dans les prochains mois. Bob sentait bien que quelque chose la perturbait, mais il ne voyait pas quoi, puisqu'elle appréciait beaucoup son futur gendre, et il décida de garder cette question pour plus tard.

Pendant le reste du dîner, la conversation tourna autour du jeune couple et de la cérémonie à venir.

— On s'occupe de la robe, bien évidemment, décréta Ed.

Sabrina accepta avec plaisir.

— Est-ce que tu auras des demoiselles d'honneur ?

Elle n'avait pas encore pris de décision à ce sujet, mais ne voulait que Sophie comme témoin, et personne d'autre. Si Sophie avait toujours voulu un mariage simple ou rien, c'était nouveau pour Sabrina, qui avait radicalement changé de discours. Sydney la soupçonnait de le faire par égard pour elle.

— On dessinera sa robe aussi, ainsi que celle de ta mère. Oh, j'adore les mariages ! s'extasia Ed, les mains jointes.

Tout le monde éclata de rire.

— Quand est-ce qu'on s'y met ? Je voulais une mariée dans notre première collection, mais on n'avait pas le temps. Ça va être fabuleux !

Il avait dessiné des robes de mariée pour Dior, mais n'avait pas eu la chance de recommencer depuis. Le niveau de décibels s'éleva autour de la table. Bob sortit les deux bouteilles de champagne qu'il avait achetées et la soirée se transforma en célébration.

Ed, focalisé sur le mariage, annonça qu'il avait un fantastique fleuriste, suggéra des lieux pour accueillir la cérémonie.

— Qui va t'accompagner à l'autel ? demanda-t-il soudain.

Sabrina hésita. Maintenant qu'Andrew n'était plus là, aucun homme ne comptait pour elle, à part son futur mari. Son père était mort depuis longtemps, et elle n'avait pas de frère ni de cousin.

— Maman, j'imagine.

C'était la seule personne qui jouait un rôle d'adulte dans sa vie, et Sydney fut profondément touchée par sa suggestion.

— Je ne sais pas trop de quoi ça aura l'air…, dit Ed, préoccupé par le rendu visuel de deux robes remontant l'allée centrale.

— Moi, j'en serais ravi, si tu veux, proposa Bob d'une voix claire et posée, à la surprise de Sabrina.

Les yeux de Sydney se remplirent de larmes à nouveau. La vie s'arrangeait pour que tout s'emboîte, même selon des angles inattendus. Elle n'avait aucun moyen de savoir si Bob et elle seraient encore ensemble sept mois plus tard, mais elle l'espérait. Elle était très émue par cette attention. Sabrina aussi. C'était un homme bon.

— Ce serait bien, répondit lentement Sabrina, heureuse. Merci, Bob.

— Ah, je préfère ce visuel, déclara Ed en provoquant l'hilarité générale. Et puis, j'adore les mariages en petit comité. On ne peut jamais parler à personne quand il y a trop de monde. C'est juste une grande foire au bétail où on peut à peine circuler. Quel genre de gâteau ? Chocolat avec un glaçage à la vanille ? Ils en ont servi un absolument exquis au mariage de Jack et de Tom. Je peux leur demander qui était le pâtissier.

Il était lancé, et Sydney se pencha pour déposer un baiser sur sa joue, ne résistant pas à la tentation de le taquiner :

— Tu ferais une merveilleuse mère de la mariée, et un super organisateur de mariages. Je pense qu'on devrait intégrer la thématique dans nos collections.

— J'aimerais vraiment. Mais personne ne nous prendrait au sérieux. Je ne suis pas Vera Wang.

Une fois encore, les rires fusèrent.

Avec son annonce, Sabrina avait ajouté un élément de joie à Thanksgiving, et Steve ne quitta pas son sourire de toute la soirée, fier et heureux.

Ils avaient tous un peu trop bu, surtout après que Bob eut servi le champagne pour fêter les fiançailles. C'est l'humeur joyeuse qu'ils se quittèrent. Sydney serra fort sa fille contre elle pour lui témoigner sa joie. Elle prit également Steve dans ses bras. Le couple devait raccompagner Sophie chez elle.

— Eh bien, quelle soirée pleine d'émotion, dit Bob une fois qu'ils furent seuls. Tout le monde s'est bien amusé. Je pense que j'ai bien choisi mon année pour passer Thanksgiving avec toi.

Il l'embrassa et sonda son regard.

— Tu es contente de la soirée ?

Il pensait que oui, mais sentait que quelque chose la perturbait.

— Oui, vraiment. Je ne pourrais pas être plus comblée. C'est un homme génial, et ils s'aiment. On ne peut jamais savoir quels mariages vont marcher ou non, mais je pense qu'ils forment un très beau couple.

— Tu as l'air inquiète, triste même.

Elle hésita. Pouvait-elle partager avec lui ses pensées les plus intimes, dans leur détail ? Elle ne voulait pas qu'il croie qu'elle réclamait son aide.

— Je ne peux pas lui offrir le mariage de ses rêves. Elle a toujours parlé d'un grand mariage, depuis toute petite. Mais je ne peux pas me le permettre, et je ne veux pas qu'elle ait à payer de sa poche.

Elle avait l'impression d'avoir échoué, encore une fois, et de ne pas pouvoir réaliser les rêves de sa fille.

— En quoi puis-je t'aider ?

— Tu ne peux pas. Ce ne serait pas correct. Mais merci. Et merci d'avoir proposé de l'accompagner à l'autel. C'était adorable de ta part.

Elle était très émue par sa gentillesse et sa générosité.

— Je ne veux marcher sur aucune plate-bande, mais je ferai tout ce que tu me demandes, ou tout ce qu'elle voudra. Peut-être qu'elle a simplement changé d'avis pour le grand mariage.

Même un petit mariage représentait une dépense considérable. Si Ed faisait les robes, ce serait déjà un soulagement. Les belles robes de mariée, surtout celles qui plaisaient à Sabrina, coûtaient une fortune.

Bob attira Sydney dans ses bras et l'y garda pendant un bon moment. Il savait qu'elle avait trop de décence et de fierté pour accepter son aide financière, mais il aurait participé avec plaisir. Cette seule certitude était le plus beau des cadeaux pour Sydney, et elle était touchée de l'avoir à ses côtés au mariage de sa fille. Petit ou grand, l'événement serait heureux.

Le lendemain, en rangeant, ils furent ébahis de constater la quantité de bouteilles de vin consommées. Mais l'heure était à la fête, et personne n'avait bu jusqu'à l'ivresse. La soirée avait été un grand succès. À midi, tout était nettoyé. Bob était toujours d'une grande aide. La neige continua de tomber toute la journée, paralysant la ville. Ils furent contents de rester au chaud pour lire, regarder des films, et jouer à des jeux de société. Les restes du dîner leur servirent de repas pendant trois jours.

Pendant tout le week-end, Ed lui envoya par mail des croquis de robes, ce qui fit sourire Sydney. Son enthousiasme était incommensurable.

Le lundi, elle reprit son travail sur la nouvelle collection et Bob s'envola pour Hong Kong. Il fit parvenir à Sabrina et Steve un magnifique cadre en argent de chez Tiffany's comme cadeau de fiançailles. Il devait revenir à New York un mois plus tard, après avoir passé Noël avec ses enfants, pour fêter le nouvel an avec Sydney. Il espérait rester plus longtemps cette fois.

Sydney eut une discussion sérieuse avec Sabrina au sujet du mariage, et s'excusa de ne pas pouvoir lui offrir la réception grandiose qu'elle avait toujours voulue.

— Ce n'est plus ce que je veux, maman. J'ai mûri. Je ne veux pas de toutes ces cérémonies en grande pompe pour en mettre plein la vue. Je veux t'avoir toi, Sophie, nos amis proches, et la famille de Steve. C'est tout ce dont nous avons besoin. Ne t'inquiète pas pour ça.

Sabrina semblait sincère, et Sydney sentit un poids s'évaporer de ses épaules. Penser au mariage la rendit bien plus heureuse après cette mise au point.

Sydney planchait sur ses dessins quand elle reçut un mail de l'agente immobilière à Paris. Elle avait reçu une offre pour l'appartement, et disait que le locataire avait l'intention de partir avant la fin de l'année. L'acheteur potentiel voulait acheter vite, à un prix raisonnable. La somme proposée n'était pas mirobolante, mais restait très correcte. L'acheteur, un Italien, voulait un pied-à-terre à Paris dont il pourrait jouir le plus rapidement possible, de sorte qu'il souhaitait accélérer la procédure. L'agente écrivait que si Sydney acceptait l'offre, elle pourrait percevoir la somme dès janvier. Si elle validait le montant, la promesse de vente pouvait être signée immédiatement.

Au lieu de répondre par mail, Sydney l'appela pour savoir s'il y avait la moindre possibilité de négocier à la hausse.

— Je vais voir ce que je peux faire, mais l'offre est honnête.

— Oui, mais ça ne fait pas de mal d'essayer.

L'agente accepta de recontacter l'acheteur, et rappela une heure plus tard. Il avait augmenté son offre de cinquante mille dollars – de quoi satisfaire Sydney.

— Je prends, confirma-t-elle à l'agente.

Désormais, elle pouvait rembourser Sabrina, payer les honoraires de Steve, et organiser un beau mariage en petit comité pour sa fille, avec tous les détails qui feraient la différence pour elles, sans être trop extravagant ou tape-à-l'œil.

— Félicitations, madame, dit l'agente sur un ton ravi.

C'était un appartement charmant, mais petit et un peu vieillot, et il n'avait pas été facile de trouver un acquéreur.

Sydney raccrocha en remerciant le ciel. Cette vente arrivait à point nommé pour résoudre ses problèmes financiers. La somme lui garantissait également un train de vie raisonnable pour quelque temps. Tout rentrait dans l'ordre. Elle avait affronté le pire, et y avait survécu.

17

C'est à Sabrina que Sydney annonça en premier la vente de l'appartement parisien. C'était elle la plus directement concernée par les conséquences. Elle fut incroyablement soulagée de pouvoir lui dire qu'elle aurait bientôt de quoi la rembourser pour Steve et les cinq mille dollars de commission du garant de caution. L'acte de propriété qu'elle avait déclaré en dommage collatéral lui avait été rendu dès le prononcé de la sentence de Sydney. À présent, elle pouvait même s'acquitter de la totalité des honoraires de Steve. Il était très patient mais le poids de sa dette pesait sur Sydney, surtout cumulée à ce qu'elle devait à sa fille. En janvier, elle pourrait enfin tout rembourser.

— Tu n'as pas à t'en inquiéter, maman. Je m'en sors très bien.

— Eh bien, pas moi. Ça me rend malade de te devoir de l'argent. Ce n'est pas dans ce sens-là que ça marche, normalement.

Et c'était une première. Mais l'arrestation avait fait basculer son monde. Avec la vente du deux-pièces à Paris, tout rentrerait dans l'ordre, les choses retrouveraient enfin leur place, à commencer par le rôle de la mère qui aide sa fille, et non l'inverse. Elle ne voulait plus jamais être un fardeau pour ses enfants.

— Tu n'es pas trop triste pour l'appartement, maman ?

Sabrina savait à quel point elle aimait cet endroit, et combien il lui était difficile de s'en séparer. Bien sûr qu'elle était triste, mais il y avait des impératifs plus pressants, et la vente permettrait d'y répondre.

— Je suis triste, si, je ne peux pas prétendre le contraire. C'était notre bulle, avec Andrew. Mais d'une certaine manière, je suis contente, aussi. Ça me permet de te rembourser, ce qui est plus important à mes yeux. J'étais très contrariée de te devoir de l'argent. Et puis je peux t'offrir un beau mariage, celui dont tu as envie. Je veux que ce soit le mariage de tes rêves. Alors commence à réfléchir à l'endroit où tu veux qu'il ait lieu.

Sydney jubilait. Son cœur en avait pris un coup quand, à Thanksgiving, elle avait compris qu'elle ne pourrait pas faire tout ce qu'elle voulait pour sa fille.

— Je n'ai pas besoin d'un mariage grandiose. Et je peux participer aux frais. Ce n'est pas à toi de tout payer.

Sabrina ne voulait pas que sa mère dépense tout ce qu'elle avait pour son mariage, ni même une trop grosse somme. Elle en avait discuté avec Steve, qui lui non plus ne souhaitait pas une réception fastueuse. Ils avaient l'intention de mettre de l'argent de côté pour s'acheter une maison. En combinant leurs salaires, ils pouvaient en espérer une belle, ou un appartement à Manhattan en attendant d'avoir des enfants. Ils n'étaient pas pressés de faire un bébé. Sabrina souhaitait se concentrer sur sa carrière pour encore plusieurs années. Elle n'était pas prête à faire des concessions sur le plan professionnel à 28 ans.

— Je suis ta mère, et je t'aime, reprit Sydney. C'est moi qui paie pour ton mariage, point final. Alors penses-y. On peut organiser quelque chose de très joli. Peut-être dans un jardin quelque part. On peut louer des maisons, pour ces occasions.

Il fut un temps où le mariage aurait pu avoir lieu dans le Connecticut, bien sûr. Mais il ne servait à rien d'y penser. Mieux valait rester concentré sur le présent. Le passé était traître pour Sydney, miné de souvenirs qui menaçaient de faire voler son cœur en éclats. Elle ne voulait plus emprunter cette voie. Le présent seul comptait. Il fallait aller de l'avant. Andrew lui manquait encore, parfois, mais il l'avait laissée dans un tel marasme qu'elle avait dû rapidement passer du chagrin à la lutte.

Sabrina promit d'y réfléchir, puis remercia sa mère pour sa générosité.

Sydney appela Bob à son arrivée à Hong Kong et lui annonça la vente. Il resta silencieux un temps, sachant que cette nouvelle était à double tranchant, teintée d'un goût doux-amer.

— Est-ce qu'il ne va pas te manquer terriblement ?

Il savait ce que cet appartement signifiait pour elle. Elle lui en avait parlé. Et il le voyait bien.

— Oui... et non... Je l'adore, mais je n'aurais pas envie d'y retourner. Il fait partie d'une autre vie, et il me donne aujourd'hui ce dont j'ai besoin. Je suis contente de ça. Grâce à lui, j'ai un matelas pour les temps durs. Je peux rembourser Sabrina. Et je peux lui offrir un beau mariage.

Un soulagement immense était perceptible dans sa voix. Elle ajouta :

— Elle aborde ça de manière très raisonnable. Elle a même proposé de participer, mais je refuse. Pour répondre à ta question, j'apprécie pleinement ce que la vente va me permettre de faire, ce qui me rend beaucoup moins triste que j'aurais pu l'être.

Il respectait ce recul et admirait son courage, son audace et son élégance. Elle avait une capacité incroyable à rebondir après un choc qui en aurait écrasé plus d'un. Ils en discutèrent en détail, et il lui dit qu'il aimerait beaucoup l'emmener à Paris un jour, « quand elle ne porterait plus son bracelet ». Puis elle se remit au travail.

Elle songea plusieurs fois à l'appartement cette nuit-là, mais se souvint à chaque fois des conséquences positives de la vente, ce qui lui remonta le moral. L'agente immobilière lui avait envoyé les documents par mail. Elle les avait imprimés, signés, scannés et renvoyés. Tout ce qu'elle voulait à présent, c'était aller de l'avant. Elle avait suffisamment de choses à penser sans s'appesantir sur le passé.

Mais trois jours plus tard, elle eut l'impression de recevoir un coup en plein visage en apprenant que des Russes avaient acheté sa maison du Connecticut. Elle relut l'article, encore et encore, alors que les larmes roulaient sur ses joues. Les jumelles avaient obtenu le prix demandé, mais il en coûtait surtout un morceau du cœur de Sydney. C'était une chose de perdre le pied-à-terre parisien qui n'avait été qu'un luxe pour eux, mais la vente de la maison qui avait été son chez-elle, avec toutes ses possessions, lui fendait le cœur.

Elle resta assise à pleurer sur le rebord de la fenêtre pendant une heure. Cette fois, Veronica ne l'appela pas. Elle avait compris le message. Mais cette maison chérie qui appartenait maintenant à des inconnus... C'en était trop. Surtout si vite après la vente de l'appartement. À présent, tout avait disparu, seulement dix-huit mois après la mort d'Andrew. Toutes ces choses qu'ils avaient aimées... Heureusement, personne ne pouvait lui voler ses souvenirs. Mais tout le reste s'était envolé en fumée.

Bob comprit tout de suite que quelque chose n'allait pas quand il l'appela ce soir-là. Elle commença par nier. Elle ne voulait pas en parler et ne voulait surtout pas pleurer.

— Parle-moi, Sydney. Que s'est-il passé ?

Son ton était si doux que les larmes se mirent à couler sans s'arrêter. Alors elle lui raconta que la maison avait été vendue, et avec elle tous leurs souvenirs, leur histoire, et tout ce que lui avaient volé ses belles-filles. Bob se sentait terriblement mal. Il aurait voulu la prendre dans ses bras, maudissait la distance qui l'en empêchait. Ils devaient se satisfaire de mots pour le moment, et de la certitude de leur amour.

— Je n'imagine même pas à quel point ça doit être douloureux...

C'était comme si un incendie, une inondation, ou un ouragan avait détruit toute sa vie.

— ... Je suis désolé qu'elles t'aient privée de tout. C'était terriblement injuste de leur part.

Le rôle qu'avait joué son ex-mari n'était pas juste non plus, mais Bob s'abstint de le remarquer. Il voulait seulement la consoler.

— ... Je sais que c'est facile à dire, mais il faut que tu ailles de l'avant, vers ta nouvelle vie.

Elle le savait, et elle faisait de son mieux. Ses pleurs redoublèrent.

— C'est ce que j'essayais de faire, et puis je me suis fait arrêter et maintenant je me retrouve coincée dans ce trou à rats !

On aurait dit les jérémiades d'une enfant, et il sourit, attendri.

— Je serai bientôt là avec toi, dans le trou à rats.

Elle éclata de rire. Même dans les difficultés, elle ne perdait pas son sens de l'humour. La vente de la maison du Connecticut l'avait frappée en plein cœur. Elle ne serait jamais plus dans sa famille, elle appartenait à des inconnus. Sydney ne savait pas si c'était mieux ou pire que de la savoir habitée par Kellie.

Ils discutèrent encore un peu, et Sydney sembla calmée au moment de raccrocher.

— Je suis désolée d'avoir fait tout un cirque.

— Ne dis pas de bêtises. C'est à ça que je sers. On m'aurait passé une camisole de force si j'avais dû faire face à ce que tu as traversé. Les femmes sont tellement plus fortes que les hommes dans ces situations. Je suis resté au lit pendant une semaine quand Brigid m'a quitté, alors qu'on ne s'aimait même plus.

Cette remarque lui arracha un sourire.

— Moi aussi, à ta place, je serais bouleversé pour la maison, ajouta-t-il avec sérieux.

D'autant plus que la nouvelle était tombée pendant la période de Noël, quand les souvenirs et la douleur du deuil étaient plus vifs.

Elle y songea à nouveau, plus tard ce soir-là, alors qu'elle regardait par la fenêtre. Andrew lui manquait terriblement, pour la première fois depuis longtemps. Elle ne lui en voulait plus, elle aurait simplement souhaité que les choses soient différentes, qu'il soit encore en vie. Mais elle se savait chanceuse d'avoir Bob, même si leur amour naissant n'avait pas encore de racines profondes. Elle regrettait de ne pas pouvoir passer Noël avec lui. Ils devaient tous les deux être auprès de leurs enfants, et la moitié de la planète les séparait. Ils n'avaient pas encore de solution pour l'avenir. Aucun des deux ne pouvait faire l'aller-retour New York-Hong Kong à tout bout de champ. Pourtant

Bob enchaînait les miles avec régularité, mais tant qu'elle était assignée à résidence, elle ne pouvait pas lui rendre visite et alléger son fardeau. Il n'y avait rien à faire. Elle ne pouvait que lui être reconnaissante de venir si souvent. Sa visite pour le nouvel an était le plus beau des cadeaux de Noël.

Sans petit ami, Sophie passait beaucoup de temps avec elle le week-end. Sydney commandait à manger et elles regardaient des films ensemble. Grayson lui manquait, mais elle savait que la rupture était nécessaire. Sabrina était prise par le travail et par Steve, et par leurs projets d'avenir – au point qu'elle n'avait pas encore eu le temps de s'intéresser à l'organisation du mariage.

Sydney s'était débrouillée pour faire ses courses de Noël en ligne, elle n'avait pas le choix. Les filles et Steve avaient prévu de passer le réveillon de Noël avec elle, ainsi que Kevin et Ed. Le 25, Steve emmenait Sabrina en Floride pour rencontrer ses parents, puis ils devaient passer le week-end en amoureux à Palm Beach pour le nouvel an. Sophie partait skier avec des amis dans le Vermont. Tous ces projets de vacances semblaient merveilleux aux oreilles de Sydney, dont l'horizon était limité par les murs de son deux-pièces, et la fenêtre qui donnait sur la rue. Mais elle était heureuse qu'ils aient envie de passer le réveillon avec elle, et savourait chaque instant partagé avec Sophie, en attendant qu'elle rencontre quelqu'un.

Sydney et Ed se renvoyèrent beaucoup de croquis pendant les semaines qui précédèrent Noël. L'atelier fermait pour les fêtes, et il ne leur resterait plus que six semaines avant le défilé. Cette fois-ci, Sydney ne pourrait pas être là. Ils avaient terminé presque tous les patrons, et les échantillons étaient en production, sauf pour quelques-uns – comme d'habitude – dont on attendait encore le tissu expédié en retard de l'étranger. Mais ils avaient encore le temps de rattraper ça. Ed continuait de lui soumettre des croquis de robes de mariée pour Sabrina chaque fois qu'il avait une minute. C'était un bel événement en perspective après des années qui avaient vu trop de drames. Enfin, la chance tournait.

Sydney travaillait sur des croquis quand Steve lui téléphona, trois jours avant Noël. Il parla de tout et de rien pendant quelques minutes, et elle s'interrogeait sur la raison véritable de son appel quand il demanda à passer la voir.

— Il y a un problème ? demanda-t-elle, soudain très inquiète.

Il ne venait jamais la voir seul, et tant qu'elle ne quittait pas l'appartement, son dossier judiciaire était bouclé jusqu'à la fin mars.

— Pas du tout. J'aimerais juste faire un saut chez vous si vous n'êtes pas trop occupée. J'ai un cadeau de Noël pour vous et je voulais vous l'apporter en personne.

Il y avait de quoi être perplexe.

— Vous ne passez pas le réveillon avec nous ?

— Si, bien sûr. Mais je me suis dit que le cadeau vous serait peut-être utile avant les fêtes.

Elle se demanda s'il comptait débarquer avec un sapin : elle en avait déjà commandé un pour le lendemain. Et puis, elle ne se sentait pas encore d'humeur festive. La vente de la maison lui pesait toujours.

— Quelle heure vous arrangerait ? insista-t-il.

— Eh bien, je n'ai pas prévu de bouger d'ici, dit-elle en riant.

— J'espère bien que non ! Seize heures, ça vous va ?

Elle serait en train de travailler, mais pouvait s'accorder une pause. Cette visite était bien mystérieuse.

À seize heures pile, Steve sonna à l'interphone. Elle interrompit ses dessins pour lui ouvrir la porte de l'immeuble. Jetant un coup d'œil dans le miroir, elle aperçut ses cheveux décoiffés et son visage dépourvu de maquillage. Elle ne s'était pas souciée de son apparence, comme souvent quand elle travaillait chez elle. Steve, en costume, avait l'air de revenir tout droit du tribunal. Il ôta son manteau épais et s'installa à côté d'elle sur le canapé.

Ils discutèrent un peu, de la pluie et du beau temps, et elle était encore plus perdue sur la raison de sa visite quand il décida enfin d'en venir au fait.

— Je voulais vous donner des nouvelles du procès de Paul Zeller, et il m'a semblé qu'il valait mieux le faire de vive voix.

Elle hocha la tête sans comprendre. Ça n'avait plus grande importance à présent.

— Il a été auditionné cette semaine, et le procureur lui a proposé un accord. Apparemment, ils ont réussi à extraire beaucoup d'informations de ses ordinateurs, des preuves qu'il achète de la marchandise volée depuis des années. Ce n'est pas nouveau. Il s'est toujours débrouillé pour faire ça discrètement, sans trop de vagues. Puis vous êtes arrivée, blanche comme neige, et j'imagine qu'il n'a pas pu résister à l'idée de vous utiliser. Vous étiez la couverture parfaite.

— Et ils le laissent s'en sortir les mains dans les poches ?

Elle essayait d'anticiper une mauvaise nouvelle.

— Non, on ne peut pas dire ça. Il risquait entre vingt et vingt-cinq ans de prison. Les charges sont là : blanchiment d'argent, évasion fiscale, recel de marchandise volée. C'est difficile à tracer, mais il n'est pas exclu que l'argent de la contrefaçon et des produits de luxe volés soit lié dans certaines régions du monde au financement du terrorisme. Le FBI prend ça très au sérieux. Ils ont fermé Lady Louise juste après sa vente. Le gouvernement va prélever la somme qu'il considère comme due et on m'a dit que son ex-femme récupérerait le reste de sa fortune. Il n'a plus un sou. Le procureur fédéral a requis vingt ans ou plus. Mais il a un excellent avocat qui a su tirer les bonnes ficelles aux plus hauts échelons, alors ils lui ont proposé un très bon accord. Dix ans de prison, cinq de liberté conditionnelle. Son avocat a réussi l'exploit de réduire à sept et cinq. Il a une chance de cocu, parce qu'il aurait pu écoper de bien plus. Zeller voulait refuser, mais son avocat ne l'a pas laissé faire. Le jury l'aurait crucifié au procès, surtout si le procureur avait décidé de vous faire venir à la barre pour raconter comment vous avez été condamnée par sa faute. Mais ça aurait aussi entaché la réputation du bureau du procureur, qui a voulu faire de vous un exemple et s'est montré intraitable pour obtenir de vous des informations que vous n'aviez pas. Au final, Zeller a accepté la négociation de peine, à grand renfort de cris et d'indignation. Il a signé hier, et il sera envoyé en pénitencier fédéral aujourd'hui ou demain. Pas de libération sous caution en attendant. Il est fini.

Elle resta silencieuse un moment, puis hocha la tête et regarda Steve. Elle se souvenait tout d'un coup que Paul avait un fils pédiatre à Saint Louis, et se demandait comment il réagirait en apprenant la nouvelle. Elle était désolée pour lui. Puis elle pensa à toute la souffrance et au traumatisme infligé par les mensonges de Paul Zeller, alors qu'elle était innocente depuis le début.

— Merci d'être venu me le dire. C'est ça, votre cadeau de Noël ?

Elle restait curieuse, mais avait besoin de digérer cette information. C'était terminé. Et on allait la laisser tranquille.

— En partie.

Steve porta sa main à sa poche et en sortit une petite paire de ciseaux.

— C'est pour quoi faire ?

— Eh bien, en tant que votre avocat, j'ai réussi à vous épargner la prison mais je vous ai coincée ici pendant six mois.

Il balaya du regard l'appartement envahi par le bazar, le matériel informatique, l'écran géant pour communiquer avec l'atelier au quotidien.

— Si ce sale type a pu obtenir une réduction de peine de sept ans au lieu de vingt-cinq, je me suis dit que je vous en devais une. J'avais rendez-vous avec le juge ce matin. C'est fini, Sydney. Ils ont réduit votre peine à trois mois, et en comptant la détention provisoire, c'est terminé. Ils ont désactivé votre bracelet à seize heures aujourd'hui. La période de mise à l'épreuve a été réduite à un an, avec permission de voyager en raison de votre profession. Le juge a même accepté que vous conserviez votre passeport – il suffira d'envoyer un mail à votre conseiller pénitentiaire avec les dates de départ et de retour. Tant que vous n'avez pas de nouveaux problèmes avec la justice, le juge a dit qu'il nous reverra dans six mois ou un an pour mettre fin à la période de mise à l'épreuve et effacer votre casier.

Elle le regardait avec incrédulité.

— Ils se sont montrés trop zélés avec vous, et ils le savent. Maintenant ils essaient de faire marche arrière avec autant de dignité que possible.

— Vous avez fait tout ça aujourd'hui ?

— Oui. Vous êtes une femme libre, Sydney. Maintenant donnez-moi votre cheville, et ôtons cette horreur pour que je puisse la rendre au bureau du procureur.

Il tendit la main. Ébahie, elle lui présenta sa cheville et il coupa le bracelet en plastique. Puis il lui sourit.

— Joyeux Noël, Sydney.

Les larmes roulant sur ses joues, elle le serra dans ses bras avant de contempler la pièce, comme pour la première fois.

— Je n'en reviens pas... Je suis libre... libre ! Je peux sortir ?

Tel un animal en captivité depuis trois mois, c'était comme si elle ne savait plus quoi faire une fois confrontée à la liberté.

— Vous pouvez faire ce que vous voulez. Vous êtes libre. C'est terminé.

— Mon Dieu... Oh, mon Dieu ! gloussa-t-elle en joignant les mains de ravissement.

Le nom d'Ed s'afficha sur l'écran de son téléphone mais elle ne décrocha pas – ce qui n'arrivait jamais. En vérité, elle n'était pas encore prête à parler à quelqu'un. Elle voulait juste savourer ce moment avec Steve.

— Les filles sont au courant ?

— Non, je voulais que vous soyez la première.

— Vous êtes génial, merci !

Elle le serra à nouveau dans ses bras, et il se redressa.

— Attendez, je pars avec vous, protesta-t-elle, tout excitée. Je vais chercher mon manteau.

Elle fonça vers le placard et en sortit au hasard un vieux manteau en fourrure qu'elle enfila. Elle se sentait un peu folle, avec ses cheveux en bataille, ses ballerines et son vison.

— Il gèle, dehors, la prévint-il.

Elle se contenta de sourire, ivre de joie.

— Je me fiche de mourir congelée. Je n'ai pas respiré d'air frais depuis trois mois, jour pour jour. J'appellerai les filles en rentrant.

Elle semblait distraite.

— N'oubliez pas vos clés !

Elle attrapa le trousseau sur une console près de la porte, là où Bob l'avait laissé à son dernier séjour, l'empocha et ferma derrière eux. Une minute plus tard, ils étaient dans la rue. Elle regarda autour d'elle les voitures, les gens, les hauts immeubles, les chiens qu'on promenait, les passants transportant des sapins, elle écouta les klaxons. On aurait dit qu'elle avait atterri au paradis et n'en croyait pas sa chance. Elle serra à nouveau Steve dans ses bras, et il lui sourit. Aux yeux de l'avocat, elle méritait d'avoir tout ce qu'elle désirait à partir de maintenant.

Alors qu'elle s'éloignait, il lui cria :

— Faites attention en traversant !

Elle lui fit signe et, un large sourire aux lèvres, lança :

— Vous êtes un amour ! Joyeux Noël !

Elle continua de marcher, sans cesser de sourire. Elle descendit vingt rues dans Manhattan, puis reprit le chemin en sens inverse, en souriant aux passants, savourant chaque odeur, chaque couleur, chaque visage, le bruit et la lumière. Elle aimait les sons de la ville et l'effervescence des citadins pressés. Elle comptait prévenir ses enfants, mais elle avait décidé de ne rien dire à Bob. Elle lui réservait la surprise pour son retour. Sydney était une femme libre à nouveau. Et heureuse d'être en vie.

18

Quand elle fut rentrée de sa promenade, Sydney raconta à ses filles ce qui s'était passé, rendant à Steve tout son mérite. Il avait accompli un miracle en obtenant sa libération trois mois plus tôt que prévu. La perspective d'effacer son casier, même d'un délit mineur, était une bonne nouvelle aussi. Les filles étaient folles de joie. Sydney leur dit qu'elle comptait célébrer le réveillon de Noël dehors. Elle voulait emmener tout le monde au Plaza pour l'occasion. Ce serait merveilleux de sortir, et de les inviter au restaurant pour changer. Des activités autrefois ordinaires avaient retrouvé une saveur précieuse.

Elle rappela Bob, dont le nom s'était affiché plusieurs fois sur son téléphone pendant son absence. Il décrocha, inquiet.

— Tout va bien ?

— Oui, désolée. Je dormais.

Elle ne voulait rien lui dire pour lui réserver la surprise à son arrivée. Seulement cinq jours, si elle parvenait à tenir – ce qui n'était pas évident.

Le lendemain matin, elle s'habilla pour aller à l'atelier. Elle n'avait pas prévenu Ed non plus, et elle entra dans son bureau naturellement, en pantalon de laine gris et pull assorti, et s'adressa à lui comme si elle n'était jamais partie. On aurait dit qu'il venait de voir un fantôme.

— Sydney ? Qu'est-ce que tu fais là ?

Il avait peur qu'elle ait enfreint les règles en décidant de quitter son appartement et fut soulagé quand elle lui raconta les prouesses de Steve.

— J'y crois pas !

Il contourna son bureau et se jeta dans ses bras, sans plus vouloir la lâcher. Tout le monde à l'atelier était enchanté.

Ed l'invita à déjeuner et elle lui parla du dîner de Noël au Plaza. Chaque jour était une fête, désormais. L'air légèrement embarrassé, il lui posa une question surprenante.

— Ma mère organise tous les ans un gala de charité à Hong Kong, au profit de la recherche contre le cancer du sein. Sa mère et sa sœur en sont mortes. Deux mille personnes sont attendues et le but est de récolter beaucoup d'argent. La soirée s'organise toujours autour d'un événement ou d'une animation un peu spéciale, pour la rendre plus attrayante. Elle veut savoir si on serait d'accord pour envoyer la collection là-bas après la Fashion Week. Ils paieraient pour le transport, l'assurance et les mannequins. Pour être honnête, c'est une prise de tête et beaucoup de boulot. Je ne t'en ai pas parlé parce que tu n'étais pas libre d'aller et venir et je ne voulais pas le faire seul. Mais maintenant que tout ça est derrière toi, qu'est-ce que tu en dis ? Ce serait une belle publicité, pour une belle cause, mais rien ne nous y oblige. Je peux lui dire non. J'ai déjà dit que je n'étais pas sûr de pouvoir, sans toi.

Sydney n'hésita pas une seule seconde.

— C'est une très bonne cause, et ça nous fera de la pub, même si c'est à Hong Kong. Et c'est pour ta mère. Sans ta famille, Sydney Chin n'existerait pas.

— C'est vrai.

Maintenant qu'il y pensait, sa mère avait eu l'élégance de ne pas mentionner cet argument.

— Ils envisagent de faire ça le 1er mars, dit-il. Au niveau du timing, ça pourrait le faire. On aurait la collection deux semaines à l'atelier pour prendre les commandes, ou au moins dix jours, et ensuite on l'expédierait à Hong Kong. Je peux emmener Kevin pour nous aider, et on peut engager du monde là-bas, y caster des mannequins.

Il avait déjà réfléchi à la logistique, mais n'avait pas voulu accepter de le faire sans Sydney.

— Alors, tu en dis quoi ?

— Pour moi, c'est un oui, affirma-t-elle avec un sourire.

Elle était amoureuse du monde maintenant qu'elle était sortie de son appartement.

Ed lui sourit. C'était un plaisir de la voir de retour à l'atelier, même s'ils s'étaient remarquablement bien débrouillés pendant trois mois avec un écran. Bien mieux qu'ils ne l'avaient espéré.

— Tu vas gagner sa reconnaissance éternelle. Je vais lui envoyer un mail. Elle sera ravie. Et ce sera sympa de retourner à Hong Kong avec toi. Et puis... ça te donnera l'occasion de rencontrer les enfants de Bob.

Une expression horrifiée se peignit sur le visage de Sydney.

— Du coup, non, oublie. Tu peux annuler l'événement, plaisanta-t-elle.

— Tu vas les adorer, c'est promis.

— Là n'est pas la question. Ce sont eux qui vont probablement me détester.

— Pour quelle raison ? Ils sont grands.

— Pour certaines, ça ne change rien.

— Bob doit être tellement soulagé de ta libération.

— Il ne sait encore rien. Je veux lui faire la surprise à son retour la semaine prochaine.

— Ça va faire de lui un homme heureux, dit Ed avec un large sourire.

— J'espère bien.

Elle-même était aux anges.

Le petit groupe se retrouva au Plaza pour le réveillon de Noël. Ed et Kevin, Steve et Sabrina, Sophie et Sydney. Ce fut un beau repas et une soirée festive. Ils trinquèrent au champagne à la libération de Sydney et admirèrent la bague de fiançailles que Steve avait offerte à Sabrina le jour même. Elle étincelait à son doigt. Sydney se rendit ensuite à la messe de minuit à l'église Saint-Ignatius sur Park Avenue, toute seule. Ce fut un magnifique office. Après ça, elle passa admirer le sapin du Rockefeller Center, puis rentra chez elle en marchant. Elle ne se déplaçait plus qu'à pied pour profiter pleinement de son retour dans le monde. Elle ne considérait plus rien comme acquis et savourait les plus petites choses.

À l'église, elle avait allumé un cierge pour Andrew, en repensant à leur vie ensemble et à combien les choses avaient changé. C'était presque comme si elle était une autre à l'époque, une femme qu'elle n'avait été qu'avec lui, et qui était morte avec lui. Aujourd'hui elle dessinait de nouveau des vêtements, elle travaillait, elle possédait une entreprise pour moitié – grâce à Ed. Elle avait survécu à la perte de sa maison, de sa fortune, de son appartement parisien bien-aimé, à son arrestation, à la prison – sur un très court séjour. Elle avait été dépossédée de tout ce qui constituait son identité, et avait découvert qu'elle était toujours une personne entière, avec les mêmes croyances et les mêmes valeurs. Les choses qui lui importaient tant quand elle était mariée n'avaient plus grande signification à ses yeux. En perdant tout, elle s'était retrouvée. Et elle était plus forte que jamais. Elle avait toujours pensé que perdre Andrew la tuerait, pourtant elle était encore là. Elle était triste, et il lui manquait. Mais il était mort, et elle avait survécu. Ce qui lui restait à présent, ce qu'elle était devenue après avoir souffert de toutes ces pertes, lui appartenait à elle, et à Bob. Elle s'était découverte après le décès d'Andrew. Elle s'était transformée en un papillon aux ailes solides, et Andrew avait été la chrysalide dont il fallait se libérer pour prendre son envol.

La secrétaire de Bob, une femme sympathique que Sydney avait eue plusieurs fois au téléphone, lui avait envoyé son itinéraire par mail, comme toujours, pour qu'elle soit prévenue en cas de retard. Sydney prit en note le numéro du vol, l'heure d'arrivée, et réserva une voiture avec chauffeur pour l'emmener à l'aéroport. Elle pouvait se permettre un peu plus de petits luxes avec son nouveau salaire et l'argent de la vente qui devait tomber en janvier. Ses finances n'étaient plus aussi serrées qu'après la mort d'Andrew.

La circulation était fluide. Trois jours étaient passés depuis Noël, et peu de gens avaient repris le travail. La neige au sol avait fondu, et elle arriva avec une demi-heure d'avance, qu'elle passa à errer dans l'aérogare en attendant Bob. Il ne savait pas qu'elle était là. Ç'avait été une torture, mais elle avait réussi à garder le secret. Elle adorait l'idée de le surprendre – avec une bonne nouvelle pour une fois.

Le grand panneau des arrivées annonçait que l'avion

venait d'atterrir. Puis il indiqua que les passagers passaient la douane. Sydney se posta sur le côté des portes, pour le voir sortir sans qu'il l'aperçoive.

Puisqu'il voyageait toujours en première classe, il fut l'un des premiers passagers à émerger, et il se dirigea rapidement vers la sortie du terminal, tirant sa valise à roulettes. Il attendait son chauffeur, qu'elle avait annulé puisqu'elle en avait réservé un elle-même.

Elle le suivit sur quelques mètres avant de se porter à son niveau et de lui tapoter l'épaule. Il se retourna et resta cloué sur place, muet. Comme Ed, il eut peur pendant un instant qu'elle se soit échappée de son appartement. Mais elle se jeta à son cou, l'embrassa, et il l'étreignit.

— Tout va bien, dit-elle doucement. Je suis libre... Ils m'ont laissée sortir.

Elle avait lu l'inquiétude dans ses yeux. Il l'embrassa à nouveau, et ils restèrent dans les bras l'un de l'autre, au milieu de la foule mouvante de l'aéroport, à se sourire.

— Que s'est-il passé ? Pourquoi tu ne m'as rien dit ? Depuis quand... ?

Alors qu'ils se dirigeaient vers la sortie, elle lui raconta toute l'histoire du plaider coupable de Zeller, et des négociations de Steve avec le procureur fédéral et le juge.

— ... Et ils vont effacer mon casier d'ici six mois à un an, si je ne suis pas arrêtée de nouveau entre-temps, dit-elle d'un ton détaché.

Il s'esclaffa.

— Tu devrais réussir à l'éviter, non ?

Elle hocha la tête, et ils s'installèrent à l'arrière de la voiture pour rejoindre Manhattan. En franchissant le seuil de l'appartement, il eut une idée. Le deux-pièces était en pagaille. Le matériel informatique gênait le mouvement et le service technique ne passerait pas récupérer l'écran géant et le reste avant le nouvel an. D'un coup, ils se sentaient trop à l'étroit. Sydney voulait un nouvel appartement, mais elle n'avait pas encore eu le temps de s'y intéresser.

— Tu sais quoi ? On s'en va, dit-il en allumant son ordinateur portable. Partons au soleil et au chaud. Saint-Barth, ça te dit ?

Il avait à peine pris le temps d'enlever son manteau et regardait déjà les disponibilités de son hôtel préféré, où il savait qu'ils pouvaient bénéficier d'une villa avec piscine privée. Sydney s'assit sur le canapé, tout sourire, alors qu'il appelait la réception. Une villa était libre, et il la réserva pour le lendemain. Sydney était sur un petit nuage.

Ils passèrent la nuit à parler, au lit. Elle avait fait ses bagages et lui comptait acheter le nécessaire sur place, puisqu'il n'avait pris que des vêtements d'hiver. Elle lui annonça qu'elle serait à Hong Kong en mars.

— Tu n'as pas chômé ! dit-il, ravi.

— On monte un défilé pour le gala de charité annuel de Mrs Chin. On y expédie toute la collection après la Fashion Week. Ça devrait être sympa.

— Ce sera surtout « sympa » de te recevoir chez moi. Je dirais même fantastique.

Son souhait le plus cher allait se réaliser : l'avoir avec lui, à Hong Kong.

— Tu restes combien de temps ?

— Quelques jours, une semaine. Autant de temps qu'il faudra pour préparer le gala.

— Ça te dirait de rester une semaine de plus, juste nous deux ?

Elle accepta. Il lui raconta ensuite son Noël avec ses enfants. Ils étaient tous rentrés et ils avaient passé une très belle semaine ensemble avant de se quitter : eux pour rejoindre leurs amis, et lui pour aller à New York. Il lui dit que ses enfants étaient curieux d'en apprendre plus sur elle. Ils ignoraient qu'elle avait été assignée à résidence et il n'avait pas l'intention de le leur dire. Ils n'avaient pas besoin de le savoir. Ils s'endormirent dans les bras l'un de l'autre, impatients de partir à Saint-Barth.

Ils se levèrent tôt le lendemain pour se rendre à l'aéroport. Sydney avait envoyé un message à Ed pour le prévenir, en sachant qu'il n'y verrait pas d'inconvénient. Ils prirent un vol pour Saint-Martin, puis un petit avion pour rejoindre Saint-Barth. Sydney n'était pas sereine, mais le trajet fut court, et récompensé par une arrivée paradisiaque à l'hôtel. La villa était fabuleuse, l'endroit exceptionnel, et bénéficier d'une piscine privée était un luxe divin. Elle ne s'était jamais sentie si gâtée, même avec Andrew.

Ils dînèrent parfois dans leur chambre, parfois au restaurant. Ils nagèrent nus dans la piscine et explorèrent les boutiques du port. C'était comme une lune de miel, et une récompense pour ses trois mois de confinement. Avec l'approbation d'Ed, ils allongèrent leur séjour d'une semaine, redoutant le retour à New York. C'étaient les meilleures vacances de sa vie.

— Et j'espère qu'il y en aura beaucoup d'autres, dit Bob quand elle le remercia dans l'avion du retour.

Il partait à Londres le lendemain pour un conseil d'administration, mais il devait revenir pour le défilé de la Fashion Week, puis elle le retrouverait à Hong Kong. Il avait déjà réservé et payé une table pour dix au gala de charité et comptait inviter ses amis pour qu'elle les rencontre. Elle serait occupée en coulisses la majeure partie de la soirée, mais pourrait les rejoindre une fois le défilé terminé.

Il leur restait une nuit à New York avant son départ. Elle flottait encore sur le nuage de leurs vacances, et lui aussi. Il était heureux de savoir qu'elle le rejoindrait bientôt. Ils en discutèrent jusqu'à tomber de sommeil. Elle somnolait encore quand il s'en alla à six heures le lendemain. Un baiser, et il était parti.

Au moment d'arriver à l'atelier, Sydney comprit que le mois qui l'attendait allait s'écouler à un rythme effréné. Il fallait terminer la collection, monter le défilé, emballer, aller à Hong Kong, et commencer la collection suivante. Avant que ça devienne la folie, elle voulait trouver un nouvel appartement meublé, rien de trop sophistiqué ou onéreux, mais plus grand que celui qu'elle avait actuellement. Son deux-pièces lui donnait l'impression de vivre dans une cellule de prison, et elle avait hâte de déménager.

Elle trouva le week-end suivant. C'était un appartement tout équipé, comme une suite d'hôtel, assez grand et plus beau que celui qu'elle quittait. Elle ne voulait pas mettre d'argent dans la décoration ou l'ameublement, si bien que les locations temporaires lui suffisaient pour le moment, le temps de retrouver une stabilité financière. L'aménagement impersonnel lui importait peu.

Sophie l'aida à déménager.

Ce fut un soulagement de toucher enfin l'argent de Paris. Elle put rembourser Sabrina, régler les honoraires de Steve, et mettre le reste de côté à la banque. Son compte n'avait pas vu une telle somme depuis deux ans, et elle se sentit en sécurité pour la première fois depuis longtemps.

Sabrina l'appela un week-end pour lui annoncer qu'elle et Steve avaient trouvé le lieu idéal pour accueillir le mariage. C'était un club privé anglais avec des murs lambrissés et des cheminées, qui comportait des pièces élégantes, une bibliothèque et était entouré de magnifiques jardins. L'établissement ressemblait à une maison, ce qu'il avait été. C'était formel, traditionnel, et sobre – exactement comme eux. Le club pouvait être privatisé pour des mariages, et le prix semblait raisonnable. Sabrina et Steve s'étaient mis d'accord sur une centaine d'invités, pas plus. Ils voulaient une cérémonie traditionnelle et discrète, ce qui collait parfaitement avec le chic à l'ancienne du club. Seule Sophie était déçue qu'ils n'aient pas choisi un endroit plus extravagant et original – mais ce n'était pas le style de sa sœur. Dans le même ordre d'idée, la cadette essayait de convaincre Sabrina de la laisser porter du rose fuchsia au lieu du délicat coloris pêche rosé choisi. La robe de Sydney était taupe, avec des accessoires bronze.

Sydney versa aussitôt la somme nécessaire à la réservation pour ne plus avoir à y penser. Le club avait ses propres cuisines avec personnel d'hôtellerie, ce qui était une préoccupation en moins. L'église était trouvée. Il ne restait plus que le gâteau, le fleuriste d'Ed et le photographe. Sydney et Ed s'occupaient des robes. Tout se révélait bien moins compliqué et stressant qu'elle ne l'avait imaginé. Steve et Sabrina avaient peu d'exigences, malgré les critères de la styliste en matière de mode. Elle voulait que son mariage reste simple et intime. Steve aimait cette idée, et ses parents y avaient consenti. Sabrina avait fait l'essentiel des recherches seule, et savait ce qu'elle voulait.

Les principales questions du mariage résolues et les réservations effectuées, Sydney put se concentrer sur la collection, reléguant les détails à plus tard. Ils avaient le temps. Le plus urgent était la Fashion Week, qui la forçait à travailler jusqu'à minuit tous les soirs, tandis qu'Ed restait souvent plus tard.

Un soir, en pleine pause dîner dans son bureau, elle ouvrit le *New York Post* à la rubrique people entre deux bouchées de salade. Les noms habituels revenaient : les infidèles, les couples à la mode, les naissances officielles et hors mariage, qui avait acheté une maison, qui divorçait... Au beau milieu de tous ces ragots, le nom de Kyra lui sauta aux yeux, et elle se demanda dans quel pétrin les jumelles s'étaient encore fourrées. Elle savait que le divorce de Kellie lui coûtait une fortune, et que Geoff était déjà fiancé ailleurs. Le paragraphe sur Kyra était bref et triste. On y lisait qu'elle était en cure de désintoxication pour une addiction à l'alcool et à d'autres substances qui avait conduit à plusieurs arrestations récentes. Elle n'avait pas eu le choix : c'était ça ou la prison. Sydney avait eu ses propres problèmes avec la loi, mais ça lui semblait un tel gâchis qu'une jeune femme si privilégiée se retrouve dans cette situation !

À 34 ans, Kyra n'avait pas d'enfants, n'avait jamais été mariée, avait enchaîné les mauvaises fréquentations et n'avait jamais rien fait de sa vie. Sydney espérait qu'elle changerait. Elle ne lui connaissait pas de problème de drogue, mais peut-être que l'héritage colossal lui avait fait perdre pied et déraper. Aucune des jumelles n'avait utilisé la fortune de leur père à bon escient. L'une l'avait perdue à cause de son divorce avec un gigolo, l'autre la dilapidait dans la drogue. Sydney était soulagée de ne plus avoir de lien avec elles et espérait ne plus croiser leur chemin. Leur passé commun lui semblait irréel. Trop d'eau avait coulé sous les ponts.

Elle en parla avec Sabrina le lendemain, et elles tombèrent d'accord sur la situation navrante des jumelles, qui avaient été si pressées de tout lui voler, pour tout perdre ensuite.

— J'ai entendu dire par une connaissance commune que Kellie s'est mise à la cocaïne et que Geoff menace de lui enlever les enfants, raconta Sabrina. C'est pathétique.

— Au moins, il veut s'en occuper.

— Probablement pour la pension alimentaire qu'elle devra lui verser en plus s'il obtient la garde, commenta Sabrina avec cynisme avant d'ajouter d'un ton plus doux : Je suis désolée pour la maison, maman.

— Moi aussi, mais ça n'a plus d'importance. C'est de l'histoire ancienne.

Et l'avenir s'annonçait radieux. Depuis le premier défilé, Sydney Chin rencontrait un succès fou qui dépassait toutes les attentes et prédictions. Les Chin étaient enchantés. Ils avaient augmenté ses parts, son salaire, et lui avaient accordé un bonus généreux. Elle tirait une satisfaction à savoir que ce qu'elle avait, elle ne le devait qu'à elle-même. On ne lui avait pas fait de cadeau, et personne ne pouvait le lui enlever. Jamais elle ne se remettrait dans une situation de dépendance.

Bob arriva à New York deux jours avant le défilé et l'invita à dîner la veille de la Saint-Valentin. Elle courait dans tous les sens à l'atelier mais accepta, à condition de retourner travailler ensuite. Il l'attendrait dans son nouvel appartement, qui n'était ni spectaculaire ni beau, mais bien mieux que le précédent, qu'elle avait été ravie de quitter.

— Prête pour le grand jour demain ? demanda Bob à table.

Aussitôt, l'anxiété apparut sur son visage.

— Non, absolument pas. Il nous reste six robes à finir de coudre ce soir. Les appliqués et les broderies ne sont arrivés que cet après-midi, et notre mannequin star vient d'annuler. Elle s'est cassé la jambe à Courchevel hier, et on ne lui a pas encore trouvé de remplaçante.

Il l'écouta avec un sourire, reconnaissant le jargon de la mode et la panique inhérente à la Fashion Week. Au bout du compte, les robes seraient prêtes à temps, il y aurait assez de mannequins, et dans le cas de Sydney et Ed, les critiques seraient dithyrambiques. Sabrina était confrontée aux mêmes problèmes. Et Sophie s'affairait presque tout autant avec sa collection junior. C'était la norme, dans le milieu.

— Tu restes à l'atelier cette nuit ?

Elle hocha la tête.

Il avait une question pour elle, mais ce n'était pas le bon soir. Elle était trop fatiguée, trop stressée. Et elle serait à Hong Kong dans moins de deux semaines. Il pourrait poser sa question là-bas. Le regard de Bob s'attarda tendrement sur la bague qu'elle portait en permanence. Elle l'appelait son porte-bonheur, ne la quittait jamais presque par superstition.

Bob l'embrassa en la déposant à l'atelier, puis regagna l'appartement. L'amour qu'il éprouvait pour elle l'émerveillait encore. Il n'avait jamais ressenti ça pour une autre femme, et malgré le milieu fou dans lequel elle travaillait, ils s'entendaient bien. Le seul problème restait la distance, mais ils semblaient gérer pour le moment, surtout grâce à lui qui se rendait à New York – parfois pour ses clients et souvent pour elle. Il ne supportait pas d'être séparé de Sydney longtemps.

Il se réveilla un instant quand elle se glissa dans le lit à quatre heures du matin, puis une nouvelle fois quand elle en sortit à six. Quand il se leva, deux heures plus tard, elle était déjà à l'atelier depuis longtemps.

19

Comme prévu, le défilé fut encore plus acclamé que le premier et les critiques se répandirent en éloges. Sydney et Ed étaient fous de joie. Ils rentrèrent chez eux directement après pour dormir et, le lendemain, retrouvèrent Kevin et Bob autour d'un dîner à La Grenouille pour fêter ce succès. On parlait de leur défilé comme du meilleur de la saison, et les rumeurs allaient bon train sur une possible nomination pour la récompense du CFDA Fashion Award – ce qui serait un exploit car c'était l'équivalent des oscars. Et les commandes affluaient déjà.

Bob resta quelques jours puis rentra à Hong Kong. Il avait déjà prévu des sorties avec Sydney là-bas, une soirée tranquille avec ses enfants et un cocktail avec ses amis pour la présenter. Sydney appréhendait. Il semblait tellement impatient de lui faire rencontrer ses proches qu'elle se sentait submergée. Elle en parla avec Ed une fois qu'ils furent installés dans l'avion. Les deux semaines passées avaient été un véritable tourbillon, et des journées chargées les attendaient à Hong Kong.

— J'espère que tu as trouvé un moyen de contrer ta malédiction des avions, la prévint-il.

Sydney lâcha un rire nerveux. Elle n'avait jamais totalement oublié la terreur du vol qui avait failli finir dans l'Atlantique – l'événement fatidique qui avait provoqué sa rencontre avec Paul.

— Moi aussi. Bob se comporte comme si ce n'était pas une simple visite, mais un retour à la maison. Je n'ai même pas encore fait la connaissance de ses enfants ! Et je refuse de me coltiner à nouveau des gosses qui vont me détester.

— Arrête de te prendre la tête avec ça. Ils sont parfaitement normaux. Les deux garces étaient folles à lier depuis le début.

Il se perdit dans ses pensées une minute, puis demanda :

— Tu crois que tu aimerais vivre là-bas ?

Elle répondit sans hésiter :

— Non. Je suis mariée à toi et à la marque.

Kevin voyageait sur le même vol, mais en business – un cadeau d'Ed. Puisqu'il s'agissait d'un long-courrier, Ed et Sydney étaient en première classe, un luxe qui lui avait manqué.

— Rien ne t'y oblige. Tu pourrais vivre ailleurs, tu sais. S'il y a bien une chose que ton assignation à domicile nous a prouvée, c'est ça. Tu peux envoyer tes croquis par mail. On peut faire des réunions en FaceTime. Tant que tu reviens pour la Fashion Week deux fois par an. Notre équipe de stylistes peut gérer les pré-collections. En réalité, tu n'es pas forcée de vivre à New York si tu n'en as pas envie.

— Mais j'en ai envie ! Mes deux filles y vivent ! Et je refuse de tout abandonner à nouveau pour un homme, ou d'être dépendante de quelqu'un pour prendre soin de moi. C'est la leçon que j'ai retenue de ces deux dernières années : je n'aurais jamais dû faire une croix sur ma carrière après mon mariage. C'était une terrible erreur.

— Alors ne fais pas une croix sur ta carrière. Ce n'est pas ce que je souhaite non plus.

Rien que d'y penser, il eut l'air inquiet. Leur société en pleine expansion dépendait d'eux deux.

— Je dis simplement que tu peux vivre où tu veux à condition d'avoir un ordinateur et de faire le voyage à New York plusieurs fois par an. Il faudrait probablement que tu y passes un mois avant chaque Fashion Week de septembre et février. C'est jouable. Tu peux t'arranger.

Ed essayait de trouver une solution pour qu'elle puisse passer du temps avec Bob.

— Je ne vois pas trop comment, répondit-elle, perplexe. Et puis, ça voudrait dire emménager ici pour Bob. Tout ça pour un homme, c'est un trop gros changement. Il suffit qu'il meure ou qu'il me largue, et je suis bonne pour recommencer depuis le début. Ce que je viens de faire.

Elle semblait troublée rien qu'à cette pensée. Le traumatisme des événements qui avaient suivi la mort d'Andrew était profond, et elle ne voulait pas remettre sa vie entre les mains d'un autre homme, même Bob, qu'elle aimait pourtant.

— Je refuse de laisser tomber ma vie, ma carrière, ma ville, pour qui que ce soit. Il vit à Hong Kong. Je vis à New York. Point barre.

— Et si vous pouviez faire les deux ? suggéra calmement Ed.

Elle ne répondit pas pendant un long moment.

— Je ne sais pas. Ça m'effraie. Est-ce que tu ne serais pas en train de chercher à me marier ? plaisanta-t-elle. C'est Bob qui est derrière tout ça ?

— Non, mais c'est clair qu'il t'aime comme un fou et tu ne peux pas t'attendre à ce qu'il fasse les trajets éternellement. D'autant plus que ces temps-ci, même dans l'industrie de la mode, on peut facilement travailler ailleurs avec un ordinateur. Je voulais juste te rappeler de garder un esprit ouvert.

C'était attentionné de sa part, et elle était touchée.

— Tu déménagerais dans une autre ville pour Kevin ?

Ed parut surpris par la question. Il n'y avait jamais songé, avec personne.

— Aucune idée. Ça dépendrait d'à quel point je suis amoureux, et de la ville en question. Peut-être que j'essaierais sur une courte période, pour voir.

Le regard tourné vers le hublot, Sydney se perdit dans ses pensées. Bob avait fait ses preuves pendant l'année qui s'était écoulée, et avait répondu présent pour elle. Mais un déménagement à Hong Kong, c'était beaucoup demander. Par chance, il ne l'avait jamais fait. Elle n'avait pas envie d'avoir à prendre une décision.

Ils regardèrent des films et dormirent pendant le vol. Ed alla voir Kevin en business plusieurs fois. Quand ils arrivèrent à Hong Kong, Bob les attendait à l'aéroport. Ed et Kevin séjournaient dans la famille Chin, qui avait envoyé la Bentley et son chauffeur. Bob conduisit Sydney chez lui en Aston Martin. Une fois là-bas, elle découvrit un appartement aussi beau que le promettait la webcam.

— Bienvenue à la maison, dit Bob en l'embrassant.

Ils étaient sur la terrasse avec vue sur Hong Kong. L'appartement semblait sortir d'un film. Il lui servit une flûte de champagne.

— Ça fait onze mois que j'attends de te recevoir ici.

Il avait l'air heureux. Pour lui, c'était un rêve d'être chez lui à Hong Kong, avec elle. Alors qu'elle sirotait son champagne, Sydney ne put s'empêcher de se rappeler qu'il était resté auprès d'elle pendant les pires mois de sa vie, y compris pendant la préparation du procès et la perspective de la prison. Jamais il ne l'avait abandonnée. Les années avec Andrew avaient été faciles, pour tous les deux. Mais Bob avait traversé avec elle une période difficile, dont trois mois de confinement dans un appartement minuscule. Elle était de retour dans une bulle de luxe, mais ce n'était pas la sienne. C'était celle de Bob, et elle en était parfaitement consciente à présent, ainsi que des risques associés. Et elle ne voulait pas les courir à nouveau.

— Quel est ton programme, demain ? demanda-t-il.

Il avait toujours beaucoup de respect pour ses projets et impératifs, et s'adaptait volontiers. Pour elle, c'était une nouveauté.

— Je dois aider Ed à monter le défilé. C'est après-demain. Il nous reste à choisir les modèles et à faire les essayages. Mais ça ne sera pas la folie comme à New York.

C'était un gala de charité, pas la Fashion Week devant une armée de critiques à impressionner.

— On aura le temps de tout faire après le gala, dit-il tranquillement.

Elle restait une semaine après le défilé, pour passer du temps avec lui. Et tant qu'elle ne songeait pas à la rencontre avec ses enfants, le style de vie de Bob était irrésistible.

Dans la salle de bains immense trônait une grande baignoire en marbre dans laquelle ils se plongèrent avant de se coucher. Il lui servit une nouvelle flûte de champagne, et elle était déjà à moitié endormie avant de grimper dans son lit douillet et de le prendre dans ses bras, les yeux étincelants d'un bonheur pur.

— Je t'aime, chuchota-t-elle avant de s'endormir instantanément.

Il éteignit la lumière et sourit. Avec elle ici, sa vie était parfaite.

Sydney se réveilla tard le lendemain. Bob était parti au bureau et l'avait laissée dormir. Elle dut se dépêcher pour rejoindre Ed à midi à l'hôtel où avait lieu le casting. La flopée d'assistants qu'il avait engagés déballaient déjà les vêtements, qui étaient arrivés sans accroc, et Kevin dirigeait deux assistants pendant qu'une dizaine de couturières attendaient pour ajuster les pièces sur les mannequins.

Ils venaient de choisir les filles quand la mère d'Ed passa les remercier de leur présence. À nouveau, Sydney fut frappée par sa jeunesse et sa beauté. Elles avaient presque le même âge mais Ed et sa mère auraient pu passer pour frère et sœur. Mrs Chin avait une peau exquise et un chic incroyable. Elle ne portait que de la haute couture française. C'était elle qui avait initié Ed à la mode, en l'emmenant dans des défilés dès son plus jeune âge.

À dix-huit heures, quand Bob vint chercher Sydney, tout était bouclé. Il invita Ed à se joindre à eux, mais ce dernier avait déjà prévu de dîner avec ses parents. Il convint avec Sydney de se retrouver à neuf heures pour une ultime revue de détail. La répétition aurait lieu à dix heures. Les mannequins étaient toutes des professionnelles. Quelques-unes ne parlaient pas anglais, mais Ed leur parlait en cantonais. Elles étaient toutes magnifiques et rendaient justice aux vêtements.

— La moitié de la salle sera occupée par les Chin, dit Ed en riant. Mes parents ont réservé quatre tables pour la famille et deux pour les amis.

— J'ai une table, moi aussi.

Bob avait invité ses amis les plus proches pour que Sydney puisse les rencontrer. Alors qu'ils montaient dans sa voiture, il l'informa qu'ils dîneraient à la maison ce soir-là. Elle était soulagée de l'entendre, avec la fatigue du décalage horaire. La journée avait été longue, et elle avait hâte de profiter de la baignoire géante pour se relaxer.

L'air de rien, il ajouta :

— Mes enfants viennent dîner à la maison ce soir.

Sydney se redressa, affolée, et il lui sourit.

— Sauf celle qui vit en Angleterre, évidemment. Mais Charlotte va venir de Shanghai. Ils veulent tous te rencontrer, Sydney... Ne fais pas cette tête. Ils ne vont pas te manger, c'est promis.

Évidemment, elle ne le croyait pas. Comment aurait-il pu en être autrement, après son expérience avec les jumelles ? Elle avait espéré repousser un peu la rencontre. Mais il voulait s'en débarrasser vite, pour qu'elle puisse se détendre. Il savait à quel point elle était tourmentée. Elle appréhendait ce moment depuis des mois. Les peurs de Sydney concernant ses enfants formaient barrière à son engagement avec lui.

— Ils arrivent quand ? demanda-t-elle nerveusement.

Bob jeta un coup d'œil à sa montre.

— Dans une demi-heure. C'est très informel. Tu n'as pas besoin de te changer.

Elle était en jean.

— Un restaurant du coin va faire traiteur, tout ce que tu as à faire, c'est manger et te détendre, dit-il.

Quand ils arrivèrent à l'appartement, Sydney se sentait comme Daniel pénétrant dans la fosse aux lions. Elle se dépêcha d'enfiler une blouse propre, de se mettre un coup de peigne et de se laver le visage. Elle se brossait les dents quand on sonna, et elle sentit son estomac se retourner. C'était eux, forcément.

Pleine d'appréhension, elle se rendit dans le salon où elle trouva Bob, un bras autour d'une jeune femme à la beauté spectaculaire, plus encore que les mannequins embauchées pour le défilé. Elle portait une veste de chef, un pantalon à carreaux et des sabots, ce qui la rendait facile à identifier. Bob présenta avec fierté sa fille à Sydney. Francesca, qui ressemblait presque à une version asiatique de Sabrina dont elle partageait l'âge, affichait un sourire chaleureux et ouvert. Elle lui serra la main poliment et commença par s'excuser.

— Navrée de débarquer dans cet état. J'aidais un ami dans son restaurant, et je viens directement des cuisines.

— Moi aussi, je viens de rentrer du travail.

Sydney lui sourit prudemment et se sentit bête de tant d'appréhension. Francesca n'aurait pas pu être plus gentille, aimable, ou simple. Rien à voir avec la menace du « je ne vais faire qu'une bouchée de toi ou te planter un couteau dans le dos » qu'on pouvait lire dans le regard des jumelles détestables et de leur mère. Francesca était aussi douce et amicale que son père.

— Votre défilé de demain a l'air incroyable, dit-elle sur un ton teinté d'admiration. Papa m'y a invitée, mais je dois travailler. Je m'étais déjà engagée à remplacer un ami avant sa proposition...

Elle prit soudain un air timide.

— ... et puis... je n'ai rien à me mettre. Je passe ma vie en cuisine.

Elle était aussi modeste que son père, et bien moins sophistiquée que ce à quoi s'attendait Sydney. Elle aurait pu être la fille de n'importe qui, et pas d'un homme d'affaires parmi les plus réputés de Hong Kong. Ils parlaient calmement du bistrot qu'elle voulait ouvrir quand le fils de Bob entra. Dorian afficha un sourire ravi dès qu'il aperçut Sydney, comme s'il avait rêvé de la rencontrer toute sa vie. Une demi-heure plus tard, tout le monde riait en écoutant ses anecdotes sur sa récente visite à sa sœur en Angleterre, où il s'était fait passer pour un médecin afin de ne pas la quitter pendant ses visites médicales, et où il avait fini par atterrir en salle d'accouchement par erreur. Dorian était drôle, accueillant, et voulait tout savoir de Sophie et Sabrina. Il dit que les deux filles avaient l'air extrêmement glamour, et elle lui assura que leur travail dans la mode ne les empêchait pas d'avoir le sens des réalités et que toutes les deux travaillaient très dur.

— Je ne sais jamais comment m'habiller, s'excusa-t-il, gêné. Papa m'a emmené à une soirée chic il y a quelques mois. Je ne savais pas où j'avais mis mes belles chaussures, alors j'ai dû y aller en baskets et il était très contrarié.

Il sourit à son père qui leva les yeux au ciel.

— Mon seul problème, c'était que les chaussures que tu as perdues sont celles que je t'avais prêtées.

— Ah oui, c'est vrai, concéda Dorian avec un sourire coupable.

Sydney éclata de rire. C'était un jeune homme adorable, avec un petit côté malicieux et innocent irrésistible.

Alors qu'ils bavardaient, un petit elfe débarqua, vêtu de ce qui ressemblait à un bas de pyjama, un sweat-shirt rose éclaboussé de peinture, et des baskets montantes. Elle se répandit en excuses pour son retard, expliquant que son vol depuis Shanghai était parti plus tard que prévu. Des mèches roses décoraient ses cheveux.

— Et on t'a aussi volé tes vêtements dans l'avion ? demanda son père d'un ton désapprobateur.

— Non, non, ça, c'est moi. J'ai travaillé sur une toile jusqu'à la dernière minute. Mais sinon, ils ont perdu mon sac. Ils devraient l'apporter dans la soirée.

Plus menue que les autres, elle ressemblait à son père, et faisait penser à Sophie plus jeune. Elle avait le même flagrant manque de confiance en elle, et un regard surpris et innocent qui lui donnait l'air d'une éternelle enfant.

— Ma fille Charlotte, que tout le monde appelle Charlie, dit Bob.

Sydney, désormais parfaitement à l'aise, lui sourit. Elle avait l'air d'un lutin adorable avec ses couettes striées de rose.

— Elle s'habille tout le temps comme ça, expliqua Dorian. Vos filles n'approuveraient aucune de nos tenues. Le pire, c'est Aimee, qui passe son temps en pyjama d'hôpital. On n'est vraiment pas fréquentables.

Ses sœurs s'esclaffèrent.

— Moi aussi, je m'habille parfois n'importe comment, répondit Sydney. Il m'arrive de rester en chemise de nuit toute la journée quand je dessine. Même chose pour mes filles.

Charlotte parut impressionnée.

— Au bureau ? Ça m'arrive d'aller à la banque en pyjama, mais ça rend papa complètement dingue. En même temps, c'est vachement plus confortable pour peindre !

Bob lança un regard chagriné à Sydney, et elle ne put s'empêcher de rire. Cette fratrie lui rappelait les enfants perdus de *Peter Pan*. Aucun d'eux ne se souciait de la mode, ce qui lui convenait tout à fait. Ils avaient chacun leur charme, et elle comprenait pourquoi Bob disait qu'ils s'amusaient bien ensemble.

— À vrai dire, je reste en chemise de nuit chez moi, précisa Sydney. Mais j'adorerais aller avec au bureau.

Ils lui racontèrent les aventures de leurs chiens, tous experts en bêtises, le plus drôle étant celui qui avait dévoré un buffet entier avant l'arrivée des invités. Ils ne tarissaient pas d'anecdotes. Sydney appréciait sincèrement leur compagnie. Le dîner fut annoncé, et ils se rendirent dans la salle à manger pour y trouver une table magnifique dressée avec de la porcelaine de Chine, des verres en cristal et une argenterie étincelante, agrémentée de fleurs. Malgré leurs histoires facétieuses et leur style vestimentaire improbable, les enfants de Bob avaient des manières irréprochables, se montraient aimables et polis, étaient soudés et adoraient leur père – qui le leur rendait bien. C'était une famille pleine d'amour et de bons sentiments, et plutôt que de l'en exclure comme ses belles-filles, ils l'accueillaient à bras ouverts. Elle se sentait parfaitement à l'aise avec eux.

Le repas, composé par un des meilleurs restaurants de Hong Kong, était délicieux. Bob avait soigneusement préparé la soirée et n'avait pas lésiné sur les moyens. La conversation resta chaleureuse et divertissante. Ils se taquinaient gentiment et semblaient ravis d'inclure Sydney. L'exact opposé des jumelles.

Elle fut désolée de les voir partir à minuit. Charlotte séjournait dans l'appartement de l'étage inférieur, Francesca rentrait chez elle auprès de son copain, et Dorian sortait avec des amis. Sydney leur dit qu'elle serait ravie de les voir à nouveau avant son départ, mais Charlotte devait repartir à Shanghai. Francesca et Dorian promirent de repasser le lendemain. Ils l'étreignirent tous avec chaleur avant de franchir le seuil. Elle était stupéfaite.

Quand ils se retrouvèrent seuls, Sydney se tourna vers Bob, émerveillée.

— Tu as les enfants les plus adorables que j'aie jamais rencontrés.

— Ils sont chouettes. Si seulement ils pouvaient apprendre à s'habiller... Dorian a raison, ils ne ressemblent à rien.

Ils étaient tous légèrement excentriques, mais d'une manière charmante. Et cela prouvait surtout que Bob les avait laissés être eux-mêmes.

— Mais non. On dirait des gosses qui n'ont pas à enfiler un uniforme pour aller à l'école. Je les trouve merveilleux.

Ils étaient intelligents, affectueux, et modestes.

— Ça faisait un bail que je ne m'étais pas autant amusée, ajouta-t-elle. Sophie et Sabrina les trouveraient géniaux. Si seulement on pouvait caser Dorian et Sophie ensemble ! Elle a du mal à bien choisir ses copains. Tu aurais vu le dernier... Névrosé au dernier degré.

— Je ne sais pas pourquoi, mais Dorian ne tombe jamais sur des filles bien. C'est toujours des folles, sans domicile, de retour de désintoxication, ou avec un énorme problème qu'il pense pouvoir résoudre.

— Exactement comme Sophie. Elle finit toujours par jouer à l'assistante psychologique d'une boule de nerfs.

— Dorian aussi. Et en plus, il passe son temps à m'emprunter des chaussures qu'il perd systématiquement. Je suis sûr qu'il les distribue à des sans-abri ou à ses amis.

Ils rirent en chœur. Sydney avait l'impression qu'un poids de cinq cents kilos venait d'être ôté de sa poitrine.

— J'avais une peur bleue de les rencontrer, confia-t-elle.

— Je sais, dit-il doucement. C'est pour ça que je les ai invités ce soir. Je voulais abréger tes souffrances rapidement. Ils ne sont pas très effrayants. J'étais sûr qu'ils t'aimeraient bien. Je ne savais simplement pas ce que toi, tu penserais d'eux. Ils ne sont pas aussi sophistiqués que tes filles, Dorian a raison. D'ailleurs, tu devrais lire son roman, il est très bon.

On entendait la fierté du père dans sa voix.

— Ça me ferait très plaisir. Sabrina passe son temps à juger tout le monde, mais il lui arrive quand même de lâcher prise. Je pense que Steve y est pour beaucoup. Et puis, son allure va avec son job.

Sa fille aînée avait endossé le rôle de police de la mode depuis sa plus tendre enfance.

— En partant, ils m'ont dit à quel point ils t'admiraient. Ils te trouvent très « cool ».

Bob était content, et fier de Sydney.

— Moi aussi, je les trouve très cool. Très, très cool. Et tellement mignons.

— Bon, ça, c'est fait. Comme ça, la prochaine fois, tu pourras mieux profiter d'eux.

— J'ai déjà bien profité d'eux ce soir.

Elle sourit, et il s'approcha pour l'embrasser.

— Allons au lit, lui chuchota-t-il. J'ai sacrifié une soirée pour eux, maintenant je te veux tout à moi.

Elle le suivit en riant dans sa magnifique chambre. Il ferma la porte, et ils se laissèrent tomber sur le lit, dans les bras l'un de l'autre. À force de sourires, rires, discussions et plaisanteries, la passion prit le dessus, et ils oublièrent les enfants pour ne penser plus qu'à l'amour qu'ils éprouvaient l'un pour l'autre. La soirée avait été parfaite. À présent, Sydney pouvait se détendre et profiter de Hong Kong avec lui. Elle n'avait plus rien à craindre. Les monstres dont elle avait si peur s'étaient révélés des jeunes gens charmants, drôles, aimants et talentueux, qui avaient surmonté un obstacle monumental ce soir-là. Elle n'en aimait leur père que davantage.

20

Sydney raconta la rencontre avec les enfants de Bob à Ed dès le lendemain. Les deux créateurs étaient en pleins préparatifs du défilé : derniers arrangements de la salle, vérification de la sono et répétition avec les mannequins.

— Tu avais raison, ils sont adorables.

Sydney était absolument ravie de sa soirée. Elle n'était toujours pas redescendue de son nuage. Charlotte était revenue pour le petit déjeuner avant son départ pour Shanghai. Elle n'avait fait le voyage à Hong Kong que pour rencontrer Sydney, et affirmait qu'elle était contente de l'avoir fait. Au moment de partir, elle l'avait prise dans ses bras et l'avait invitée à son prochain vernissage.

Ed se rengorgea.

— Je te l'avais dit. C'est une famille géniale. Et des gens tout à fait normaux. Il n'y a pas un seul snob dans le tas, y compris Bob. C'est juste un type qui a réussi et qui aime la belle vie plus qu'eux. Tu verrais leurs voitures... Au lycée, Dorian conduisait une vieille camionnette de facteur. Ils sont tous un peu hippies sur les bords. Peut-être que c'est en réaction à leur fortune.

C'était ce que Sydney aimait chez eux, Ed aussi. Cette attitude les rajeunissait et ils dégageaient une authenticité attrayante. Le soir, Sydney complimenta encore Bob sur ses enfants. Elle était rentrée à l'appartement pour se changer, et portait une magnifique robe de soirée dessinée par Ed pour l'occasion. On aurait dit du Chanel vintage. Finement plissée de soie noire et de satin rose pâle, la robe était spectaculaire sur son corps mince.

Tout s'était très bien passé à l'hôtel dans l'après-midi, et tout était prêt quand elle se rendit en coulisses avant le défilé. Ed était très élégant dans son smoking, Kevin aussi. Les invités avaient commencé à arriver. Ed et Sydney vérifièrent les tenues des mannequins en personne. Mrs Chin vint les voir plusieurs fois en coulisses. Quand les convives furent installés à table, on lança le défilé. Un long tapis avait été déroulé dans toute la salle en guise de podium, pour que chacun puisse voir les vêtements. C'était parfait. Plus encore que le défilé de New York, parce que moins formel. Lorsque Ed et Sydney firent un rapide salut final, tout le monde se leva pour les applaudir.

Puis le dîner commença, l'orchestre se mit à jouer et les gens à danser. Ils avaient payé leur place une fortune, pour une noble cause, et l'événement était à la hauteur de leurs attentes. Sydney apprécia la compagnie des amis de Bob plus qu'elle ne l'aurait cru. Il avait invité quatre couples : parmi eux des banquiers, des avocats, un médecin et une journaliste. Tous étaient extrêmement cultivés, chaleureux et accueillants. Quand Bob l'invita sur la piste, elle lui découvrit de merveilleuses qualités de danseur. Ils furent parmi les derniers à partir vers deux heures du matin. Les assistants avaient déjà remballé les vêtements sous la supervision de Kevin. Sydney était désormais en vacances, et elle n'avait plus rien d'autre à faire que de jouer à la touriste avec Bob dans Hong Kong.

Ils s'attardèrent sur la terrasse jusque tard pour s'émerveiller du succès de la soirée puis allèrent se coucher. Quand elle se réveilla, il était déjà habillé, pressé de lui faire visiter la ville. Ils prirent le tramway pour le pic Victoria, qui offrait une vue encore plus époustouflante que la résidence des Chin. Il l'emmena au Ladies' Market, dans les plus belles boutiques de Causeway Bay et dans les meilleurs restaurants. Enfin, après quatre jours de visites touristiques, il rassembla son courage pour lui poser la question qui le taraudait depuis la Saint-Valentin. Ils dînaient au champagne chez Caprice, et il ne voulait pas attendre la fin de la soirée.

— Sydney, il y a quelque chose que j'aimerais te demander.

Son ton était prudent, et elle y décela de la nervosité. Elle espérait qu'il n'était pas sur le point de lui imposer un ultimatum, ou de lui faire une proposition qu'elle ne pouvait accepter. Elle avait une petite idée de ce qu'il s'apprêtait à dire.

— Je sais à quel point ta vie a été bouleversée ces deux dernières années, mais je me dois de te poser la question, pour savoir où je me situe.

Sydney se retint de faire la grimace. Elle ne voulait pas le blesser.

— Est-ce qu'il y aurait une chance pour que tu acceptes de tirer à nouveau un trait sur la mode, de quitter New York, et de t'installer avec moi ici, avec ou sans mariage, c'est toi qui choisis ?

Sydney posa sur lui un regard triste. Elle ne voulait pas que son refus change quelque chose entre eux. Leur relation était trop précieuse. Mais elle ne voulait pas se perdre non plus. Elle refusait que ça lui arrive à nouveau, même pour lui. Elle devait être honnête avec lui.

— Non, c'est impossible, dit-elle gentiment. Je ne veux pas renoncer à ma carrière encore une fois. J'adore ce que je suis en train de bâtir avec Ed, et je ne veux pas faire une croix dessus. Mais je ne veux pas te perdre non plus. Je ne peux pas retomber dans le même schéma, abandonner ma carrière, être dépendante d'un homme, risquer tout ce que je suis. Si quelque chose tourne mal entre nous, je me retrouverai une fois de plus le bec dans l'eau.

Il comprenait. C'était la réponse à laquelle il s'attendait, mais il s'était senti obligé de poser la question, au cas où.

— Ça n'arrivera jamais avec moi, dit-il.

Il ne voulait pas critiquer Andrew, mais ils étaient très différents, et jamais il n'aurait laissé l'avenir entre les mains du hasard. Il était aussi un peu plus jeune que lui. Il lui dit que dans l'éventualité de sa mort, il voulait que ses affaires soient en ordre, et que ses proches n'aient pas à s'inquiéter par la suite, quitte à les préserver les uns des autres, s'il le fallait.

— Ça, je peux te le promettre.

— Je sais. Mais si je renonce à ma carrière pour toi, je deviens totalement dépendante. Sans travail, je n'ai plus d'argent. Je l'ai déjà vécu. Je ne peux pas recommencer. Ce serait une terrible erreur. Je ne veux pas t'être redevable. Je veux être avec toi parce que je t'aime, et non pas parce que tu me soutiens financièrement.

Elle avait aimé Andrew, mais il prenait en charge toutes ses dépenses avec générosité. Et à sa mort, tout avait pris fin. Elle ne voulait pas se retrouver dans cette situation.

— Je ne suis même pas encore totalement remise sur pied. C'est en cours. Je veux gagner mon propre salaire, et pas vivre aux crochets du tien. Je ne me remarierai qu'à condition d'être autosuffisante. Je ne parle pas forcément d'égalité, mais il faut que j'arrive au moins à gagner assez pour subvenir à mes propres besoins.

Elle n'avait jamais mesuré l'importance d'être indépendante avant de tout perdre.

— Je comprends.

Soudain, une nouvelle question lui vint.

— Est-ce que tu pourrais travailler d'ici ?

— Peut-être.

Elle ne lui dit pas qu'Ed le lui avait déjà proposé. Elle ne voulait pas déménager à Hong Kong pour lui. C'était un trop grand changement à opérer à cause d'un homme. Elle voulait être libre de ses choix. Elle l'aimait, et elle savait qu'elle voulait être avec lui. La difficulté était de savoir où, quand et dans quelles circonstances. Elle voulait laisser les choses évoluer à leur rythme, ne pas lui sacrifier quoi que ce soit, comme New York, la proximité avec ses filles, ou sa carrière – comme il le lui demandait. Ça pourrait se retourner contre elle. Son instinct lui dictait que si les sacrifices se faisaient unilatéralement, le couple ne tiendrait pas. Les risques lui faisaient trop peur à présent. On ne pouvait pas savoir ce que la vie nous réservait. Pour autant, elle ne voulait pas être injuste avec lui. Elle voulait que le destin choisisse à leur place, pour qu'elle n'ait pas à prendre toutes les décisions, ou Bob à les dicter. Mais elle voyait bien qu'il ne lui imposait rien. Il posait simplement la question.

— Ce ne serait pas inenvisageable de travailler depuis Hong Kong, répondit-elle. Tout dépendra du développement de la marque. Il est encore trop tôt pour le dire.

Bob comprenait la logique, et elle laissait la porte entrouverte. Il aimait cette idée. Ce n'était pas la réponse qu'il avait espérée, mais elle ne l'avait pas rejeté non plus – ce dont il avait peur en la pressant. Il avait pris garde à ne pas insister, et à respecter sa volonté. Ils avaient tous deux besoin d'une relation fondée sur le respect mutuel, ce qui pour l'instant était le cas.

Elle le regarda intensément.

— Je t'aime. Je le sais. C'est simplement que je veux éviter une erreur monumentale. Ou de négliger une chose qui aurait de l'importance. Tu ne lâcherais pas ta carrière pour venir vivre à New York. Et je ne veux pas lâcher la mienne juste après l'avoir relancée. Je le regretterais toute ma vie si je le faisais.

Il savait qu'elle avait raison. C'était une femme intelligente, raisonnable, qui avait appris la leçon en payant le prix fort. Il estimait sa carrière et son talent autant que les siens.

— Tu accepterais de passer du temps avec moi ici ? Peut-être que si on va l'un chez l'autre à tour de rôle, ce sera plus simple.

Sauf que lui avait des rendez-vous professionnels réguliers à New York, alors qu'elle n'avait pas d'autre raison de voyager si loin si elle ne travaillait pas à Hong Kong.

— Je peux essayer. J'adore être ici avec toi. C'est une ville merveilleuse. Mais un peu loin de New York.

Il lui sourit et déposa un baiser sur ses doigts.

— Je t'aime, Sydney. On trouvera un moyen de faire en sorte que ça fonctionne. C'est vraiment ce que je souhaite.

Elle hocha la tête. C'était ce qu'elle voulait aussi. Restait à trouver ce moyen.

— Laissons une chance au destin.

Il l'embrassa, et ils rentrèrent à l'appartement pour y faire l'amour. Beaucoup avait été dit ce soir-là. Les mots n'étaient plus nécessaires.

Ed l'appela au réveil pour lui demander de le retrouver dans l'après-midi.

— Tout va bien ?

— Oui, oui. Les commandes s'emballent à New York. Je veux juste te parler de quelque chose.

— Tu veux passer à l'appartement ?

— Pour être honnête, je préférerais te voir seule. Rendez-vous à dix-sept heures au Felix, à l'hôtel Peninsula, ça te va ?

C'était un bar chic qu'elle avait déjà fréquenté avec Bob.

— Très bien. Je demanderai à Bob de me déposer.

— Et je te ramènerai ensuite.

Elle en parla à Bob, sans avoir la moindre idée de ce que voulait Ed, et y pensa toute la journée.

Le moment venu, Bob l'embrassa en la laissant au point de rendez-vous.

— J'espère qu'il n'y a pas de problème.

Il la sentait inquiète et tenta de la rassurer :

— Il a dit que tout allait bien.

Elle lui sourit en espérant qu'il ait raison. Cette réunion restait un mystère pour elle.

Ed l'attendait à une table à l'écart. Ils commandèrent du vin blanc puis, après avoir bavardé un peu, Ed prit un air sérieux.

— J'ai une proposition pour toi, et une question. J'ai eu une longue conversation avec mes parents cette semaine. Ils ont une idée, et je pense qu'elle est bonne. Ce n'est pas ce que j'avais en tête, mais plus j'y réfléchis, plus je suis emballé. Je voulais ouvrir une boutique à New York une fois qu'on serait bien lancés, et c'est toujours ce que je veux. De leur côté, ils veulent que j'ouvre la boutique mère ici, et ensuite à New York un an plus tard. Au début, je trouvais ça fou, mais en fait, ça a du sens. Ça attirerait l'attention sur nous. Comme tu le sais, beaucoup de marques ont ouvert des boutiques phares à Pékin, mais je ne veux pas de ça pour nous. Si on s'implante en Chine, et je crois qu'on devrait, je veux que ce soit ici, sur Causeway Bay.

— Ça alors ! Quelle nouvelle !

Elle ne trouvait pas l'idée folle du tout, car Ed avait un réseau très étendu ici. Une boutique à Hong Kong pourrait rencontrer un grand succès, et les distinguer des autres marques, ce qui lui plaisait.

— Tu penses à quelle échéance ? Dans un an ?

— Non, maintenant. On est à la mode, on est nouveaux. Si on s'y met aujourd'hui, on pourrait ouvrir dans six mois. Et à New York dans dix-huit mois. Mon père possède un bien immobilier qui serait parfait pour accueillir la boutique. On serait le magasin le plus branché de la ville.

C'était un projet ambitieux, et elle comprenait son enthousiasme. Elle le partageait. C'était un plan génial, surtout avec les Chin pour les soutenir, eux qui étaient si influents dans la région.

— Tu crois vraiment qu'on peut être prêts en six mois ?

C'était beaucoup demander : ils étaient tous les deux basés à New York.

— Oui. Avec la bonne personne pour conduire le process, je pense que c'est faisable. Difficile, mais faisable.

— Il va falloir qu'on trouve quelqu'un.

— Je ne vois qu'une seule personne qui en soit capable. Toi. Ça ne veut pas dire que tu emménages ici définitivement. Tu pourrais rester six mois, puis rentrer à New York. C'était ce que je voulais te demander aujourd'hui. Est-ce que tu veux bien t'en charger, Syd ? Tu es la seule en qui j'ai pleinement confiance.

Il la regardait droit dans les yeux. Sydney, elle, était soufflée, mais elle était consciente de ce que cela signifiait pour leur entreprise. C'était peut-être la meilleure chose à faire. Ed avait raison, et sa famille aussi. Une boutique mère à Hong Kong, suivie d'une autre à New York, pourrait les propulser sur le devant de la scène et, en disposant des moyens financiers et matériels, comment pourraient-ils échouer ? Restait à savoir si elle était prête à emménager à Hong Kong pour six mois.

— Tu as besoin de ma réponse pour quand ? Ça reste un grand chamboulement pour moi, même pour un temps limité.

— Apparemment, ça fait un bail que mon père garde ce bien sous le coude. Je n'en savais encore rien avant-hier. Une très belle offre d'achat s'est présentée et il envisage de le vendre. Mais il est prêt à nous le donner. Et c'est vraiment ce que je veux. Mais je ne peux pas le faire sans toi.

Elle hocha la tête.

— Il a besoin d'une réponse pour demain, reprit-il. Je suis sérieux, tout ce que tu aurais à faire, c'est de rester ici jusqu'à l'ouverture, pendant six mois. Après ça, libre à toi de rentrer à New York ou de rester là. C'est à toi de voir. En tout cas, je pense qu'on pourrait avoir une belle perspective ici.

— Je ne suis pas sûre que j'aurai envie de rester.

— Et rien ne t'y obligera. On pourra toujours trouver quelqu'un. Mais là, on n'a pas le temps de se lancer dans le recrutement. Il faut que ce soit l'un de nous deux. Et à mon avis, ma présence à New York est indispensable.

Sydney était d'accord avec lui. Il en savait plus qu'elle sur les aspects techniques de l'entreprise.

— Ça devrait pouvoir se faire, dit-elle en tentant de penser à tous les détails en même temps. Il faudrait que je commence quand ?

— On va avoir des travaux sur le site. Le chantier ne sera pas considérable, mais pas négligeable pour autant. Je veux faire appel à un grand architecte pour le design de la boutique. Ils travaillent vite, ici. Si tu rentres à New York en même temps que moi, qu'est-ce que tu penses de revenir à Hong Kong dans deux semaines ?

Sydney s'esclaffa.

— Ce n'est pas une plaisanterie, n'est-ce pas ?

— Non, en effet.

Il était on ne peut plus sérieux, et elle aussi. Elle adorait l'idée, la proposition, et la perspective de rester six mois auprès de Bob sans avoir à sacrifier toute sa vie. Ça lui donnait une raison valable de rester, une raison qui la regardait directement. Le destin s'en était mêlé, exactement comme elle l'avait espéré. C'était ce qu'elle avait dit à Bob la veille. Elle avait voulu que le destin choisisse pour eux, et il l'avait fait sous la forme du bien immobilier que leur donnait le père d'Ed. Que demander de plus ? Elle plongea son regard dans celui d'Ed et sut que c'était la bonne décision. C'était son destin. Elle était vouée à le rencontrer chez Lady Louise, la seule belle chose qui soit ressortie de cette expérience. Et il avait fallu qu'elle rencontre Paul Zeller à bord de cet avion, même si c'était un escroc qui lui avait valu d'être arrêtée et coincée dans son appartement pendant trois mois. Elle avait tout perdu après la mort d'Andrew, et elle avait maintenant l'occasion de construire quelque chose par elle-même, avec Ed. Et peut-être aussi avec Bob. C'était grâce à Ed qu'elle l'avait rencontré. Tout était lié.

— C'est sans doute une folie, mais c'est d'accord. Six mois. C'est tout ce que je peux promettre pour le moment. On en reparlera dans six mois, et je rentrerai aux États-Unis si j'en ai envie. Mais il va falloir que je retourne à New York dans quelques semaines pour le mariage de Sabrina.

— Bien sûr.

Elle lui tendit une main qu'il serra, un grand sourire aux lèvres. Elle avait pensé à ses filles aussi, mais elles étaient assez grandes pour se passer d'elle pendant six mois. Elles étaient adultes, avec un bon métier, et pouvaient venir lui rendre visite à Hong Kong. Comme elle irait les voir.

— Est-ce qu'on est complètement dingues ? demanda-t-elle avec une expression stupéfaite.

— Possible, mais je ne crois pas. Mon père est l'homme d'affaires le plus avisé que je connaisse, et il trouve que c'est une très bonne idée.

— Moi aussi.

Son instinct le lui disait. Elle n'avait même plus peur. La décision lui semblait naturelle.

Ed régla la note et ils quittèrent le bar. Il la déposa chez Bob quelques minutes plus tard, et elle monta à l'appartement, encore sous le choc de ce qu'elle venait de faire, mais exaltée et ravie. C'était la bonne décision.

Bob travaillait sur l'ordinateur quand elle franchit le seuil et il l'accueillit avec un grand sourire.

— Bienvenue à la maison !

Puis il lui lança un regard interrogateur.

— Qu'est-ce qu'il voulait ?

Pendant un instant, elle ne sut pas par où commencer. Elle s'avança vers lui avec une expression qu'il ne lui connaissait pas. Un mélange de force, de détermination, de courage et d'enthousiasme.

— Qu'est-ce qui se passe ?

— J'emménage à Hong Kong dans deux semaines pour six mois. On va ouvrir notre boutique mère ici. Le père d'Ed nous fait don du site et je vais me charger de l'ouverture.

Comme elle parlait, un immense sourire illumina progressivement son visage, et il la contempla en comprenant ce que ça signifiait pour leur couple.

— Je ne lui ai promis que six mois. On verra après.

Le destin était intervenu, dès le début. Pour la marque, pour Ed, pour elle, pour Bob, pour leur relation. Tout avait commencé par la mort d'Andrew qui l'avait laissée sans rien, sa rencontre avec Paul dans un avion qui avait failli sombrer dans l'Atlantique au large de la Nouvelle-Écosse, et la rencontre avec Ed Chin, et avec Bob grâce à lui.

— Bienvenue à la maison, répéta-t-il tendrement. Merci.

Il ne savait pas s'il la remerciait elle ou le destin qui les avait bénis avec cette chance incroyable. Tout était possible. Les dés étaient lancés. Pour tous. Il n'y avait plus qu'à vivre.

Elle lui sourit alors qu'il la prenait dans ses bras. Il savait combien elle était épatante. Elle avait tout perdu, elle avait survécu, et elle avait réussi. Et à présent, lui aussi. La chance leur avait souri, et Sydney avait été assez courageuse pour saisir cette occasion. Comme lui. Il savait, en la regardant, que de belles choses étaient vouées à arriver. C'était une certitude. Le bonheur était déjà là et ne faisait que commencer. Leur histoire était en marche.

Vous avez aimé ce livre ?
Vous souhaitez en savoir plus sur Danielle STEEL ?
Devenez, gratuitement et sans engagement, membre du
CLUB DES AMIS DE DANIELLE STEEL
et recevez une photo en couleurs.

Retrouvez Danielle Steel sur le site :
www.danielle-steel.fr

La liste de tous les romans de Danielle Steel publiés
aux Presses de la Cité se trouve au début de cet ouvrage.
Si un ou plusieurs titres vous manquent, commandez-les
à votre libraire. Au cas où celui-ci ne pourrait obtenir le
ou les livres que vous désirez, si vous résidez en France
métropolitaine, écrivez-nous à l'adresse suivante :

Éditions Presses de la Cité
92, avenue de France
75013 Paris

Composition et mise en pages
Nord Compo à Villeneuve-d'Ascq

Pour en savoir plus :
www.editis.com/engagement-rse/

MARQUIS

Québec, Canada

Imprimé au Canada